隐蔽战线春秋书系·传记卷

中共隐蔽战线的卓越领导人李克农

开 诚◎著

中共党史出版社

图书在版编目（CIP）数据

中共隐蔽战线的卓越领导人李克农 / 开诚著 .—北京：中共党史出版社，2018.4（2025.10 重印）

（隐蔽战线春秋书系 . 传记卷）

ISBN 978-7-5098-4581-3

Ⅰ . ①中… Ⅱ . ①开… Ⅲ . ①李克农（1899—1962）—传记 IV. ① K825.2

中国版本图书馆 CIP 数据核字（2018）第 046345 号

书　　名：中共隐蔽战线的卓越领导人李克农
作　　者：开诚

出版发行：中共党史出版社
责任编辑：王世聪
责任校对：龚秀华
责任印制：段文超
社　　址：北京市海淀区芙蓉里南街 6 号院 1 号楼　邮编：100080
网　　址：www.dscbs.com
经　　销：新华书店
印　　刷：北京盛通印刷股份有限公司
开　　本：710mm × 1000mm　1/16
字　　数：411 千字
印　　张：27.25
版　　次：2018 年 4 月第 1 版
印　　次：2025 年 10 月第 8 次印刷
书　　号：ISBN 978-7-5098-4581-3
定　　价：57.00 元

此书如有印装质量问题，请联系中共党史出版社读者服务部 电话：010-83072535

李克农（1899—1962）

|| 丛书前言 ||

章百家

中国共产党领导的新民主主义革命，既有公开战场的博弈，又有隐蔽战线的较量。公开战场和隐蔽战线相互配合，相互支持，相得益彰，奏响了中国革命的一曲曲凯歌。正如毛泽东指出的：要战胜敌人必须打两种战争，一种是公开战争，一种是隐蔽战争。隐蔽战争有战略进攻，派人打入敌人的内心；也有战略防御，保卫自己。要打败敌人须内外夹攻，所以两者都有同样的意义。

党的隐蔽战线随着党的发展而发展，随着党的壮大而壮大。在白色恐怖笼罩的危急关头，周恩来领导创建了党的第一个专门情报保卫机构——中央特科，培养和造就了一批隐蔽战线的杰出领导人和业务骨干，为保卫党中央机关和领导人的安全作出了特殊贡献。中央苏区时期，在中央和各主要苏区创立的政治保卫工作，对配合苏区工农红军粉碎敌人的“围剿”，发展和巩固苏维埃政权，纯洁红军队伍作出了特殊贡献。长征途中，红军情报侦察部门及时获取敌人往来的电报，使中央指挥机关能够及时了解敌人的军事行动部署，避实就虚，屡出奇兵，摆脱围追堵截，胜利实现了伟大战略转移。红军到达陕北后，在争取西安事变和平解决，促成抗日民族统一战线形成的过程中，隐蔽战线发挥了关键作用。抗日战争时期，中央先后成立了中央社会部和中央情报部，隐蔽战线斗争进入了专业化的成熟期。我情工人员深入日伪党政机构，获取了日伪大量军政战略情报和国民党消极抗日积极反共的情报，对配合抗日战争的胜利起了重要作用。解放战争时期，我党我军的情报保卫工作得到了更加深入广泛的发展。我情工人员深入到国民党机密决策指挥机关内，及时准确地供给了党中央和军委及各地区战略性和动向性的重要军政情报，为中央制定解放战争的战略方针提供了重要依据，使我军在解放战争中对敌人的主要情况了如指掌，始终掌握了战争的主动权。毛泽东评价这个时期“我们的情报工作是最成功的”。

艰苦卓绝的隐蔽战线斗争造就了一大批无名英雄。他们有的大智大勇，运筹帷幄，决胜千里；有的深入虎穴，与敌周旋，获取情报；有的舍生取义，面对严刑，视死如归；有的潜伏敌营，长期经营，率部起义；有的忠诚可靠，周密安排，确保党中央安全；有的巧妙应对，冲破封锁，保证交通线畅通。一代代无名英雄赤胆忠心，赴汤蹈火，用忠诚与信仰铸就了中华民族的无名丰碑；一个个共产党人不忘初心，牢记使命，用热血和生命锤炼出薪火相传的红色基因。他们在斗争中表现出了坚定的革命理想信念、大无畏的革命英雄主义精神、敢于斗争敢于胜利的英雄气概、高超灵活的对敌斗争艺术、艰苦奋斗和严谨细致的工作作风、甘于无名甘于奉献的高尚情操，这些凝聚成了隐蔽战线精神特质：胜而不骄，败而不馁，受气不叫，有苦不说，舍己救人，冒险犯难，埋头苦干。

毛泽东曾经说过：今后革命胜利了应该给我们情报战线的无名英雄们发一个大大的奖章。很多无名英雄没能盼来这枚奖章就早早地离开了我们。他们的名字无人知晓，但他们的功绩永世长存！徐向前曾指出：“我们的党史、军史有一个重大缺陷，就是对情报工作反映不够。”近年来，可以看到一些公开出版的反映隐蔽战线的史料、传记，但总的来说还不是很丰富，与隐蔽战线建立的功勋还不相称。这套《隐蔽战线春秋书系》分“传记卷”、“回忆录卷”和“史述卷”，比较全面地反映了隐蔽战线的历史和无名英雄的精神。既是对老一辈隐蔽战线英雄的深切怀念和告慰，也可以作为新时代国安干警的教育读本，让一代新人了解历史，传承基因，所以是很有价值的。

（作者为中国中共党史人物研究会副会长）

‖ 序 ‖

20世纪的中国历史，是中国人民在中国共产党的领导下，进行翻天覆地、艰苦卓绝的革命斗争史。在这个伟大的时代，我们党涌现了一大批叱咤风云的伟大人物。在党的隐蔽斗争战线上，也造就出了灿若群星的卓越人物和无名英雄。本书向大家介绍的我党隐蔽战线的卓越领导人——李克农，就是这条战线的杰出代表。我们想通过对他富有传奇色彩的奋斗历程和长期建树的光辉业绩的记述，全面而又深刻地反映党的隐蔽战线在这一旷古未有的历史性大变革中的重要地位和作用，本书力图勾画出我党情报工作的一个历史缩影。

毛泽东同志说：要战胜敌人，必须打两种战争，一种是公开战争，一种是隐蔽战争。对于公开战争，人们都已经很熟悉，但对于隐蔽战争，由于它的特殊性，加上宣传不多，所以不大为人们所了解。实际上在人类进入阶级社会以来，这种斗争始终没有停止过。孙子兵法中的“知己知彼，百战不殆”，讲的就是这个道理。

李克农同志是我党我军隐蔽战线的卓越领导者和组织者。他在五四运动时期就参加进步活动，1926年加入中国共产党。入党不久正值大革命失败后的白色恐怖时期，他坚决勇敢地同敌人作斗争，同钱壮飞、胡底同志一起，为保卫党中央领导机关的安全作出了突出的贡献。在第二次国内革命战争时期，他参与了苏区和红军中政治保卫工作的建设，参加了二万五千里长征，历任国家政治保卫局执行部长、红军第一方面军政治保卫局局长、红军工作部部长，对党和红军政治保卫工作建设起了重要的作用。到达陕北后，担任中共中央联络局局长等职。在洛川首先会见了张学良将军。西安事变后，担任中共中央代表团秘书长，协助周恩来同志领导的谈判工作。在抗日战争和解放战争时期，历任八路军、新四军驻上海、南京、桂林办事处处长，八路军总部秘书长，中共中央长江局秘书长，中共中央社会部副部长、部长以及中共中央情报部副部长、部长，在了解敌情，保卫自己，解放全中国的斗争中付出了巨大的艰辛，作出了卓越的贡献。全国解放后，历任中共中央情报委员会书记，中央军委情报部部长，外交部副部长，中央军委总情报部部长，中国人民解放军副总参谋长，中共中央调查部部长等职。并当选为第一届全国政协中共代表团代表，第一、第二届全国人民代表大会代表，中国人民政治协商会议第三届全国委员会常务委员。1955 年被授予中国人民解放军上将军衔，在党的第八次全国代表大会上被选为中央委员。在情报工作、外交工作、统战工作、保卫社会主义建设和巩固国防的斗争中，都做出了显著的成绩。

党中央非常重视对隐蔽战线的宣传，早在 1989 年纪念李克农同志诞辰九十周年之际，中央领导同志就提出要组织撰写一部李克农传记。国家安全部党委专门成立了纪念活动领导小组，强调做好对隐蔽战线历史的宣传，对李克农和广大无名英雄的宣传，是继承和发扬党的优良传统和在国家安全系统进行精神文明建设的重要内容。我们的隐蔽战线工作是在党的绝对领导下进行的，以马列主义、毛泽东思想为指导，长期以来，形成了一整套具有中国特色的路线、方针和政策。近几年来，在社会上曾出现过不少表现隐蔽战线，包括李克农同志的革命业绩的书刊，有的作者还搜集了一些宝贵的历史资料，但由于他们不了解隐蔽战线的性质和特点，不完全掌握翔实的史料，又没有按照中央关于涉及党的地下情报工作历史题材的作品要经国家安全部审核把关的规定去做，因此作品的真实性、思想性都相差甚远，有的甚至粗制滥造，以讹传讹，造成不良的影响。因此，由主管部门组织撰写一部李克农传记，从而揭示党的隐蔽战线历史，是十分必要的。为做好这项工作，我们聘请高级记者、全国优秀新闻工作者开诚同志负责撰写。经过几次讨论、修改，并征求了有关老同志和李克农同志子女的意见。在写作过程中，贾春旺同志等部领导和罗青长、王炎堂等老同志以及主管这项工作的余放同志给予了热情的鼓励、关心、指导和帮助。国家安全部办公厅向开诚同志提供了必要的史料和具体的帮助。最后由部党委批准的本书审定小组审核定稿。

在本书出版之际，我们要感谢开诚同志。他已年过花甲，身体并不太好，曾动过肺部手术，但他出于对党的事业的责任感和对李克农同志的敬仰之情，愉快接受了国家安全部委托的写作任务。他克服了许多困难，带病坚持工作，兢兢业业，圆满完成了撰写工作。在写作过程中，我们除得到了国家安全机关许多同志的支持之外，还受到了李启明、柴成文、李宁、李冰、李治、李力、李伦、孙方等同志的大力支持，还有开诚同志的夫人和女儿的帮助，在此我们向他们以及关心支持这项工作的所有同志表示衷心的感谢和敬意。

李克农同志作为我们党和军队隐蔽战线最卓越的代表，他创建的丰功伟绩，他的革命精神、高尚情操、斗争艺术和工作作风，将永远成为我党和隐蔽战线上的宝贵精神财富而彪炳千秋、垂范后世，将成为培育一代又一代优秀中华儿女的生动教材。

国家安全部办公厅

目录

（开头语）才擅中华

三十年前事已赊，
知君才调擅中华。
能谋颇似房仆射，
用间差同李左车。
天不慭遗兹一老，①
人如可赎岂千家。
箕裘克绍芝兰秀，②
高举红旗障落霞。

这是我国老一辈无产阶级革命家董必武，在1962年2月11日为悼念李克农逝世所写的一首挽诗（董老挽诗的手迹刊登于1962年2月14日的《人民日报》）。

诗的大意是：

你三十年前就建立殊勋，虽然时隔已久，但显示出你是中华英才。

你颇像唐太宗所倚重的大臣房玄龄，多谋善断；你也像秦、汉之际的谋士李左车，善于利用敌人营垒的缝隙，先知敌情。

可惜老天不愿把你这位长者留在人间，千家万户为之哀悼，宁愿代死赎命。

优秀的子孙们，一定能继承你的未竟事业，继续把革命红旗高高举起，

① 天不慭遗，为一成语，见《左传·哀公十六年》："旻天不吊，不慭遗一老……""慭"（yìn，音印），意思是愿，不慭就是不愿。此句意为：老天不愿人间留下这位老人。

② 克绍箕裘，为成语，意为继承祖先事业。芝兰，喻才德优美的后辈。

遮断日薄西山的晚霞。

董老作为中共领导人之一，对李克农知之深，情谊切，写出这首感人肺腑的挽诗，可以作为李克农光辉一生的写照。

李克农生于1899年，在学生时期接受进步思想，投身革命，1926年加入中国共产党。在长期的斗争实践中，确立了坚强的政治信念，认定了正确的政治方向，始终不渝。他具有无畏的革命胆略，超群的敏锐机智，丰富的斗争经验，坚强的组织能力，多谋善断，艺高胆大。多次受命于危难之际，总能镇定自若，化险为夷，建立奇功。他做过多种工作，富于开拓精神，敢于在崇山荒野中开路前进。特别是在情报保卫工作中，发挥了独特的才能，为中国革命的胜利，建立了丰功伟绩。

——1927年，蒋介石发动反革命政变，大革命惨遭失败。但李克农追求共产主义理想的信念没有动摇，以大无畏的革命气概，在白色恐怖下坚持斗争。

——大革命失败后，他同钱壮飞、胡底，深入龙潭虎穴。这是中共第一次在国民党特务首脑机关里建立情报小组，获取了国民党的核心机密，为粉碎国民党破坏中共地下组织和“围剿”红军的阴谋活动，作出了特殊贡献。后来，他长期从事中共的情报工作，并成为一位卓越的领导者。

——1931年，中共中央特科负责人顾顺章被捕叛变后，在上海的中共中央机关和领导人面临全部覆灭的危险。当此紧急关头，李克农临危不乱，千方百计地把钱壮飞获得的报警情报及时送达中共中央，保证了中央机关全部安全转移，粉碎了国民党企图一举破坏中共中央的罪恶阴谋。

——1934年，中央苏区第五次反“围剿”失败，红军被迫长征，但他坚信革命必胜，以高昂的革命斗志，参加了红军二万五千里长征，并率领侦察部队沿途进行地面侦察工作，胜利地到达陕北。

——西安事变前，他作为中共代表，几次受命潜入白区，与东北军进行秘密接触，并达成一些重要协议，有效地开创了红军与东北军的抗日统一战线工作，在一定程度上促成了西安事变的发生。

——抗日战争期间，他在国民党统治区西安、上海、南京、武汉和桂林等地，相继创建八路军办事处，以统一战线的言行推动抗战形势的发展，并完成了许多紧急而繁重的任务。

——他在桂林工作时，面对国民党第二次反共高潮的险恶形势，镇静自若，进行了勇敢而又巧妙的斗争，揭穿了国民党的阴谋诡计，争取了广西上层人物和各界人士的同情和支持，在妥善部署地下工作后，率领八路军办事处全体人员安然脱险。

——在抗日战争即将结束时，他就预见到国民党发动内战的危险性，指示在日占区工作的中共情报人员，积极向国民党接收的各个地区发展。

——抗战胜利后，他到国民党统治下的古都北平，出任“军事调处执行部”的中共代表团秘书长，协助团长叶剑英，同国民党、美国代表打交道，与国民党勾结美国发动内战的阴谋活动，进行了针锋相对的斗争。

——内战爆发后，面临严重的形势，他组织和领导深入到国民党许多重要决策机关的情报人员，不断获取国民党的重要军事、政治方面的战略和战术情报，有力地配合了解放战争，推进了全国解放的进程。

——建国初期，外交部初建，他任外交部副部长，抓该部的组建工作，从四面八方调来大批干部，并培训了一批高级外交官，为外交部打下了良好的基础。

——朝鲜停战谈判和日内瓦会议，是新中国第一次和美国及法、英等西方国家进行面对面的外交斗争。他参与了这场斗争，为赢得胜利作出了重要贡献。

——新中国成立后，他根据新的形势，很快实现了情报工作由国内向国外的战略转移。同时，他面对国内外敌对势力极力破坏我国领导人出访活动的阴谋，进行了尖锐的斗争，及时掌握敌情，保证了周恩来总理和其他中央领导人出国访问的安全。

李克农是久经考验的无产阶级革命家。他在一生中，做过多种革命工作，都卓有成效，成为杰出的社会活动家、外交家。尤其在情报和保卫工作中，成绩更为显著。他为发展中共的情报事业，献出了巨大的精力，在关键时刻向中共中央提供了决策情报，为中国革命建立了伟大功勋。

他热爱党的情报事业，因为他深知情报工作对党和国家的决策，对保卫党和国家的安全具有重要作用。

他强调晴天准备雨天，反对削弱党的情报工作的倾向，推动了党的情报工作的发展。

他重视理论联系实际，运用马列主义和毛泽东思想，根据党的情报工作所积累的丰富经验提出了具有中国特色的一整套情报工作的方针、政策和做法，得到了中共中央的批准。

他主张情报工作要与其他各项工作结合起来，他自己在这方面做了楷模。在国统区的“八路军办事处”、北平的“军事调处执行部”，在主持朝鲜停战谈判和参加日内瓦会议时，他都利用统战活动、外事交往开展情报工作，又使情报工作为统战工作和外交斗争服务。

李克农在长期的复杂工作中，“过度疲劳”（医生对他的诊断），积劳成疾，但他以革命的乐观主义精神，与疾病作顽强的斗争。他早年患眼病，20世纪30年代手术不当，左眼近乎失明，右眼视力很弱。他就借助于放大镜，仍十分认真地圈选报刊，并做出标志，送毛泽东主席参考。他还幽默地自称为“峡公”（“瞎公”的谐音）。

1940年初，他在桂林工作时，患阑尾炎需要开刀。这是个简单的手术，但当时医疗条件很差，开刀时没有麻醉剂，他疼得头冒冷汗，硬是咬着牙挺过来了。

几年后，他患严重的心脏病，时有发作。他以顽强的毅力坚持工作。主持朝鲜停战谈判期间，数次晕倒，但“临阵不换将”。出席日内瓦会议期间，咳嗽气喘很厉害，靠服药维持，但仍尽力协助中国代表团团长周恩来工作。

临终前，病情更加严重，但他仍坚持参加中央工作会议。

他以不屈不挠的精神，树立了不怕疲劳、不怕疾病、连续作战的战斗作风。诚如他自己所常说的：“身体是不要紧的，我们是毛驴，驮惯了东西，不驮是不舒服的，能驮多少就驮多少”。

李克农以毛驴自比，既是自勉，也是自谦。他在各项革命工作中，一向勇于负重，而且经常超载，并形成了特有的战斗风格，勇猛顽强，坚定沉着，机警灵活，雷厉风行，说干就干，讲究效率，因之卓有成效。

李克农个性爽直，有错误敢于承担责任，不诿过于人；批评别人也很厉害，还有点“脾气”，但注意讲道理，出主意，可敬可亲。特别是他作风正派，诚恳待人，能广泛团结党内外同志和朋友，有很强的凝聚力和感染力。

李克农的才能和品德，为周恩来所深知，他一直深受周恩来器重。在大革命失败后的中央特科时，就得到周恩来的赏识；在抗日战争、解放战争时期以及建国后的长期工作中，他越来越成为周恩来的好助手。

第一章　深入龙潭

1929年冬，蒋介石叛变革命已有两年多，上海仍然处在白色恐怖之中。

乌云密布，遮盖了万里晴空；黑雾层层，笼罩着茫茫大地。时而刮起一阵阵腥风，落下一阵阵血雨，多少革命志士遭到残害！

已经篡夺了政权的蒋介石，为他的“魔法”得逞得意狂笑。他要进一步加紧破坏白区的共产党组织，加紧“围剿”苏区的红军，企图把革命力量全部消灭掉。

这时，中共中央特科在中央政治局委员、军委书记周恩来直接领导下，鉴于钱壮飞已先打进国民党最高特务机关，乃派李克农、胡底在钱壮飞掩护下，也趁机打入，形成了以钱壮飞为主要情报员、李克农为组长的三人情报小组，从而掌握了全国的国民党特务活动，与蒋介石的反革命“魔法”进行了卓有成效的较量。

上海是有革命传统的最大城市，在大革命失败后，中共中央领导机关已迁到这里，坚持革命斗争。此时，他们三人不约而同地来到上海。

李克农，1899年生于安徽巢县。早在五四运动时期，即参加进步活动。1926年在安徽芜湖加入中国共产党，长期做地下工作，有丰富的对敌斗争经验。1927年大革命失败后，在安徽省的长江两岸地区坚持革命斗争。

1928年春，他根据党组织的指示，摆脱了敌人的追捕，从安徽秘密转移到上海。

他与上海党地下组织取得联系后，被编入中共上海北四川路春野书店支部。在支部里先做文化工作，后来做小市民工作，又去电车工会做发动群众工作。

同年秋，他同潘汉年等人一起在上海从事革命文化活动，先后办小型报纸《铁甲车》和《老百姓报》，不久遭封闭。

同年冬，他被调到共产党沪中区委任宣传委员，继续做文化工作。

他来上海的这段时间里，基本上没有社会职业，处境十分艰难，过的是“悬脑袋，饿肚皮”的生活，常常空肚子喝“三鲜汤”——酱油、葱花加开水。但他情绪乐观，精神饱满，写文章、办小报、编剧本，积极认真，特别是在复杂而紧张的斗争中，胆大心细，具有高度的革命警惕性，能及时识破敌人的阴谋诡计。

李克农

钱壮飞

胡底

钱壮飞，1895年生于浙江湖州。1919年毕业于北京医学专门学校。初在北京挂牌行医，兼任美术学校教师和报纸编辑；后又转到京绥铁路附属医院任医生。1925年，他参加了中国共产党，积极投入革命斗争，同胡底等同志日夜辛勤奔走，散发传单，张贴标语，在群众中进行宣传鼓动工作。

1927年革命形势逆转，他和胡底的革命活动已被敌人发觉。北京反动政府明令通缉钱、胡，他们在接到党组织的警报后，于1927年冬一同逃离北京，经天津先后到达上海。

1928年七八月间，钱壮飞和胡底在上海与党组织取得联系，编入中共法南区委所领导的法租界街道支部过组织生活，支部书记是张沈川。支部为了使钱壮飞避免暴露，不让他参加散传单、贴标语等活动。

钱壮飞多才多艺，既精于医学、文艺创作，又擅长绘画和汉剧。表面上像一位文弱书生，实际上有勇有谋，胆大心细，遇事沉着，善于适应各种环境、应付各样人物。

胡底，又名胡北风，安徽舒城人。在北京中国大学读书时与钱壮飞相识。毕业后，一直住在钱壮飞家中。1925年加入中国共产党，积极从事革命活动。1926年在北京的“光华影片公司”当演员。

1927年冬，胡底被北京反动政府通缉，遂与钱壮飞一起离开北京至上海。

1928年，他入“上海影片公司”当演员，又被国民党政府发觉，派军警围捕，他机智地越墙逃脱，到松江和沿海一带村庄同盐商混在一起，同国民党政府的缉私官员展开斗争。

1929年夏，他又被敌人追捕，遂去杭州找到钱壮飞，隐居钱家。

同年冬，他在上海另一家影片公司当演员。

胡底，虽出身于一个富裕的家庭，但在革命斗争中，勇往直前，毫不畏难退缩，革命意志非常坚定。他也是一位多才多艺的人才。对文学和艺术有很高造诣，文章写得很好，而且吹、拉、弹、唱，样样擅长。他性格开朗，谈吐生动、风趣，善交际。

这三人都是优秀的共产党员，杰出的人才。他们经历各异，又是怎样相遇的呢？

就在1929年初冬，任中共沪中区委宣传委员的李克农，常进出上海的文化机关，先遇到了在上海电影界工作的胡底。两人是安徽同乡，曾在芜湖相识，而且一起参加过进步活动。这次重逢，分外高兴，各叙别情。

胡底对李克农有信任感，着重简述了他和好友钱壮飞从北京来上海的情况。

李克农凭地下工作的经验和敏锐的观察力，初步断定这个性格开朗、言谈风趣的青年老乡所谈，基本上是真实的。

李、胡两人相互信任，又成了“同志”。

同年11月上旬，钱壮飞和胡底在上海外滩公园相见。胡底谈起最近见到李克农的情况，认为李克农是搞进步文化工作的一位共产党领导人，是可以信赖的。钱壮飞表示想和李克农交谈，希望胡底介绍、安排。

原来，钱壮飞到上海后，一面找党的关系，一面找掩护职业。在找掩护职业时，于1928年夏，考取了国民党在上海开办的无线电训练班。这个所谓的无线电训练班，实际上是国民党的特务机构。

钱壮飞进入无线电训练班后，急于想见到可信赖的党的领导人，谈谈这方面的情况。

钱壮飞进入国民党特务机构，带有偶然性。

1928年上半年的一天，他在上海的报纸上发现有一个无线电训练班招生的广告，就打算去应试学习，以便结业后能找到一份工作，维持生活。

在这段时间里，钱壮飞没有固定职业，生活没有保障。为了解决一家人的吃饭问题，在上海东奔西跑做些杂事：给上海市公用局写过黄包车的牌照，还帮挑花厂画过窗纱和桌布的图案。为了维持生计，他经常留意报纸上有关求职聘人的广告。

钱壮飞到训练班报名后，抓紧背诵三民主义，其他用不着准备。

他的知识丰富，语文修养有素，各种试卷成绩优良，关于三民主义的问答题又是满分，加上写得一手漂亮字，竟考了第一名，立即被录取。

钱壮飞当时的情报意识并不强。开始只知道这个训练班是国民党办的，后来对训练班的背景逐渐了解。原来这个训练班是由国民党“C.C.”系统头子陈立夫的亲信徐恩曾主办的。

徐恩曾也是浙江湖州人，和钱壮飞是同乡，对钱壮飞比较满意，又发现这个高材生的确才华出众，很快就赏识他。

钱壮飞高高的个头，长长的面孔，戴一副金丝边近视眼镜，清秀儒雅，还显得稳重。徐恩曾对他的印象良好，认为此人忠诚老实，可以成为自己的亲信。

徐恩曾于1928年秋被蒋介石任命为上海无线电管理局局长时，就把钱壮飞留在身边工作，任该局秘书。

1929年4月，徐恩曾被国民党派到杭州主办“西湖博览会”，徐要钱壮飞帮助他筹备和设计博览会的事宜。经钱壮飞的精心设计，“西湖博览会”的观众络绎不绝，展出历时四个月而不衰，得到国民党高级官员的一致赞赏。孔祥熙还亲自到杭州主持了开幕典礼。

从此，钱壮飞更加得到徐恩曾的器重，担任他的私人秘书。

下一步应如何处理呢？钱壮飞心中无底，希望得到党的高层领导的指示。

在1929年11月中旬的一个晚上，通过胡底的安排，钱壮飞会见了李克农。

钱壮飞如约来到了胡底工作的影片公司，胡底把他领到摄影棚的一个角落。

一位穿长袍的青年迎了上来。胡底低声地告诉钱壮飞，“这就是李泽田同志”（当时李克农叫李泽田）。

钱壮飞定睛一看，逐渐看清来人：中等个子，一头黑发，剪得短而平，显得精力十分充沛；圆圆的脸庞，大大的耳朵，饱满的前额，表情严肃而敦厚；圆形的眼镜后面，目光深沉而机警；嘴角微翘，显得和蔼而坚定。

没等钱壮飞开口，李克农急走几步，一把握住他的手，亲切地说：“我叫李泽田，很高兴见到你。”

钱壮飞心里热乎乎的，也紧握李克农的手，并做了简要的自我介绍。

钱壮飞谈了自己无意中进入了国民党特务机构的情况以及目前的处境。

李克农很感兴趣，要他详细讲讲国民党特务机构目前正在筹建的情况。

李克农仔细听完，一言不发，来回踱步。走了几步后，问道：“壮飞，现在有没有办法再楔个钉子进去？你一个人在里面不好周旋。”

钱壮飞沉吟了一下，觉得有个好机会。他说，“现在上海无线电管理局正在扩大人员，为建立国民党特务机构做准备。现在缺少广播新闻编辑，要公开招聘”。

李克农回来后，立刻将情况通过共产党江苏省委报告了党中央，并提出了自己报考国民党无线电管理局，在国民党特务机构建立共产党特别小组的建议。

中共中央领导人周恩来，对这个报告非常重视，认为钱壮飞已经在徐恩曾身边取得了一定的地位，再派人进去建立特别小组，是可行的，也是必要的。

但是，领导中央特科的中共中央特别委员会，在研究是否派李克农等人打入国民党特务机构问题时，有两种不同意见。一种意见是：不进去，担心派人进去是帮助了敌人的工作；另一种意见是：要派人打进去，你进去了，才可以阻挠敌人的工作。

最后，周恩来排除了不进去的意见，指示："把它拿过来！"

于是，中央特科在1929年12月决定，派李克农、钱壮飞、胡底打入国民党特务首脑机关，建立情报小组，由李克农任组长。

其实，周恩来的指示，是符合中共中央要求的。早在1927年12月31日，共产党中央在第二十五号《中央通告》中就提出了打入敌人内部，建立侦察工作的必要性和迫切性。《通告》指示，"经过党支部决议，得派一两个忠实的同志，到国民党部以及某种反动机关做侦察和破坏工作，但必须限于这两种作用才可派遣"。

中央特科，是中共中央决定后，在周恩来的筹划和领导下，于1927年11月在上海建立的。

它是在武汉建立的中央军委特务工作处（1927年5—7月）的基础上发展起来的，另外又吸收了中共江苏省委负责保卫工作的人员以及上海工人纠察队中的骨干分子。

它是中共从事情报、保卫工作的比较成熟的专门机构。其指导思想是：保卫共产党组织的安全，抗击敌人的迫害；深入敌人的党、政、警、宪、特机关，探取情报，肃清内奸，有效地粉碎敌人破坏共产党的阴谋。

在中央特科内专门负责掌握敌情的，是情报科，即特科二科，成立于1928年4月，科长是陈赓。

在此之前，特务工作处只有一个科——情报科，是中共第一个情报工作的专门机构，站在斗争的第一线，为当时中共的军事、政治斗争作出了光辉的贡献。

中央特科情报科继承了特务工作处情报科好的经验，并有所发展。

根据周恩来的指示，中央特科情报科的任务，主要是打进去和拉出来。

打进去，就是利用各种关系打入敌人的心脏部门，向国民党的特务、军队、警察、宪兵机关和租界巡捕房，派人进去搞情报工作。主要派中共党员打入敌人内部，也利用同情中共、又为中共信任的人打入敌人内部。一般说，在当时打进去的难度较大，受到许多限制，一时也难以起作用。

拉出来，就是将国民党特务机关某些人员和外国租界巡捕房的包探，以及能够利用的人，尽量设法拉出来为中共工作。

除情报科外，中央特科有总务科，即特科一科，先由洪扬生负责（他1931年到香港，后从江西苏区出来时被捕叛变），后由陈云兼任科长。这个科专门为地下的中共中央搞"具体事务工作"。其经常性工作包括：给中央负责人安排住处；设立机关，使机关社会化，为中央开会布置会场；营救被捕的中央负责人；租家具，打铺保，做生意；负责为牺牲的同志收殓；料理家属生活，等等。

中央特科还设立了三科，专门负责"打狗"（镇压叛徒）的工作。三科是在较早成立的"打狗队"基础上建立起来的，经过两次整顿，把一些有流氓习性的人清除出去，而把一批长期受党培养、经过斗争考验、忠诚可靠的人调进来。

三科在情报科的配合下，能够从敌人内部得到叛徒、奸细活动的情报，及时、有效地予以制裁；有时还能够在事前发现敌人的阴谋，做到防患于未然。

中央特科还在1928年10月将原交通科改为无线电通讯科，即特科四科，由李强负责筹建电台。这主要是因为：红军在扩大，苏维埃政权在巩固发展，原来派人"跑交通"的方式来往时间太长，不能适应革命斗争的新形势，在上海的中共中央迫切需要和各苏区建立无线电通讯联系。

中央特科这四个科，是根据工作需要逐渐建立和完善的，相互联系，又各有专职。

总的说，中央特科的建立和发展，特别是要发挥情报科的作用，是根据当时的敌情决定的。

蒋介石夺取了大革命成果后，以南京、上海为中心，建立了为帝国主义效劳的大买办、大地主的“王朝”，在中国实施法西斯统治。

为此，蒋介石加紧建立军、警、宪、特系统。

蒋介石从德国等西方国家取得经验，很重视建立自己的特务组织，以便有效地打击异己，特别是打击共产党。

约于1928年初，蒋介石授意陈果夫、陈立夫，把原来由江、浙买办流氓所组成的“浙江革命同志会”扩大改组，建成“中央俱乐部”。英文译为Central club，简称C.C.。由于其负责人为陈果夫、陈立夫二兄弟，陈字的第一个英文字母也是C，后来有些人把C.C.当成二陈的缩写，指二陈系统的特务组织，实际上是一回事。

二陈是蒋介石的亲信，是浙江吴兴人。

陈果夫于1918年在上海经商，就曾与蒋介石一起做过交易所投机买卖，1927年春协同蒋介石背叛革命。陈立夫在1926年夏，经其兄介绍，到国民革命军总司令部任蒋介石的机要秘书。

在1928年下半年，陈立夫在“中央俱乐部”内部成立一个行动组织，即“调查科”，作为C.C.系的核心特务机构。

这个调查科，隶属于国民党中央党部的组织部，以国民党党务调查为掩护建立特务工作。开始阶段，主要用来对付国民党内其他各派的反对势力，后来，着重对付共产党。

1929年12月，陈立夫积极策划：在“调查科”的基础上，建立一个进行秘密侦察、审讯的反共特务机构。

陈立夫就让他的亲信徐恩曾来办这件事。

李克农三人就是要趁这个机会打进去，协助徐恩曾筹建国民党特务机构，包括建立秘密指挥机关和各地基层特务组织，从而设法控制这些组织。

李克农的组织关系，就从沪中区委转到中央特科情报科。

接着，李克农去无线电管理局报名应考。

考试科目是：三民主义，科学常识，还有一篇命题作文。

李克农文史知识底子厚，才思敏捷，三门都考得很好。特别是一篇文言文，写得有文采，字迹也清秀，颇得考官赏识。他被录取了。

因此，他在1929年12月轻易地进入了国民党上海无线电管理局，任广播新闻编辑。

不久，经钱壮飞介绍，胡底也进入了上海无线电管理局工作。

三人都打入以徐恩曾为首的国民党特务机关后，根据原来计划，组成了一个共产党特别小组，由李克农任组长。重大问题，由小组讨论决定，分头执行。

首先，他们要帮助徐恩曾另立门户，排除“中央俱乐部调查科”的干扰。

1930年初，钱壮飞帮助徐恩曾把秘密特务首脑机关建立起来。地址在南京中山东路5号。为了掩人耳目，门口挂了“正元实业社”的招牌。

这座别墅似的两层小楼，成了国民党特务机关的大本营。这里设立了指挥国民党在全国各地的特务基层机构的电台。初期，这里还制造便于携带到外地去的小型收发报机。

1930年内，从春到冬，李克农、钱壮飞和胡底三人还“帮助”徐恩曾在南京、上海和天津三地区分别成立了四个情报机构，并趁此机会插足进去，直接控制。

这是一套以通讯社和广播新闻形式出现的公开情报机关，以公开掩护秘密，是秉承陈立夫的意图，主要搜集国民党其他派系的动向情报，以对付国民党内部存在的反蒋介石、反二陈（陈果夫和陈立夫）派系的斗争。

它的指挥机关是“长江通讯社”。社址设在南京中央饭店四楼，就在“正元实业社”隔壁，负责人为钱壮飞。

南京中央饭店旧址。钱壮飞设立的掩护机关长江通讯社就在四楼

另外，在南京还设立了“民智通讯社”，社长由钱壮飞兼，胡底任编辑。

在天津成立了“长城通讯社”，胡底任社长。

在上海，以无线电管理局广播新闻为掩护的情报机关，由李克农主持。

李克农到南京时，就在中央饭店四楼“长江通讯社”住，和钱壮飞、胡底一起讨论工作，不至于引起别人的怀疑。因为都是国民党特务机关的“自己人”，掩护得很好。

中央特科派情报科负责人陈赓同李克农联系，平时派专门交通员与李克农碰头。这位通讯员叫大汉，真名是欧阳新。

李克农小组利用国民党特务首脑机关和国民党一套公开情报机关，获得许多情报，由在上海的李克农交给陈赓，转告中共中央。

李克农情报小组，就是这样在国民党特务机构里诞生、活动，在敌人心脏里开始战斗的。

第二章　取得信任

徐恩曾是陈立夫的表兄弟，早年在上海交通大学毕业，曾经留学美国学电气工程。他对电务方面是内行，又有一定的组织才能，1928年，徐在陈立夫把持下的建设委员会上海无线电管理局任局长时，工作有成绩，更得到陈立夫的信赖。

1929年冬，他奉陈立夫之命筹建特务组织，重点又是对付共产党。他在这方面是外行，但还是精明的，总是设法要“摸到共产党秘密组织的门道”，他后来还对自己在这方面有所“突破”而自鸣得意。

但是，以李克农为首的共产党情报小组就在他的鼻子底下，他也没有发觉。这倒并不是由于他的粗心大意。他在开始一段时间，就派人暗中考察钱壮飞，后来又暗中考察李克农和胡底。他在自己的接触中，也注意考察他们。认为他们不多说话，也不多问工作范围以外的任何问题，只是勤勤恳恳地工作，堪称党（国民党）国的模范职员。可见李克农他们隐藏得多么巧妙！

李克农当时外出时穿着讲究，或西装革履，或长袍马褂，手上还戴着金戒指，一副傲慢冷漠的绅士派头。或出入于国民党官府衙门，交涉事务；或出入于酒肆茶楼，会三朋四友。他的住所宽敞，家具布置一新。这些都符合一个国民党官员的身份和作风。他这是逢场作戏，实际上生活很艰苦。回到家一关上门，就把身上衣服脱下来折叠好，开饭时绝对不会客，因为伙食很差。

李克农往外传送情报的办法，很有意思。共产党地下交通员宋季仁装做佣人，天天给李克农送饭菜到办公室。李克农摆出老板架子，动不动骂他“笨蛋”“蠢猪”。一会儿训斥他饭烧硬了，一会儿训斥他菜炒咸了，整个走廊都能听到他的怒骂声。宋季仁装得唯唯诺诺，一副受气挨打的模样，有时走出李克农的办公室时，还抹着眼泪哩！李克农是国民党无线电管理局电务股股长，别人不便在这位官长训斥佣人时走进他的办公室，而他们的情报就可在这种气氛中传送了。

晚上回到家，关上大门，李克农和宋季仁常常为白天的表演笑得跌倒在床上，滚作一团。

宋季仁是安徽芜湖人，可说是李克农的同乡。几年来，李克农在政治上帮助他进步，培养他成为一名出色的共产党的地下交通员。同志友谊，情同手足，李克农在生活上也很关心他。

宋季仁于1926年进入芜湖市的民生中学（共产党组织创办的）读书，受到该校实际主持人李克农的教育。1928年，宋季仁在芜湖领导共产党民生支部与国民党“青年会”做斗争，引起敌人注意，随时有被捕的危险。共产党组织决定将他转到上海春野书店支部。他初到上海，两眼黑黑，举目无亲，不知在这个花花世界怎样立足。碰巧，李克农也是这个支部的成员，与党员宫乔岩（也是芜湖人）同住在景林堂寄宿宿舍的一间小房子。他们就让宋季仁挤进去搭了临时小铺，早拆晚铺。李克农、宫乔岩两人的伙食也与他分享。

不久，宫乔岩从小房间搬出去与他弟弟住在一起，宋季仁开始为李克农跑交通、送情报，生活仍由李克农负担。

宋季仁急切想分担一点李克农在生活上的困难。有一天，宋季仁到乍蒲路桥看到几个瘪三推人力车上桥，可以弄到一点施舍，也就试着推了几趟，谁知几个瘪三不约而同地将他团团围住，打得他晕头转向，鼻青脸肿，口袋里几个钱也被抢光。那值班的巡警装模作样，不闻不问，他只好自认倒霉，回到住所。

李克农见宋季仁这副模样，大吃一惊，以为他干了坏事给别人打的。问他为什么？到哪里去了？等等，他概不回答。李克农生气了，说他不回答问题，不能再工作下去，必须迅速离开。宋季仁只好讲出自己的想法和在桥头遇到的事情经过。李克农一下抱着宋季仁流泪了，宋季仁也难过得潸然泪下。李克农告诉他：上海这地方是洋人、阔人的天堂，穷人的地狱。推车的瘪三要给巡捕交“拔头”，推车没那么容易。这样的世界，总有一天，我们要叫它底儿朝天。

不久，宋季仁进了共产党上海地下组织办的新华印刷所当排字工，生活有了保障。晚上仍给李克农跑交通。

1929年冬，李克农打入国民党特务机关当“官”后，宋季仁作为他的“佣人”住在一起，为他传递情报，有时还要把情报送到江西苏区去。

又过了不久，李克农接到家乡《皖江日报》记者大可通知，说此报登出通缉宋季仁的消息。李克农叫宋季仁停止去印刷所，赶快搬家。宋季仁为丢失刚找到的饭碗感到惋惜，舍不得离开印刷所，但面对李克农果断、严肃的表情，只好照办了。

宋季仁已经是成熟的共产党地下交通员了。此后长期在白区工作，前后在上海、南京、汉口、香港等地跑交通，没有出过差错。

徐恩曾对李克农、钱壮飞、胡底三人办事效率之高，也颇为满意，认为他们是很有才能的青年人，“熟练地执行我的命令”。完全没有想到，他们利用国民党的官位干共产党的“私活”。

1930年4月，第二次蒋、阎、冯战争爆发之后，蒋介石要搞张学良的情报。国民党几次派人去东北探听情况，都失手被捕了。这次，徐恩曾要钱壮飞和胡底去东北，并说明任务有一定困难。钱壮飞和胡底都表示，为了党国利益，愿意勉为其难。实际上是共产党中央特科指示他们利用这次机会，完成自己的任务。

钱壮飞和胡底拿着国民党的通行证，在国民党的统治区通行无阻，又因中央特科派陈赓同行，一路上在地下党的帮助下，了解了许多情况。回到上海后，他们和李克农筛选，将有价值的留下，交给中央特科，将用处不大的加上某些军事材料和报纸上的东西，写了一份四万多字的材料，交给徐恩曾。

徐恩曾看了大为赞赏，说，“真了不起，哪来的这么好的材料！”从此，对钱壮飞更加重用。

李克农还不断地向徐恩曾提供有关共产党的“情报”，徐恩曾看了常常连声称好，赞扬李克农既积极又有办法。实际上，这是陈赓从一些过时的情报和一些共产党的宣传材料中选编的。

有一段时间，李克农负责管理全国无线电报务员登记和考试工作。他按照共产党内的名单，是自己的人一律录取，后来在国民党要害部门安插了不少

“钉子”，其深远作用难以估量。

李克农的办公室还是共产党学习开会的地方。有搜缴到的共产党文件送来了，李克农盖上“验收”印，李克农等人就在这办公室里公开地“翻阅”，有时还可以讨论讨论，来了人也不怕，看就看嘛，这是从哪里哪里搜缴来的共产党文件。

李克农小组在镇压共产党叛徒、打击国民党特务和营救自己同志方面，也起了重要作用。

在白区特别是在上海的斗争中，有些共产党员叛变了，成为敌人的走狗，李克农他们常把获得的确切证据以及这些叛徒的行动路线和住址，告知中央特科，中央特科就派人对这些叛徒进行有效的镇压，保证共产党地下机关在白区的生存和斗争。

好几次，共产党的地下机关暴露了，一些共产党员的身份暴露了，李克农他们都及时获悉，赶在敌人出动前通知转移，敌人扑了空。

上海市警察局有一个督察队长，对共产党非常凶狠，抓了很多共产党人和革命人士。李克农他们设了一计，把他搞掉了。

李克农先派人在上海租了一处房屋，布置共产党的人在那里来往，还在那里放一些已经被国民党警察搜缴到的共产党文件，后来故意让上海警察局督察队长的手下人侦知这一线索。李克农告诉他们说，为了某种理由，可以暂缓不动，以待来日捕获更多的人。就这样过了一些日子，那位督察队长再派警察去抓，共产党的人都走空了，只查到一些共产党文件，都是平常早已有了的。其实那里住的，原来都是些平日来往路过上海要走的人，如去苏区的人等。等到扑空以后，国民党的上司大为震怒，责问这位督察队长，“为什么让共产党漏了网？”对他审查了一段时间后把他“革职”了。他虽自称冤枉，但也承认“失职”，还不知道这是共产党借国民党之手把他“锄掉”的。

李克农在国民党特务机关立足后，使之成为共产党的一个转运站，输送了许多干部到江西苏区去。

李克农利用在国民党特务机构的身份和职权，接待刚从苏联回国的刘伯承，并护送他从上海到南京，再从南京转入江西苏区。

刘伯承是中共的一位重要军事领导人。

他1892年12月4日生于四川省开县赵家场。1911年在万县参加响应辛亥革命的学生军。1912年考入重庆军政府将校学堂。1913年参加四川讨袁（世凯）军。1914年加入中华革命党。在护国、护法战争中，历任连长、旅参谋长、团长。1923年在讨伐吴佩孚的战争中，任东路讨贼军第一路前敌指挥官，被誉为川中名将。

他1926年5月加入中国共产党，同年12月与朱德等发动泸顺起义，任起义军各路总指挥。1927年参与领导南昌起义，任中共前敌委员会参谋团参谋长。

他1928年留学苏联，1930年夏毕业于伏龙芝军事学院。毕业后回国，准备参加革命的军事工作。

那是1930年初秋的一个阴沉的雨天，细雨绵绵。李克农来到约定的接头地点——上海外滩公园，来接刘伯承。

他穿着一件蓝色绸缎长袍，手里举着一把雨伞，撑开的雨伞把他的头部和脸部都遮盖了，只是无名指上的金戒指十分醒目。

他从口袋里掏出香烟，慢慢地点燃，一团烟雾在雨伞下弥漫开来。他来回踱着步，眺望江面上来往的轮船，眼角的余光却瞟着公园的入口处。

不久，公园的入口处闪进两个人影。细雨已停，李克农收了伞，夹在腋下，把头上的礼帽按了按，慢慢走去，离这两个人还有几步远时，他站住摘下眼镜，哈哈气，掏出手帕擦拭了一下，又戴上，这是事先约好的暗号，表示身后没有“尾巴”。假如把礼帽从头上摘下来掸灰，是表明身后有“尾巴”，要立即停止接头。李克农和这两个人擦肩而过，一言不发，只是用眼神向其中熟悉的人——中共中央领导人李立三打了个招呼，然后继续往前走，奔向停在外滩公园外边的一辆美国“雪佛莱”黑色轿车。

这两个人都看在眼里，在公园里略转了一下也向这辆轿车走来，钻进车。司机是自己人，已有多次接人的经验。他不问什么，便驾车飞快驶向了公路。

坐在车前座的李克农转过身来和李立三握手问好。李立三指着坐在身边的人说，“泽田（即李克农），这位是刘伯承同志，交给你，好好送去”。

李克农仔细端详了一下坐在车后排的这位仪表威武、寡言少语的同志，随即紧握着刘伯承的手说，“久闻大名，没想到在这里和你幸会”。刘伯承微微一笑说，“我也是今天才识庐山真面目啊！”

李克农先把刘伯承安顿休息，第二天带着他乘从上海到南京的火车，坐在头等车厢里。他们都装扮成富商，相对而坐，慢慢地喝茶聊天，谈着“生意经”。这样，不大引起国民党特务的怀疑。万一特务敢来查问，李克农有国民党特务首脑机关的“派司”，加上威严的派头，容易把特务们打发走。

他们顺利地到达南京。

两人分手时，用力地一握，都感到彼此的友谊不会消失。后来在长征途中，果然再次相会。

第三章　绝密情报

徐恩曾担任国民党特务首脑机关的头头后，算是“尽职”的，经常住在南京的这个机关小楼里。作为徐恩曾机要秘书的钱壮飞就日夜守候在这里。凡是送给徐恩曾的文件、电报，都由国民党中央党部转到这里。设在汉口、九江、安庆、长沙、青岛等重要城市基层特务组织的电台，同这里直接通报。在这里先看到这些电文的，是钱壮飞。

这些电报和文件，先送到钱壮飞的办公桌上，由他分门别类，送徐恩曾审阅。不少文电，钱壮飞还代徐恩曾批示，再由徐签字，就处理了。这样，钱壮飞就轻而易举地获得许多国民党的重要情报。

但是国民党的绝密情报，钱壮飞得不到。

徐恩曾对钱壮飞虽倚为亲信，可有一件事却紧紧抓住不放，这就是国民党高级官员亲自使用的密码本。当时，译电报一般分为三级：普通机密电报由机要员译，更机密的由指定的专人译，特别机密的由负责人亲自译。

这个由国民党高级官员“亲译”的密码本，就像徐恩曾的护身符，每次外出的时候，他总是把它带在身上，珍藏在贴身衣服的口袋里。每有绝密情报，他就到内室亲译，别人要偷，也无从下手。

李克农几次和钱壮飞商量，要设法搞到徐恩曾的密码本，以便得到国民党的绝密情报——国民党最高统治集团的核心机密。

徐恩曾有一个弱点，就是“寡人好色”。这可以利用。

徐恩曾在上海搞了一个姓王的姘妇，但住处不理想，怕这件丑闻被传出去。钱壮飞就顺水推舟地向他献策，“我在上海的房子，前楼让给你，你们可以在那里同居。如此掩人耳目，可望万无一失”。徐恩曾听了甚为高兴。于是每次到上海就住在钱壮飞寓所的前楼，与钱壮飞的关系更为密切。

有一次，徐恩曾从南京来上海开会，钱壮飞与李克农趁机对徐恩曾说，某处有个漂亮姑娘。徐恩曾一听动了心，立刻要去。李克农就提出“忠告”说，“你不能带密码本到那里去，万一出了事情，你可承担不起啊！”徐恩曾沉思片刻，就从西装内兜里掏出一个密码本，交给钱壮飞，说，“你替我保存一夜吧，明天交给我”。

于是李克农连夜赶紧拍照，终于得到了这个难得的高级密码本的副本，供钱壮飞在必要时使用。

钱壮飞还把女婿刘杞夫安插在徐恩曾的这个特务首脑机关里工作。这样，刘杞夫既有掩护职业，又可与钱壮飞经常接触。实际上，他担任钱壮飞的秘密交通员，把重要情报从南京传递给在上海的李克农，再设法交给共产党中央。

这样，钱壮飞可以看到徐恩曾收到的全部机密文件和内部电报，包括绝密电报。徐恩曾收阅文电的范围很广，因为陈立夫以国民党中常委和中央政治会议秘书长的特权地位，把国民党中央的机密文电也批给徐恩曾看。

李克农三人巧妙地利用这个有利条件，不仅掌握国民党特务首脑机关的秘密，还掌握国民党中央的秘密和蒋介石的秘密。

1930年9月的一天，钱壮飞正在南京的国民党特务首脑机关“正元实业社”小楼里办公，收到了陈立夫发给徐恩曾看的一批文电，照例先打开看看。

他在文电中发现有蒋介石要对湘鄂赣三省红军进行大规模“围剿”的计划，大吃一惊。刚发展起来的红军面临严重威胁！

这两年，在大革命失败后似乎陷入绝境的中国共产党，进行了艰苦卓绝的斗争，革命出现了转机。一方面，在国民党统治区内恢复和发展地下工作，共产党在群众中的政治影响扩大了，全国的共产党员人数达到12万多人；另一方面，建立农村根据地和红军的工作，有了明显的发展，红军主力部队已发展到10多万人。

蒋介石对共产党力量的逐渐恢复、特别是红军和根据地的迅速发展，大为震惊。决心凭借国民党的优势兵力，把红军扼杀于摇篮之中。为此，他于1930年8月，就在国民党统治集团内策划“围剿”红军的事。

钱壮飞得悉蒋介石“围剿”红军的战略意图后，需要了解这次“围剿”的具体计划，如进攻红军的时间，国民党部署的兵力，以及国民党军队进攻的方向等。

有趣的是，国民党中央送来的文电中恰巧有详细的叙述，真是“踏破铁鞋无觅处，得来全不费工夫”！

这时，蒋介石在中原军阀混战中已基本上取得了胜利，打败了冯玉祥和阎锡山，准备掉转兵力打红军。他计划在同年（1930年）12月，首先对以江西省苏区为中心的中央革命根据地发动第一次大规模“围剿”。

钱壮飞在收到的发给徐恩曾亲阅的“绝密”电中，发现了蒋介石主持召开的“江西剿共会议”情况，以及蒋介石“任命江西省政府主席鲁涤平兼任南昌行营主任，负责剿共军事，张辉瓒为前敌总指挥”等内容。

蒋介石在会议上决定鲁涤平和张辉瓒率领十万余人的兵力，采取“长驱直入、分进合击”的战术，在三至六个月内，一举消灭江西红军。

这是国民党第一次“围剿”江西苏区的绝密计划。钱壮飞赶快译好，装在“中国国民党中央组织部”的大信封里，交给刘杞夫，连夜赶赴上海送给李克农。李克农又通过陈赓交给了军委书记周恩来。

10月间，在上海的中共中央从这份情报中获悉，国民党军队将于两个月后进攻江西革命根据地，立即将这一严重敌情通报了红一方面军，并指示他们做好反“围剿”的战略准备。

红一方面军的总司令朱德，总政治委员毛泽东（也是前委书记），得到国民党要派军“围剿”的敌情通报后，颇为重视。他们从其他方面也证实了敌人要进行大规模“围剿”的企图，乃与江西省行动委员会领导人于同年10月下旬在罗坊（当时属峡江县，现属新会县）举行联席会议，根据敌强我弱（红一方面军有四万余人）和湘敌强、赣敌弱的实际情况，决定实行“诱敌深入”的方针，向根据地中部退却，寻找战机，等敌军疲惫后，在运动中加以歼灭。

11月1日，朱德总司令、毛泽东总政治委员将诱敌深入的反“围剿”方针以命令的形式转发部队执行。

12月间，国民党军队气势汹汹，分三个纵队向江西苏区进攻：

第一纵队是第九路军。鲁涤平兼总指挥，共辖五个师：第十八师（师长张辉瓒），第五十师（师长谭道源），新编第五师（师长公秉藩），第七十七师（师长罗霖），新编第十三师（师长路孝忱）。以第十八师和第五师为主力，由永丰、乐安向南进攻。

第二纵队是第六路军。朱绍良任总指挥，共辖四个师和一个旅：第八师（师长毛炳文），第二十四师（师长许克祥），第五十六师（师长刘和鼎），第四十九师（师长张贞），暂编第二旅。以第八师和第二十四师为主力，由南丰、宜黄向光昌、洛口方向进攻。

第三纵队是第十九路军。蒋光鼐任总指挥，共辖三个师和一个旅：第六十师（师长蔡廷锴），第六十一师（师长戴戟），第十二师，第三十四旅（旅长马昆）。由泰安、吉安向兴国进攻。

他们企图将红军歼灭于吉安、赣州、瑞金、南丰之间地区，并力求歼灭红军于根据地之外或边缘地区。

国民党军队深入革命根据地后，果然因为战线过长、兵力分散，暴露出弱点来。12月30日，国民党“围剿”军第十八师师长张辉瓒率师部和两个旅进入龙冈地区的狭窄山路，突然遭到预先埋伏的红军猛烈袭击。经过一天激战，红军歼敌近一万人，活捉了张辉瓒。接着，红军乘胜东击，于1931年1月3日在东韶附近将敌第五十师包围，发起进攻后，歼敌一半。国民党军第一次大规模“围剿”被粉碎了。

这次红军反“围剿”作战，共歼灭国民党一个师部和三个旅约1.5万人，缴枪万余支，取得了反对国民党军大规模“围剿”的重要经验，巩固和扩大了中央苏区。

李克农小组取得的情报，有效地配合了红军作战的需要。

根据周恩来的指示，以李克农为首的三人特别小组，又对蒋介石的下一步阴谋，特别密切地关注。因为估计蒋介石是不会甘心于这次失败的。

果不其然，1931年春，钱壮飞在南京的“正元实业社”小楼的办公室里，又看到了蒋介石筹划的第二次大规模“围剿”红军的命令、计划，这也是陈立夫来电批给徐恩曾阅的。这次“围剿”的目的，仍是摧毁中央革命根据地，消灭红一方面军。要增加兵力一倍，达20万人，由国民党政府军政部部长何应钦兼任南昌行营主任来指挥。

蒋介石鉴于上次失败的教训，这次要采取“稳扎稳打，步步为营”的战术，并对中央革命根据地实行严密的经济封锁。

国民党“围剿”军开始进军的时间定为1931年4月1日。

钱壮飞获悉蒋介石要在1931年4月发动第二次“围剿”的命令、兵力部署等重要情报后，又赶快让刘杞夫交给了李克农。李克农又通过陈赓交给了军委书记周恩来。中共中央又很快通报中央革命根据地领导人。

共产党苏区中央局为此举行多次会议，研究对策。会上，有人忽视敌军强大的现实，提出“分兵退敌”的主张；也有人被敌人来势汹汹吓坏了，提出退出中央苏区的主张。毛泽东、朱德等人坚决反对这两种错误主张，仍坚持“诱敌深入”的战略方针，得到会上大多数人的支持。

4月初，国民党军队分四路又向江西苏区进攻：

第一路是第十九路军。代总指挥蔡廷锴，辖第六十师、第六十一师、第十二师和第三十四旅。由兴国向宁都进攻。

第二路是第五路军。总指挥王金钰，辖第二十八师、第二十七师和骑兵第一师。由宜黄、永安向洛口、乐安进攻。

第四路是第六路军。总指挥朱绍良，辖第五师、第八师、第二十四师、新编第十三师。由南丰向广昌进攻。

第五十六师（属第六路军）由宁化、安远相机进攻广昌。

何应钦还有直属的第五十二师、第四十九师、第六十二师、新编第二师、新编第二旅和航空队等部。

到1931年4月23日，敌军已进至兴国、吉安、吉水、永丰、永安、广昌一线。

5月10日，各路敌人继续向根据地中心区推进，至15日，敌军九个师进至兴国、永丰、沙溪、宁都一线。

红一方面军总司令朱德、总政治委员毛泽东，根据情况，采取诱敌深入的方针，指挥所部第一军团、第三军团及第三十五军、第六十四师等共三万多人，于4月20日从宁都、广昌、石城地区出发，23日退到东固、龙冈地区隐蔽集结，进行准备和紧张的临战训练，以便迎接敌人第五路军。

5月15日，敌人第五路军右翼第二十八师和第四十七师一个旅，脱离富田坚固阵地，向东固前进。红一方面军乃于16日向敌人发起总攻，歼敌第二十八师大部和第四十七师一个旅一部，并俘获敌第二十八师一部100瓦电台及其全部人员和器材，为后来中央革命根据地同中共中央（在上海）建立无线电联络提供了条件。

中共中央已于1929年10月在上海英租界内建立了党的第一个秘密无线电台。1931年，中共中央先后派出了一批报务员，携带密码、缩语、波长和呼号，前往根据地，利用当地红军缴获敌人的无线电器材，加上中共中央送去的密码和波长，同在上海的党中央通报了。

再说红一方面军集中主力在富田打击了敌军薄弱环节后，继续反攻，又打了四个胜仗，到5月31日结束，粉碎了国民党军队的第二次“围剿”。

红一方面军的这五次战斗由西向东横扫七百里，自赣江之畔直达福建建宁，共歼敌三万多人，缴枪二万余支，进一步扩大和巩固了中央苏区。

李克农小组取得的情报，又有效地配合了红军作战的需要。

工农红军，以寡敌众，以弱胜强，粉碎了国民党军队的第一次、第二次“围剿”，主要是由于毛泽东等人的正确的战略战术指导。而李克农小组及时发出的有关情报，也起了重要作用，因为红军指挥部提前得到准确的警报，有助于正确决策和进行作战部署。

第四章　及时报警

1931年4月下旬，中共中央政治局候补委员、中央特委成员之一的顾顺章被国民党特务逮捕后叛变了。他在被捕前还主持中共中央特科的具体工作，并兼管上海与苏区的交通线。所以他完全了解中共中央的一切机密，特别是中共中央在上海的秘密驻地。

中共中央领导人的处境十分危险!

顾顺章叛变的经过有点离奇。1931年4月初，中共中央派顾顺章护送当时共产党领导人张国焘、陈昌浩由上海经武汉去鄂豫皖苏区。4月8日，鄂豫皖苏区派来了交通员带路，抵武汉时，张国焘和陈昌浩随着交通员向目的地出发了。可是顾顺章却借口搞交通线，仍留在武汉不走，以“化广奇”大魔术师的化名，在汉口公开表演大套魔术，并在街头大贴广告，极力招徕。这样一个不寻常的人物在汉口出现，立即引起了国民党特务的注意。

4月24日，顾顺章终于在汉口的马路上被认识他的叛徒尤崇新发现。尤崇新原是中共湖北省委委员，1930年底被捕叛变，在徐恩曾的特务机关武汉行营侦缉处当侦探。尤崇新在马路上发现顾顺章后，就暗示同行的国民党特务跟踪，一直跟到顾顺章投宿的世界旅馆，立即派人将顾顺章逮捕。

国民党武汉行营侦缉处处长杨庆山、副处长蔡孟坚等在当天就对顾顺章进行审讯，不用动刑，顾顺章立即叛变。

25日清晨，国民党武汉行营主任何成浚提审顾顺章。顾顺章供出了共产党武汉交通机关、鄂西联县苏维埃政府及红军二方面军驻武汉办事处。因此，这些机关遭到破坏，十余人被捕。顾顺章还表示他知道共产党中央的全部机密，只有尽快“晋见”蒋介石，才能和盘托出。26日，何成浚派人把顾顺章押上兵舰，离开武汉，奔赴南京。27日上午，顾顺章被兵舰押解到了南京。蔡孟坚已乘飞机到南京，抢先报告顾顺章被捕经过。这时，他就带着顾顺章去见蒋介石。

顾顺章供出了共产党中央负责人周恩来、瞿秋白、李维汉、秦邦宪、陈绍禹和向忠发的住址以及共产党中央的办公地点，以此讨好蒋介石，要为国民党反动派立"特等功"。

蒋介石大喜过望，认为共产党的领导这一下全完蛋了。他立即布置了一个企图把在上海的中共中央一网打尽的行动计划，派国民党中组部调查科情报股总干事张冲及党派组组长顾建中率领大批军警特务，由顾顺章亲自带路赶到上海，会同英、法巡捕房执行。

28日早上，在顾顺章的指引下，国民党军警特务的大搜捕开始了。他们逐一搜查共产党中央负责人的住处，但处处扑空。

只有个别电台，来不及通知到，遭到破坏。

叛徒顾顺章及其主子蒋介石对共产党中央进行的闪电式的袭击，可耻地破产了。

这究竟是怎么回事呢？

国民党武汉行营主任何成浚和在汉口的国民党侦缉处副处长蔡孟坚，捕到顾顺章后，竞相邀功，在4月25日分别给徐恩曾、陈立夫打电报，不想电报先落入钱壮飞手中。

25日这天，正是星期六。徐恩曾像往常一样到上海度周末，会他的情妇去了，不在南京特务总部。钱壮飞一如既往，留守在这个特务总部的办公室里。

天黑以后，电台接连收到三封加急电报，报务员将电报送来，钱壮飞一看，是武汉发来的，都是绝密的，而且写明"徐恩曾亲译"。什么事这样紧急？立即引起钱壮飞的注意。

他赶快插上门，取出复制的高级密电码，翻译电文。

这些是何成浚发给徐恩曾转给陈立夫的电报。

第一封电报说：黎明（顾顺章的化名）被捕并已自首。如能迅速解至南京，三天之内可以将中共中央机关全部肃清。

第二封电报说：拟用兵舰将黎明解送南京。

第三封电报说：黎明供称，军舰迟缓。请速派飞机来接。

接着又来三封电报，是蔡孟坚发来的，也写明“徐恩曾亲译”。电报内容和前三封电报大致相同，并催促南京国民党总部加速处理。

这时，南京夜晚的天气并不热。但是，钱壮飞在译阅这几封电报时，出了满头冷汗。太紧张了！太出乎意料了！

他虽已估计到是颇为重要的情报，但没有料到是他们的顶头上司顾顺章叛变。

会不会其中有诈？他也要谨防上当。他希望这是假的。

但是，在第三封电报上还说道，黎明供称，徐恩曾左右有共产党，此消息切不可让他们知道，否则，要把在上海的中共中央机关一网打尽的计划，会完全落空。这明确表明，顾顺章已将他们三人小组出卖，顾顺章被捕叛变已是无情的事实。

中共中央机关处境十分危险，怎么办？

钱壮飞十分紧张，但他极力沉住气。情况非常紧急，必须迅速处理，也必须妥善处理，才能使党中央机关赶在敌人动手之前安全转移。

钱壮飞仔细记下电文后，把原电封好，暂时压下来。然后先开了小汽车回家，把女婿刘杞夫从睡梦中叫醒，叫他连夜乘火车到上海，尽快把这份特别紧急的情报亲手交给舅舅（指李克农）。

为了赶时间，钱壮飞用小汽车送刘杞夫到火车站。在汽车上再三叮咛，如果找不到舅舅，就找你岳母，告诉她，一定要找到舅舅，把这十万火急的消息报告中央。

4月26日早上，刘杞夫到了上海，走出火车站后，立即叫了一辆黄包车，跑过了一条马路又一条马路，终于到达了凤凰旅馆门前。刘杞夫下车后，走进旅馆，向走廊尽头的一间房走去，急促地、又轻轻地敲了房门。

李克农停止了手头的工作，把正在阅读的文件藏起来，就来开门。一看是刘杞夫，就拉他进来。看看走廊里没有别人，才关上门。他问刘杞夫怎么突然来了。原来这家旅馆是李克农的一个秘密工作点，只有极少数人知道，而且要事先约好才去接头的。幸亏这时候李克农未外出。这天是星期日，李克农也不必到办公室去办公，刘杞夫一下就找到了。

刘杞夫赶紧说明情况，李克农这个一向处事沉着的人也吓呆了。顾顺章叛变，共产党中央机关的安全已面临特别严重的威胁。面对这万分危急的形势，李克农很快冷静下来，想到当务之急是赶快把这绝密情报上报党中央，让党中央机关赶快转移。

但事有不巧。这天不是碰头日，中央特科和李克农的联系人欧阳新没有来。真急人！但急也没有用，必须冷静下来想办法，关键是要与党中央联系上。

李克农想到，如果直接找到陈赓，就可与党中央联系上。但陈赓的行踪在哪里呢？也不知道。通过江苏省委可能找到。他是知道江苏省委秘密机关的地址的。就到了江苏省委的交通站，打听陈赓的去向，但是一连去了几个地方都扑了空。

李克农万分焦急。

27日晨，他终于在汽车出租总公司找到了陈赓，找到了救星！

陈赓看到李克农这样急着找他，知道必有急事。就开出一辆出租车，让李克农上车，一边开车，一边问李克农有什么事。李克农说明情况，陈赓也急了。

陈赓很快报告了周恩来。

周恩来获悉警报后，当机立断，迅即通知中央负责人立即搬家，有关人员立刻转移。到这天（27日）傍晚，共产党中央机关和共产党国际机关已全部转移。所有与

在特科时，陈赓化装成工人的便装照

顾顺章有联系的关系，全部切断。

由于打入国民党特务首脑机关的李克农等三人情报小组及时向共产党报了警，所以，28日早上，国民党军警特务进行的大搜捕落空了。

事变并未结束。国民党特务要利用顾顺章在上海对共产党人，特别是中央负责人继续搜捕。形势很危险！斗争仍很激烈！

共产党中央委托周恩来全权处理这一紧急事变，以便全部粉碎国民党的罪恶阴谋。

周恩来在陈云的协助下，采取了一系列紧急措施：

——全部改变共产党中央机关的秘密工作方式和工作方法。

——机智果断地处理顾顺章在上海所能利用的全部重要关系。

——对顾顺章的侦察目标，采取进一步安全措施，如让有些人出国，把一些人调离上海，叫一些人停止活动。

——布置从各方面了解国民党特务活动情况，以便进行反击。

李克农的三人情报小组，在撤离敌人的特务首脑机关时，也做了妥善处理。

钱壮飞在25日夜打发他的女婿刘杞夫送走报警情报后，暂时把何成浚和蔡孟坚发来的六份电报全部压下，然后将他平时经手管理的银钱账目清理好，整整齐齐地放在钱柜子里。

26日黎明，钱壮飞通知“民智通讯社”的一位工作人员张先生逃跑。此人与钱壮飞的关系密切，身份会暴露。

27日早上8时许，钱壮飞若无其事地把压放一天两夜的六份电报，放在徐恩曾的办公桌上，然后就赶往南京火车站，乘火车去上海。他在途中还是小心的，提前在上海郊区的真如车站就下了火车，然后辗转进入上海市区。

蒋介石27日在南京召见叛徒顾顺章时，顾顺章供出了共产党中央几位负责人在上海的住址后，还特地说，“徐恩曾公事包经常交给钱壮飞，电报、密件多由钱壮飞先看，千万不能让钱壮飞知道。他如知道，一切都完了”。

钱壮飞到达上海后，陈赓就把他安置在一位朋友的家里，先隐蔽起来。

事变发生时，胡底正在天津。李克农就用“克潮病笃”的暗语给他发了电报，表面的意思是李克农、钱壮飞病重，实际是暗示事情严重，叫他速返上海。胡底立即离开天津来上海。中共上海闸北支部负责人立即把他送到一个白俄家里居住，也隐蔽起来。

刘杞夫在26日找到了李克农，送交了关系共产党中央安危的情报后，压在心头的一块大石，终算放了下来。他相信李克农会有办法的。

刘杞夫完成送情报的任务后，急于回南京，准备把妻子椒椒（即钱壮飞的女儿）和孩子接出来一起逃跑。

刘杞夫是“民智通讯社”的工作人员，钱椒椒在“正元实业社”办的一个电料行工作。他们与钱壮飞的关系是明显的，现在必然要受到牵连。所以李克农对刘杞夫再回南京事，感到很难下决心。但是钱椒椒还在南京，也不安全。李克农十分犹豫，最后还是让刘杞夫回南京去了。

刘杞夫临走时，李克农嘱咐他：“此行可能凶多吉少，遇事要英勇沉着”。果然，刘杞夫和钱椒椒都在南京被捕了。

为了子女等亲戚的安全，钱壮飞离南京之前给徐恩曾写了一封信，劝徐不要陷害他的子女，否则就把徐的所有秘密公之于世。徐恩曾对此有所顾虑，未敢伤害钱椒椒及其丈夫，刘杞夫夫妇被关了三个多月，只承认与钱壮飞的亲属关系，不知道任何政治问题，就被释放了。

人们可能要问，顾顺章这样的人怎么成为中央特科负责人的？

顾顺章是上海宝山人，少年时入南洋烟草公司制烟厂做学徒，后当钳工，后当“拿莫温”（小工头）。他个头不大，身体肥胖，鼻梁很高，喜欢耍枪弄棒，打架斗殴，能够双手打枪，会要魔术，曾在上海大世界游艺场公开表演，还在斜桥路22号开过一个魔术店，专卖一些魔术的小玩意儿。

1925年，五卅运动期间，顾顺章参加过制烟厂工会的领导，并加入中国共产党。南洋兄弟烟草公司是英商办的，厂里工会活动比较活跃。当时他在厂里领导工人进行罢工，表现比较勇敢。他曾专职搞纠察队，对于买枪、打架很有兴趣。打叛徒、工贼、流氓，他都参加，不久调到上海总工会工作。

1926年，他同陈赓受中共中央派遣，一起去苏联学习政治保卫工作。同年冬，学习结束，回到上海。

1927年，他参加周恩来领导的上海武装起义，担任一个武装纠察队的队长，在斗争中作出一些成绩，曾经受过表扬。四一二反革命政变后，他转往武汉，参加过短时期的隐蔽斗争，镇压过叛徒、特务。同处八七会议上，被选为中共中央临时政治局的委员，后来共产党中央从武汉搬到上海，他随着调上海工作。周恩来在同年冬创建中央特委的时候，他是中央特委成员之一，并负责中央特科的具体工作。

至于顾顺章的叛变，是他蜕化变质、思想动摇所致，不是偶然的。

随着工作取得一些成绩，他的错误思想日益严重地暴露出来。他在中央特科时，忽视共产党的秘密工作的政治方向，搞单纯的恐怖活动。他狂妄的个人野心日益发展，同党的关系不正常，骄傲蛮横。而且，生活腐化，道德败坏，在特科工作的掩护下，吃、喝、嫖、赌、抽大烟，中共中央常委周恩来等人对他多次批评，向他指出，“私生活和腐化堕落完全违背共产主义道德准则”。后中央调聂荣臻到中央特科工作（工作了四个月），借以从政治上加强中央特科，约束顾顺章的放荡行为。但他却阳奉阴违，屡教不改。

1930年6月到9月，实际主持中共中央工作的李立三，推行“左”倾冒险主义，制订了以武汉为中心的全国中心城市武装起义和集中全国红军攻打城市的冒险计划，重点是武汉暴动、南京暴动和上海总同盟罢工。顾顺章积极支持李立三的主张和计划。8月初，李立三成立了中共中央总行动委员会，顾顺章任此委员会的主席团委员，参与领导武装暴动和总同盟罢工。

“立三路线”的推行，使共产党付出了惨痛的代价。国民党统治区内，许多地方的共产党组织因为急于组织暴动而把原来的有限力量暴露出来，先后有11个省委机关遭到破坏，武汉、南京等城市的共产党组织几乎全部瓦解，红军在进攻大城市时也损失很大。

9月下旬，中共在上海召开六届三中全会，批评李立三在“工作布置上部分地犯了‘左’倾冒险主义倾向的错误”。参与推行“立三路线”的顾顺章（当时被选为中央政治局候补委员），不从错误中吸取教训，思想上却消极动摇。

1931年1月上旬，在共产国际的直接干预下，中共六届四中全会在上海召开，以批判三中全会的所谓对于“立三路线”的“调和主义”为主旨，强调反对“党内目前主要危险”的右倾。会后，国民党统治区内党的工作出现了一片混乱。顾顺章的思想更是混乱，对革命丧失信心。他“在找机会，愿意转变”。顾顺章于1931年4月24日在武汉被捕叛变时，就对国民党特务做了这样无耻的自白。

顾顺章的确早就包藏祸心，他在4月初去武汉前，就在上海对妻子做了安排。他写了一张给蒋介石的自首书，表白他“不满共产党”，“早有反正归来之心”等。他把这份自首书藏在写字台里备用，并嘱咐他的妻子说，“我如被捕不能回来，可将此信交给蒋介石”。

顾顺章要在蒋介石面前立大功、领大赏的企图落空了。但这个叛徒还是帮助国民党反动派干了不少坏事。

他在南京出卖了共产党中央委员恽代英。恽代英在1930年4月19日在上海英租界被捕，被引渡到上海龙华警备司令部，关在漕河泾监狱，1931年初又被押到南京军人监狱。他被捕后化名王作霖，国民党没有认出来，共产党中央正设法营救，本来很快就可以出狱，但由于顾顺章告密，蒋介石即派特务于1931年4月29日将恽代英就地杀害。

顾顺章叛变后，不久投入国民党中统①特务机关效力，并加入“蓝衣社”顾顺章又向国民党中统特务机关献计献策，提出自首政策，规劝被捕的共产党员投敌，搞秘密自首和公开自首。有的向国民党特务机关自首后，又被秘密派回共产党内充当奸细，使以后的共产党组织受到严重的破坏。

顾后来又写了一本《特务工作的理论与实践》的书，作为他投靠国民党、反共到底的资本。顾顺章这个人野心很大，投靠中统后，又与军统②联系，而且还在国民党特务系统中另组织一派以叛徒为骨干的特务力量，还没有搞成，就被国民党中统发觉了。1935年春，中统头目就以“跳槽”的罪名，把他枪决了。这个叛徒，自食了恶果。

---

① 中统——国民党中央执行委员会调查统计局，简称中统。

② 军统——全称是国民党的“国民政府军事委员会调查统计局”，简称军统。它的前身是“中华复兴社”（简称“复兴社”，又叫“蓝衣社”）的特务处。

第五章　一片爱心

李克农在27日及时向中共中央报警后，心里的一块大石头落下了。

这天的白天和夜里，他一直奔忙着。帮助安排共产党中央领导人的转移，心中一直惦记着钱壮飞妻子张振华的安危，也要尽早通风报信！

张振华在上海医院当妇产科医生，和母亲一起住在法租界甘司东路辣斐德路——现在上海的新兴路新兴顺里4号。

李克农在28日黎明，就悄悄地来到了张振华的住处。晨露蒙蒙，天色微亮，弄堂里一片寂静。这时敲大门，势必会惊醒弄堂里居住的许多人，引起人们的怀疑。但时不我待，不能等到大天亮才敲门，又不能在街上久留，万一被巡捕房的人遇见，就更麻烦了。

他脑子一转，想出了一个办法，

他就走到张振华住房的窗户下，解开裤子小便。尿水直冲墙壁，发出哗哗声，声音不算大，但房主人听起来很刺耳。

张振华很生气，立即起床，打开窗户，要斥责这个不讲卫生的人。但她一看，不是生人，而是熟悉的李克农，是平时文雅的李克农，拉下裤子站在窗下哩。她马上领悟到事出有因。李克农神色严肃地向她打了个手势，她立即关上窗户，跑出去开大门。

李克农进屋把情况一说，张振华大惊失色。李克农再三安慰，并提醒她，有人来问钱壮飞，就采取一问三不知的对策。

李克农离开不久，国民党一批警察、宪兵会同法租界巡捕就来抓钱壮飞。找不到人，就盘问张振华，说张振华一定知道丈夫的下落。

张振华思想上有准备，就随机回答，“我也正要找他哩！他在南京有一个家，还有一个老婆，扔下我们娘俩不管，这个月连个踪影都不见，你们评评理，他有没有良心哇？你们找到他，我要跟他拼命哩……”接着便是一阵号哭。

来抓钱壮飞的人，看到张振华哭哭啼啼一副委屈相，再问也问不出结果，怕耽误事便登车到处去搜查。

撒尿报信是李克农急中生智，出于无奈，也说明他平时仔细观察生活，了解当地习俗人情。那个年代，江浙一带大小城市居民区公共厕所很少，过路的男人们常在屋外墙角小便，人们见多不怪。李克农熟悉这些情况，当时就敢于在张振华住房外窗户下小便，如果邻居听到，也不会介意。即使碰上巡捕、警察，只会被认为此人“随地小便，不讲卫生”，也不会引起政治嫌疑。

解放后，李克农到张振华家，谈及此事，大家哈哈大笑。李克农对钱壮飞的儿子钱江解释说，“你母亲最讨厌有人在房子附近撒尿，那时我心急就偏要撒尿。否则，她怎么会打开窗户，我们怎么会联系上？”

钱壮飞离开上海后，到了苏区，任军委二局副局长，又为建立无线电侦察作出了重大贡献。他参加红军长征，历尽艰辛，当部队第二次南渡乌江时，不幸于1935年4月在贵州省金沙县后山乡牺牲。

李克农与钱壮飞是在一种特殊环境中建立起同生死、共患难的不寻常友谊，李克农对钱的牺牲一直很惋惜，经常怀念。

后来，李克农多次看望钱壮飞的夫人，并多次寻找钱壮飞的子女，给予帮助。

李克农在向钱壮飞的妻子报警时，也在惦念着自己妻子的安危。

前些时候，为了掩护地下工作，李克农已将妻子和两个孩子从老家芜湖接到上海。这时，顾顺章事件发生了，李克农本人的身份暴露了，势必牵连到妻子赵瑛，所以要让她尽快转移。但自己无法分身回家安顿，事情又很紧急，他就让一位交通员通知赵瑛，说出了事，叫她立即离开住处。

4月28日早上，家门口来了不少便衣特务。赵瑛心里有数，就赶紧带着两个孩子李治、李伦从房东家后门逃走，流落街头，夜宿四川路小菜场。她在马路口游荡，寻觅熟人，两天后，碰上了她认识的地下共产党员王少春（安徽同乡，原名宫乔岩）。王少春帮他们在上海找了个地方暂时住下，隐蔽起来。

一个多月后，通过组织安排，李克农和赵瑛以及两个孩子在上海见了面。在惊涛骇浪中，夫妻又碰面，又和两个孩子在一起，悲喜交集。这次是聚会，又是别离，李克农告诉妻子，组织决定他就要撤离上海到江西苏区去。赵瑛就带着两个孩子返回家乡芜湖。

赵瑛是一位贤淑而刚毅的妇女，中等身材，圆圆面孔，短发平分，细眉大眼。既有文静端庄的神态，又有坚定刚强的英气。这时，听说丈夫要走，也不禁流下泪来，嘱咐丈夫多保重。

李克农想起妻子平时的许多好处，圆形眼镜后面，眼睛也润湿了。

赵瑛在1917年9月同李克农结婚，是李克农的知己，李克农的贤妻，也是李克农的革命伴侣。

赵瑛出生于芜湖的一个小康之家。父亲在芜湖开个小照相馆，比较开明。他很喜爱这个掌上明珠，但不溺爱，平时又督促她读书，还送到女子师范上学，是当地第一批进入女师读书的学生之一。

她在学生时期，就具有反帝反封建的进步思想。她同李克农结婚后，不久就面临社会动乱和大革命的浪潮，又逐渐受到丈夫革命思想的影响，对中

20世纪30年代初，李克农与夫人赵瑛

国革命有了进一步的认识。在革命最艰苦的时期，加入了革命队伍，协助李克农从事革命的地下工作，还变卖首饰，补助李克农从事革命所需要的费用。

同志们常在李家聚会，她在门口放哨；李克农有些共产党的重要文件，她负责收藏；共产党有些秘密信件，她奔走传递。她负担这些任务时，沉着机警，没有发生过问题。

大革命失败后，李克农在芜湖受到反动当局的注意，赵瑛十分警惕地掩护李克农进行艰苦的地下斗争。

1927年4月18日，发生了芜湖反革命事变，蒋介石在芜湖也搞“清党”，捕杀大批共产党员，封闭捣毁国民党左派控制的国民党芜湖市党部。李克农和几位同志转移到长江对岸一个村庄的亲戚家里暂时隐蔽。但是，他们的下落很快被国民党特务探知了。

幸亏，赵瑛获悉了敌人就要去江北村庄抓李克农等人的消息。这天，4月20日，大雨瓢泼，赵瑛又怀着身孕，身体很弱。但是她必须与敌人争时间，尽快把警报送到。于是她立即拿了把雨伞，离开家门，直奔江边，好不容易找到一只小船，雨大浪急，船身颠簸得很厉害，她浑身湿透，心急如焚。幸亏船夫有经验，终于划到了对岸。她付了钱，就赶紧上岸。雨已停了，仍遍地泥泞。她高一脚低一脚地走了八里路的烂泥地和田埂，终于到达这个江北村庄的亲戚家里。这时，已是傍晚，李克农和战友们正在屋里谈天哩，看到赵瑛突然来了，而且遍身泥污，满脸惊慌，知道一定有急事。赵瑛急促地通知他们立即离开这个村庄，因为这里的地址已被敌人侦悉，敌人已派宪兵乘火轮来逮捕他们。

李克农他们得到赵瑛报信后，立刻进行了简短的讨论。把一些文件焚烧后，换上草鞋，与亲戚告别，并嘱咐了几句，就离开住处，跳上一只小船，沿湖划行，驶向四面环水的吴庄，在皖北坚持斗争。

不久，国民党宪兵赶到，但扑了空。

赵瑛已经筋疲力尽，像病人一样地躺在床上，但内心十分欣慰，因为亲人和同志们安然脱险了。

李克农想到芜湖时的情景，对妻子的感情更深。他抱了两个孩子吻了吻，和妻子含泪告别。当时斗争的环境很严酷，“别时容易见时难”。何时能再相聚？他们自己也不知道。

这次一别，就是五年多。

赵瑛回到芜湖后，又当她的小学教员。一方面，先隐蔽下来，等待组织新的指示；另一方面，也需要找个职业，维持生活。

她的收入微薄，要维持一个大家庭的生活，既赡养公婆，又抚养五个子女——李宁、李冰、李治、李力、李伦，很不容易。

1934年，赵瑛的老父病逝，家业衰弱，照顾老母的担子，也压在她的肩上。

赵瑛教学工作很认真，操劳家务也很辛苦。每天晚饭后，人们已各自休息了，她还在灯光下，精心地备课和批改作业。有时夜深了，还在灯光下为子女缝补衣服。

李克农是个多情的人。这段时间，他在苏区的战火中，在长征的道路上，斗争十分艰巨，无暇多想别的，但他也时常怀念在芜湖的妻子和家人。

赵瑛和丈夫完全断绝了音讯联系，也十分担心丈夫的情况，有时从国民党的报纸上，探知红军的行踪，猜测丈夫的下落。

1937年全国抗战爆发后，革命形势出现了新的局面，赵瑛遵照组织决定，重新参加革命工作。在艰苦的环境中，赵瑛伴随李克农先后在上海的红军办事处和南京、武汉、桂林等地的八路军办事处，以“夫人”的身份，掩护李克农的革命工作。李克农以有这样的好妻子而自豪。

1941年皖南事变后，形势恶化，赵瑛随李克农从桂林撤回延安。李克农任中央社会部副部长，她在中央社会部任机要员。她不多说话，只是尽力做好本职工作。

1949年春，周恩来在中央政治局会议上表彰李克农等三人保卫上海党中央的功绩时，也感谢赵瑛曾协助丈夫李克农的工作。

这一对老夫老妻，十分恩爱。赵瑛对丈夫关怀备至，李克农对妻子体贴入微。革命胜利后进了城，他们的爱心也始终不渝。

对妻子在政治生活方面，李克农又是要求严格的。1955年，国防部提出部队正规化，要求女同志离开部队机关。当时任副总参谋长的李克农，不同意这个做法。他认为他主管的部队情报部门有特殊情况，不应把正在工作的

新中国成立初期，李克农与家人合影

女同志都赶走，他向中共中央正式提出他的意见。但同时，他让正在总参联络部工作的妻子赵瑛，先脱下军装，在组织上照国防部的新规定办。

长期以来，赵瑛除做好本职工作外，亲自照料丈夫的衣食起居。特别是李克农在1957年10月摔倒病重后，她更是精心照料。

赵瑛与李克农同龄，比李克农早一年离开人世。李克农想起她默默无私的奉献一生，深情地称她为"母仪典范"。

李克农对她十分怀念，把她生前卧室的物品都按原样摆好，布置不变。李克农还常常在临睡前到妻子生前的卧室坐一坐，然后深深一鞠躬才去安睡，可见对老伴的感情之深。他们是经历颠沛流离的患难夫妻！李克农对妻子的一片爱心，既坚持了革命的原则性，又体现了家庭的温暖。

李克农在对家庭其他成员的关系上，也处理得很好。把共产党员的高尚品德与中华民族的传统美德，很好地结合起来了。

李克农对父亲很孝敬。李克农的父亲叫李哲卿，出生于巢县炯赐镇一个农民家庭，小时在家读私塾，也在家里干点农活，后来过继给在芜湖的"李老太爷”（名培芳）家，就在芜湖定居下来。李哲卿在芜湖的一个洋学堂教书，以后在芜湖海关找到一个小职员的工作，家道小康。

李克农在1899年9月15日生于安徽巢县炯赐镇，是李哲卿的长子，从小聪明好学，颇得父母欢心。李哲卿的思想比较开通。他让儿子李克农从小就在巢县上学，认为有知识才有出息，找碗饭吃也会容易些。后来，李克农在芜湖上中学后参加革命进步活动。作为父亲的李哲卿十分担心儿子的安危，但相信儿子干的是好事，给予理解和支持，顶住军阀和国民党宪兵的无理搜查和迫害。

20世纪40年代初，李哲卿被李克农接到延安。他对一家人团聚非常高兴；对解放区没有剥削和压迫，也不用担惊受怕，感到新鲜和宽慰。解放后，李哲卿随儿子一起进了北京城。

李克农工作很忙，还经常抽时间去看望父亲。每逢春节，他总给父亲敬酒，并追述童年乐事，以慰老人的心。

20世纪50年代初抗美援朝时，李克农正在朝鲜主持停战谈判，得悉父亲病逝，十分悲痛，但因工作紧张，不能回家向父亲遗体告别，就蓄留胡须，以示悼念。

李克农对子女爱之深，要求也严。在抗日战争期间，李克农引导子女们要抗日，要革命。

1939年，他在桂林八路军办事处任领导职务时，让11岁的小儿子李伦当勤务员，和其他勤务员吃在一起，睡在一起，好好锻炼。后来，李伦到延安学习（延大附中、抗大、炮兵学校），毕业后参加野战军，立过一等功，后到解放军总后勤部工作，1989年任副部长（中将）。

从1938年到1940年，李克农也把其他四个子女，先后送到革命圣地延安学习，参加革命。当时，青年学生奔向延安、参加革命，是冒着生命危险的，与后来“走后门、上大学”的情况完全不同。李克农把子女交给革命队伍后，就要求他们一切服从革命需要，自己从不以“高干”身份进行干预。

二儿子李力于1938年在延安抗大和通讯学校学习后，被分配搞电台报务工作。他认为这是技术工作，没意思。李克农知道后，狠狠地批评了他，说工作应服从组织分配，不能挑挑拣拣，而且要在一切工作岗位上，都埋头苦干，搞出成绩来。

于是，李力心情愉快地相继在延安的“枣园电台”（中央社会部电台的别称）、彭德怀司令员的电台、军委三局等处工作。1949年到军委通讯部工作，20世纪80年代任总参通讯部副部长，在建立全军指挥自动化系统工作方面卓有成就。

二女儿李冰，在姐弟们离开家乡步行到武汉投奔革命后，留在芜湖护士学校（美国人办的）继续学习。1940年5月毕业后，到美国人开办的一家医院工作。8月间，已经占领芜湖的日军两次派人来医院，查问李克农是否有一个女儿在此工作。医院办公室主任把此事告诉李冰，她颇为紧张。

中共芜湖地下组织可能也知道此事，几天后，派人把李冰带到上海，经香港到桂林，再到延安。

1941年，李冰被分配到延安中央医院工作。她羡慕别人干革命红火，自己不愿意干冷冰冰的医务工作，找父亲谈想进延安的中国女子大学学习。李克农也批评了她，说干革命首先要服从分配，并教育她：组织上让你干，你就

1957年，李克农与家人在北京合影。自左至右：李宁、李慕兰、李伦、李克农、李治、李冰、李力

干，还挑什么？

从此，李冰一直安心搞医务工作。先在解放区看护和医疗伤员，又跟几位著名的医务专家一起工作；后是中国医学科学院肿瘤医院的创建人（1957年开始搞基建）。现在是中国的肿瘤专家，有时到美国讲学（中美两国卫生部建立了医学合作，共有八个组，李冰是肿瘤组的中方联络员）。

李克农还要求子女建立巩固的革命人生观，在困难和挫折面前不动摇。

大女儿李宁1938年延安抗大毕业后，主要搞公安、保卫工作，20世纪60年代曾任陕西省公安厅副厅长，是新中国第一个公安厅女厅长。“文化大革命”期间，康生点名说，“李宁不是好女人”。她因此遭到批斗，还被“关起来”。但她不屈服，坚信这阵阴云会过去的。她在“文化大革命”后恢复工作，任云南省委对外联络部部长。

大儿子李治1938年延安抗大毕业后，搞机要工作，1948年到大连任公安分局局长。解放后，任上海卢湾区公安分局局长，后到上海市委统战部工作。在“文化大革命”中也受到冲击，但他对革命的信念不动摇，“文化大革命”后任上海轻工业局局长。

1949年，全国解放后，共产党处于执政党地位。在新的环境下，李克农经常告诫子女，决不要忘记共产党干部是为人民服务的，不能以高干子弟自居，搞特殊化，更不能以权谋私。他还经常以毛泽东曾要儿子毛岸英当农民的故事来教育他们。

1950年，李冰在北京看到政府送许多青年学生到苏联学习各种专业，她也想到苏联学习深造，就找父亲谈。实际上是想让父亲开后门，托人情，但遭到了严厉的批评。李克农责问，“你只要好好学习，国内有很多机会，为什么非要到苏联学习？”

20世纪50年代时，李冰任北京某医院的副院长。有一次，坐小轿车回家李克农看见后，半开玩笑地说，“哪里来了个大官？”李冰领会到父亲此话的意思，以后回家就不再坐小轿车了。

李克农在北京城内米粮库胡同一个小院子里住宿办公。前院里除他和工作人员的卧室、办公室以及会议室外，还有空房，但他不让家属居住，让他们（岳母和小儿李伦夫妇等）住在后边小平房里。

李克农在家中也很注意保密，一再叮嘱子女们决不许看他的文件。

李克农对亲属，既有革命的人情味，又坚持共产党员的党性。

20世纪50年代“反右”时，他的一位爱婿在外交部被打成右派，他从来没有利用自己的地位和职权去说情，而是依靠女婿所在单位的党组织去处理。后来，经甄别平反，这位爱婿调到社会科学院工作。

解放后，安徽家乡的大批亲戚来到北京，他们想投靠李克农这个“大官”，谋求一官半职。李克农就授意赵瑛，热情地接待他们，又耐心地向他们讲清共产党的“官”不同于国民党的官，是不能任用私人的。

李克农又根据他们的具体情况分别对待。个别的人，过去对革命有过贡献，就按政策规定，通知当地政府给予适当安置。对其余绝大部分人，均婉言拒绝。但从自己工资中给他们足够的路费，让他们安心地回家。

人人都爱家乡，李克农也是如此，但不愿被人大肆宣扬。1957年春，安徽的黄梅戏剧团来北京演出，多次邀请他看戏并要求拜访。他去看望了演员，支持他们演出。他本来就爱好文艺、戏剧，也喜爱来自家乡民间的黄梅戏。这次，他看了剧团的演出很高兴，觉得改进了的黄梅戏更贴近劳动人民的生活理想，纯朴而美丽，柔美而热情，服装鲜艳，唱腔圆润，好看好听，雅俗共赏，是一次美的享受。

但是，很快报纸上发表了他同剧团接触的消息，这使他很不愉快。他说，“这样在报上宣传太不好了，将会造成不良影响”。

第六章　战斗芜湖

芜湖，这个沿江的美丽城市，是李克农妻子赵瑛的家乡，实际上也是李克农的家乡。

他成长于斯，受教育于斯，开始参加革命活动也于斯。

他对芜湖，有美好的回忆，也有深切的怀念！

李克农在芜湖上学时，正值孙中山领导的辛亥革命前后，逐渐接受了民主主义思想。

1911年，孙中山领导的辛亥革命爆发，推翻了极端腐败的清皇朝，宣布建立民国。李克农这时12岁，正在芜湖安徽公学读书，平时关心时事，所以对辛亥革命的成功欢欣鼓舞，以为几千年的君主制度从此结束，帝国主义列强从此不能再欺负我们中国，人民的生活可以改善。

但是，生活的现实打破了他的希望。中华民国虽然成立了，但帝国主义列强在中国的势力并没有削弱，国家的大权竟落在以袁世凯为首的北洋军阀手里。袁世凯嫌当“大总统”还不过瘾，又一度恢复帝制。社会上种种黑暗腐败依然存在，甚至比前清还厉害。人民生活不仅没有改善，而且更困苦。他父亲在芜湖海关的小职员工作也遭到解除，后来好不容易在芜湖的税收机关里当了一个小职员。

到1917年，李克农已经18岁，家庭经济难以供他继续上学。他想自己也该独立生活了，就随族兄李克贤去北京，在《通俗周报》做发行工作。但是，不久，张勋在北京拥戴宣统皇帝复辟，他被迫经上海逃回芜湖。

1919年，他20岁，在安徽省的安庆《国民日报》找到了工作，任副刊编辑。他想通过自己的工作来揭露黑暗势力的残暴统治，反对安徽的苛捐杂税和二五征收。这一下，他又闯了祸，受到安徽省参议会议长晋恒履控告，被关进安庆的牢狱里。当地的学生会和一些群众团体愤愤不平，出面请愿，要求释放李克农。一周后，李克农在他们的保释下出狱。这时，安庆的《国民日报》已停业，他只好返回芜湖。

这一年，正是爆发五四爱国运动的一年，对李克农的思想有很大的影响和冲击。北洋军阀政府居然准备在巴黎的“和平会议”上为丧权辱国的和约签字。北京十几所学校的学生齐集在天安门前示威抗议时，北洋军阀政府又出动大批军警进行镇压。接着，许多大城市的工人举行罢工，许多大中城市的商人举行罢市，爱国的斗争扩展到全国，终于迫使北洋军阀政府释放被捕学生，宣布罢免政府里三个亲日派官僚，并指示其代表拒签和约。

李克农从五四运动的过程中，进一步看到了北洋军阀腐败、卖国，以及帝国主义列强压迫中国人民的情况，也看到了中国人民的力量，他决心参加救中国的革命运动。

在五四运动时期，他参与领导了芜湖革命运动，为此常与当地的一些进步青年在芜湖的科学图书社后楼碰头，研究决定问题。这些人当中有高语罕、朱蕴山、钱杏邨（后名阿英）、周范文、宫乔岩（后名王少春）等。后来，他们都成为共产党员（高语罕因系托派，1929年冬在上海被开除党籍）。

1925年，李克农年仅26岁，已经是芜湖的一位革命积极分子。这年的5月30日，上海的工人和学生到上海租界内举行大规模的反帝示威活动，声援上海纱厂工人的斗争，遭到租界内英国巡捕的枪杀，死13人，伤者不计其数。这就是震惊全国的五卅惨案。

惨案消息传到芜湖，芜湖各界人士和全国一样，十分愤怒。李克农和钱杏邨、宫乔岩等人一起，在芜湖各界人士中组织了五卅惨案后援会，参加到反对帝国主义的民族运动中去。

李克农读了些进步刊物，如《向导》《新青年》《中国青年》等小册子，开始接触马克思主义学说，逐步倾向于社会主义思想。

李克农有了革命运动的一些实践经验，开始认识到，要救中国，必须彻底地反对封建主义和帝国主义，逐渐探索革命之路。

李克农在芜湖的群众运动中，与几位共产党人多次接触，受了他们的启发和影响，逐渐靠近共产党。

1925年8月，芜湖的共产党组织根据芜湖革命的需要，指示李克农在芜湖创建一所中学，作为共产党的一个地下据点。

这对李克农是很大的信任。因为他当时还不是共产党员，但他在支援五卅惨案的活动中表现积极。而李克农也不负所托，成功地建立了民生中学，显示了他的组织才能，并在这期间（1926年）参加了共产党。

1925年，孙中山先生逝世的噩耗传到芜湖，各界人士感到悲戚，许多学校团体举行追悼孙中山先生大会。但芜湖的几所教会学校却无动于衷，学校当局不仅禁止组织任何追悼活动，也不准许学生参加校外组织的悼唁，每天还在那里按时按刻祈祷和礼拜。

这几所教会学校的学生们，对学校强制的奴化教育逐渐觉醒而不满，忍无可忍，起来反抗了。他们自发地相继组织全校规模的追悼孙中山先生大会，在会上公开指责学校当局推行帝国主义奴化教育，呼吁政府收回教育权，反对帝国主义文化侵略，不允许在中国办学堂等。

这一爱国主义行动，还影响到当时安徽省省会所在地安庆的保罗中学。当时安徽的教会学校和学生人数都远远超过了公立学校。各教会学校学生联合起来，声势浩大。教会当局就采取威胁措施，一面通过学生家长，领回子弟；一面又乞援于军阀以及军警武装，迫令学生离开学校。

新学期开始，教会学校许多学生不能复学，许多学生要转学。芜湖的省立五中为国家主义派所控制，对这些转学的学生，概不录取。

大批失学青年无处安身，成为当时芜湖教育界的大问题。

在此艰难时刻，芜湖的共产党组织认为有必要创办一所中学，来收容这些为反对奴化教育而被开除的学生，也要收容一些穷孩子们。

李克农和宫乔岩、钱杏邨等人组织了芜湖救济教会学生组织新校筹委会，出来办学了。

首先要定校名，李克农说可叫民生中学。当时有人反对，认为“民生”是国民党的东西，革命味不够，并责问李为何选用“民生”二字。李解释说，“民生”既是三民主义，又是共产主义，容易为芜湖各界所接受。

其次要选校址。李克农在赭山之麓、大观山之顶，面临滚滚的长江，选定了一所校舍。

大观山上从此飘扬了一面鲜红的校旗，上面镶着芜湖民生中学几个白色大字。红旗迎风招展，十分显目耀眼。

民生中学从它诞生的第一天起，就以一个崭新的面目出现在芜湖地区，受到广大爱国青年拥护。

学校首任校长是宫乔岩，兼训育主任；李克农任教育主任。二任校长是李克农，兼事务主任。三任校长是王伟侠，兼教务主任。

在历任校长任期内，李克农始终担负着学校实际工作的艰巨任务，在领导这个进步中学的过程中，起着重要作用。

在李克农的教育与督促下，民生中学有它独特的校风。全校上下，团结友爱，艰苦朴素，实事求是。学校强调反对基督教教会的奴化教育，实质上就是反帝。提倡不要打骂学生，树立尊师爱生的新校风。

中文、历史、地理、数学、英文等正课，都要教好，使学生有良好的学习水平。

学校还把学习与劳动、理论与实践结合起来。上体育课时，结合军事训练，由一位行伍出身的军人王振伍担任体育教师，从班、排教练劈刺、抛掷手榴弹等基本动作做起。全校学生分三个大队，一律身穿灰色制服，头戴灰军帽，束皮带，打绑腿（没有帽徽和领章），整齐划一，精神抖擞，格外显得威武。芜湖当地人称他们是一支经过严格训练的学生军。

学校生活既严肃、又活泼。学校内有一个文艺性质的刊物，刊名叫《苍茫》，由钱杏邨负责主编，由教师写稿，是个反帝、反封建的革命文艺园地。有个音乐女教师莫英，写过一篇关于女子剪发的评论，抨击了当时一些保守思想，十分尖锐泼辣，在芜湖社会上引起很大反响。

此外有高语罕的诗《到西湖去》，直接抨击帝国主义、封建军阀，有很大的现实意义。还有阿英（即钱杏邨）的读书日记《到民间去》，对于学生深入基层、面向工农起了重大作用。

学校每逢假期或节日，还公演话剧或活报剧，在李克农亲自导演下，学生们演出过《李克用卖国》《荒山泪》《兵匪交易》《春闺梦里人》等剧目，宣传反帝、反封建，轰动了芜湖全市。

李克农在学生中的威信很高，学生们要搞些反帝、反封建斗争的活动，常常请教他，他总是热情支持，还出出主意。

学校周围是广大农村，附近有裕中纱厂，临近江岸有产业工人和码头工人。李克农支持学生们面向广大的工农群众，和他们进行经常的接触与联系。学生们为他们举办夜校，帮助他们识字，学文化，讲形势，讲革命道理。

几位学生还到芜湖万春圩去发动农民群众。

民生中学的学生们在李克农支持下，参加了芜湖市农协会组织的斗争土豪丁世凯大会，还把一些土豪、劣绅和贪官污吏拖上街，戴高帽子游行示威，鼓舞了群众的斗志。

不久，李克农又推选民生中学的几位进步学生担任芜湖市学联的领导。他们在芜湖萧家巷占据了大土豪孙泽的住宅，作为市学联的会址。孙泽害怕革命后老百姓跟他算账，前些时候已携家逃往外地。市学联在该处召开了芜湖市各校学生代表大会，还与国民党右派学生开展了斗争，得到芜湖市大多数学生的支持。

李克农在实际负责学校工作的过程中，很注意统战工作，他团结了当地的一批知名人士和校内的一批教职员工。李克农在筹建民生中学的过程中，请当地一些知名人士参加了学校的董事会，有利于学校的立足。

民生中学的经费困难，李克农提出要靠艰苦创业。一方面学生踊跃缴费，另一方面到社会上去募捐。当地的一些进步人士就暗地给钱，有些民主人士秘密支持，还有些中间人士也支持李克农办教育。

李克农与校内教师的关系很好，校内许多教员是非党员，李克农常常和他们交谈，以爱国主义启发他们，体育教师王振武等都视他为好朋友。教师们收入很少，有时还欠薪，但看到李克农他们做得对，学生学习认真，自觉遵守纪律，教学的劲头都很大。

民生中学在团结进步人士、传播革命思想方面起了不少作用，还培养了不少革命人才，并通过张秋人、柯庆施、高语罕输送学生30多人去广州黄埔军校和武汉军校学习。

民生中学的学生们还在李克农领导下，与军阀陈调元进行了一次成功的斗争。陈调元原是北洋军阀冯国璋的军官，狡诈圆滑，反复无常，1925年起又投靠军阀孙传芳，被任命为“皖军总司令”。他在北伐军到芜湖前夕又投机革命，率部宣布起义，被改编为国民革命军第三十七军，并奉命要开往蚌埠。这个改头换面的军阀，在1927年4月上旬部队开拔前，以武力胁迫芜湖商会，索款十万元。

芜湖共产党组织，为了抵制这一破坏革命的丑行，立即组织反陈调元敲诈勒索的斗争。

李克农回到民生中学，进行具体部署。学生们就整队上街，与本市两个农业中学学生及商店店员们一起，组成浩浩荡荡的游行队伍，在市区呼口号，参加群众大会，向市民揭露陈调元敲诈勒索的真相，并推动大会以芜湖各界人士名义，致电广州的国民政府，要求取消三十七军，罢免陈调元。

在强大的革命声威下，陈调元勒索未成，率军队溜出了芜湖。事后，芜湖商会会长汤善福亲自到民生中学道谢。

民生中学的声誉和影响在芜湖地区日益扩大。李克农的名气和影响也日益扩大。

第七章　脱险赴沪

李克农在主持民生中学工作的同时，积极参加其他革命活动。其中，一个重要活动是迎接和支援北伐军。

1926年冬，李克农和钱杏邨在亲戚戴述清开的一家客栈里找了一间房，悄悄地准备着旗帜、宣传品等物。北伐军到达九江、安庆时，他们就帮助国民党在芜湖召开了全市的群众大会，举行“起义”。

1927年3月上旬，北伐军先头部队抵达芜湖，随后北伐军大批部队抵达芜湖，李克农和钱杏邨等共产党员又帮助国民党组织万余群众到江边欢迎。群众情绪很高，欢呼：“欢迎北伐军，打倒鲁、奉军！”（鲁、奉军是两支军阀队伍）

根据共产党和国民党合作的方针以及共产党芜湖党组织的具体指示，李克农在1926年冬，还以个人身份加入了国民党，帮助国民党在芜湖建立组织，联合国民党左派回击国民党右派势力的进攻，推动旧军队的革新。

这年（1926年）的10月22日，国民党芜湖市党部正式成立，共产党员李克农担任国民党市党部执行委员。

1927年3月2日，国民党芜湖县党部成立，李克农任委员兼宣传部长，又任县党部的农民部长。

他通过国民党组织，发动群众，支持革命，为北伐军提供资财和情报。

1927年3月6日，以程潜为军长、林伯渠为政治部主任的国民革命军第六军，北上到芜湖，革命形势迅速开展。李克农等共产党员在芜湖组织八个组，支援北伐军，协助北伐军南下和进攻江宁。

就在这时，蒋介石在几个地方，加紧进行叛变革命的活动，芜湖是其中之一。

蒋介石纠集了芜湖青帮头目高东澄、马遇伯、崔由桢及安徽省内一些土豪劣绅，以图镇压芜湖的革命势力。为此，蒋介石还让高东澄任芜湖市公安局局长，并向他提供一批枪支、子弹，武装青帮流氓。

芜湖共产党组织急谋对策，想派人打入青帮内部，建立关系，进行反击。他们考虑，李克农和钱杏邨在芜湖人头熟、关系多，是合适的人选。

中共芜湖特别支部领导人俞昌准和禹子罍秘密见了李克农和钱杏邨，向他们布置这个艰难的任务。

李克农慨然接受，在（1927年）3月下旬成功地打入了青帮组织，刺探军情，使共产党组织免遭大的破坏。这实际上是李克农情报生涯的起点。

青帮是中国近代重要的民间秘密结社组织。据说始于明代罗祖教。传至清初，帮内翁雍、钱坚、潘清等人组织南北运河船夫，为清廷运送漕粮，称“安清帮”或“青帮”。清朝道光以后，漕运渐改海运，帮中水手大多失业，遂成流民，集中活动于上海、天津及长江下游各口岸，以贩运私盐为业，许多破产农民、失业手工业者、退伍士兵及各类流氓无产者也纷纷加入。

1911年辛亥革命前，青帮就成为日趋反动的帮会势力。帮中成员并不限于贩运私盐，而是拐骗、讹诈、抢劫、聚赌抽头、绑票、开香堂收徒敛钱，样样都来，以致杀人越货，无所不为。

辛亥革命时，在上海设立“中华共进会”。青帮头子陈其美率上海民军和帮会成员在上海起事，并光复南京。后帮中人员被北洋大军阀袁世凯利用，在上海刺杀国民党领袖宋教仁。

青帮分为两大派：一为浙江温州、台州人构成的主帮；一为皖北、苏北等人构成的客帮，或称巢湖帮，是以李克农老家“巢湖”命名的，可见安徽一带是青帮的要地。20世纪20年代，青帮在上海形成五大派系，黄金荣、杜月笙、张啸林是青帮著名大头领。

1922年，蒋介石在上海鬼混时曾投入黄金荣门下，与杜月笙交好，与青帮关系密切。

1927年初，当上北伐军总司令的蒋介石，就利用上海、芜湖等地的青帮，纠集流氓打手，屠杀共产党人，为他的反革命政变打头阵。

李克农对青帮的历史沿革和内部情况，有所了解。他是个正派人，本不屑与这些流氓无赖为伍，但现在为了革命需要，必须混迹其中。

青帮内等级森严，有严格的帮规和仪式，按辈分收徒。

李克农和钱杏邨首先找青帮的巢县老乡刘兴斋引见，各写一张内有本人生辰八字的门帖交给刘，请他转呈“老爷子”。

芜湖青帮的老爷子是马遇伯。他要扩大势力，称霸一方，听说李克农和钱杏邨这两位当地名人（公开身份是国民党左派人士）前来投帖，觉得自己已有面子、有地位，就准许他们入帮。

马遇伯很快“开香堂”，为李克农和钱杏邨举行入帮仪式。李克农、钱杏邨以“学生”身份向“先生”马遇伯呈上“束脩”（即红包），马教以帮中的礼节和规矩，让他们严格遵守，违者必遭重责。他们表示知道了。

李克农顺利地加入了青帮后，和帮内头头及“兄弟们”周旋、接近。青帮有封建行帮的一套，成员间在表面上讲究“以义气为重”“救危济急”和“分帮不分家”。

到4月中旬，特别是上海四一二大屠杀以后，李克农察觉到帮内气氛紧张，许多“兄弟”编成纠察队，进行训练，说是要维持芜湖治安。

4月14日晚，马遇伯还在帮内透露，蒋（介石）总司令刚从南京来电，要召见高东澄，谈芜湖治安情况，估计是要对付“共党分子”，帮内兄弟要加紧准备，届时好配合公安局警察一起行动。

当天夜间，李克农在摆脱帮内的活动后，赶紧走到芜湖北门蒲草矿5号住宅（这是中共芜湖特支秘密机关所在地），向俞昌准和禹子罍报告形势危急的情况。

15日，特支委员会紧急研究，决定让身份已公开的共产党员尽快疏散。

16日，特支委员们分头通知共产党员转移。一部分转移到江北，一部分转移到武汉。

17日，芜湖建立了“清党委员会”，青帮头子马遇伯、崔由桢、高东澄等担任委员。高东澄已从南京回来，领到一批枪支、弹药，武装刚成立的纠察队，计划第二天搜捕共产党员和国民党左派人士。芜湖公安局警察和青帮流氓磨刀霍霍，就要动手了。

当天傍晚，李克农又赶紧向俞昌准和禹子慁报告这一紧急情况。他们决定特支委员们也撤离，芜湖市共产党全部转入地下。

4月18日，芜湖果然也发生了反革命政变。公安局警察和青帮流氓组成的纠察队在全城搜捕共产党人，公开捣毁工会、农会、青年和妇女的民众团体。崔由桢率领的纠察队，持枪到国民党市、县党部抓人，打击“跨党分子”和国民党左派。

幸而，芜湖共产党事前得到李克农报警，身份暴露的共产党员们基本上都安全撤离，组织未受到破坏。

这一天，国民党右派打着“国民党改组委员会”的旗号，迅速篡夺了芜湖（国民党左派）党、政和群众团体的领导权。

他们还通缉李克农和钱杏邨，这表明他们两人共产党员的身份也已暴露。

李克农离开学校前，把学校交给了有地方开明士绅参加的董事会维持，让校长宫乔岩留下来应付局面。宫平时不大参加政治活动，面目尚不“红”，他原是芜湖教会学校的英文教员，被请到民生中学当校长的，在当地教育界颇有名望。

当天晚上，宫乔岩在家里被芜湖公安局的警察抓走。当时公安局局长徐朝桐，是易旗为北伐军的军阀陈调元的嫡亲，仇恨进步人士，更仇恨揭露陈调元敲诈勒索的民生中学。民生中学的学生们知道警察抓走了宫乔岩，十分气愤，包围了公安局，并和老师们商量，派出代表出面交涉，反对当局非法逮捕。

宫乔岩在公安局里表明自己是为当地子弟办学的，不承认有什么共产党活动，公安局找不到他共产党的“罪证”，又受到师生们的压力，就在那天夜里被迫将宫乔岩释放。

1927年8月12日，蒋介石一度下野，情况好转，李克农又回到芜湖收拾残局，恢复民生中学，任校长。他又根据中共安徽省临时省委的指示，在校内成立济难会。济难会是共产党的外围组织，后改为互济会，其性质是救济难友和遇难同志家属。

互济会表面上由甘天沐负责，其妻在互济会当秘密交通，机关设在花石桥老百姓家里。甘家不是土豪劣绅，但在当地有一定名望，是知名人士，同国民党议员陈善福有来往。

安徽省临委还以济难会的名义，利用学生放寒假期间，在民生中学办武装暴动干部训练班，从芜湖挑选50人，从皖南邻近县挑选30余人受训。

组织者当时没有经验，人来人往太杂。青帮头子崔由桢也住在花石桥。他慢慢知道了互济会的背景，在1928年1月向当局告密，互济会的名册又被搞去，内有共产党员和进步人士名单。

1928年1月27日，芜湖公安局逮捕了互济会实际负责人王绍虞等共产党员、群众40多人，互济会遭到严重破坏，共产党芜湖县委交通处也遭破坏。

次日早晨，民生中学被封，四周布满军警，见人进校门便抓，特别要抓李克农。

李克农一直不在学校住，仍住在芜湖吉和街自己家里。28日清晨，他像往常一样步行到学校去。当靠近大观山时，他发现行人神情惶惶，路上气氛有些异常，他就放慢脚步，正犹豫间，他的胳膊被人一把抓住了，定睛一看，原来是一位校工。他感到一定有大事，就一起走到旁边的僻静处。

“李校长，学校万万回不得了，警察正到处抓你哩”，校工急促地低声说。

这时，一队警察从大观山方向走下来，操着枪封锁了通往大观山的来往道路。

情况已经很清楚，李克农要设法脱身。他迅速脱下长袍，露出里边的短褂子，又把上面的扣子扯掉。他通常总穿着两套衣服，以便应急伪装时用。他用长袍换了校工头上的一顶破毡帽，让他赶快离开，自己往胡同口走去。

李克农又在身上沾些泥巴、草屑，然后拉低破毡帽，遮住眼镜，嘴里哼着安徽小调，摇摇晃晃地走出胡同，来到大街上游荡着。路口的警察横着枪，眼睁睁地看着这个喝得醉醺醺、浑身沾满烂泥的流浪汉从路口消失了。李克农具有演员的才能，他装扮什么人就像什么人。

他们没有想到，这个醉鬼似的流浪汉，就是他们这次来搜捕的民生中学校长李克农，也就是安徽省省长陈调元悬赏五万块大洋要他人头的那个共产党员——李克农。

李克农摆脱了警察的搜捕后，又穿上一件长袍，恢复教师的打扮，径赴南京。

谁知到了南京下关后，又遇到了险情。

原来南京也到处张贴着抓李克农的通缉令，几个国民党兵发现李克农后就要抓他。李克农发现情况不对，拔腿就跑，国民党兵呐喊鸣枪，在后面紧追。李克农就穿街过巷，使国民党兵追不上他。

当他急步横穿马路时，正撞在一个黄包车夫身上，车内一位身着上校军服的国民党军官正要发作，抬头一看，惊叫：

“曼梓（李克农的别名），是你！”

语音刚落，只见李克农向身后努努嘴，那上校军官便明白了一切，连把李克农拽上黄包车，叫车夫快跑。后面七八名追兵，东张西望，不见被追捕人的踪影，面面相觑，不知所措。

这位上校军官不是别人，就是曾在芜湖民生中学任教的体育教师王振武。

王振武是安徽霍邱人，行伍出身，为人豪爽、正直，重友情，讲义气。前几年在民生中学工作时，就支持李克农等人的进步活动，是共产党人的朋友。

此时，王振武已是国民革命军暂编第六军政治部主任，因公事来南京，没想到在南京下关巧遇李克农。

李克农随着王振武大模大样地走进第六军驻南京办事处，两名卫兵毕恭毕敬持枪行礼。

王振武的卧室宽敞舒适，他们脱去上衣，品茶抽烟，相互叙说离别之情。

“你怎么当上军官的？”李克农问。

“离开芜湖后，我就担任皖军先遣队中校参谋，后来，国民革命军暂编第六军成立，石寅生军长聘我任政治部主任，这次来南京是办公事的。”王振武说罢问李克农：“他们为什么追捕你？”

李克农简述了最近的芜湖事件。

王振武沉思一会，忽然心里一亮，高兴地说，“这样吧，我任命你为政治部中校秘书”。李克农考虑可行，就暂时穿上国民党军服，显得威武，可以“出入自由”。过了几天，李克农随着王振武，搭上北去的火车，到了霍邱县城，避避风头。

王振武还担任霍邱县国民党部筹委、霍邱县“清党”（指清查共产党）委员会主任委员，在当地有名气。王振武家住在国民党县党部后面，王就把李克农安排在自己家里吃住，还算是安全的。

不久，李克农的身份还是暴露了，而且他也不愿意老待在霍邱县，就决定离开。

他在王振武的护送下，乘小轿车通过了霍邱境内的许多岗哨，然后出正阳，抵蚌埠，搭上南去的火车，安全到达上海，找到了共产党地下组织。

正当李克农在旅途之时，霍邱县国民党县党部特务行动大队长，报告上司后，带兵到王振武家搜捕他，却一无所获，又拿不到任何证据，无可奈何。

王振武因此被抹掉国民党内、军内的官职，但他并不后悔，他佩服李克农的为人，愿意靠近共产党。后来，在解放战争中，他还在霍邱策动国民党县大队起义，为和平解放霍邱县立了功。

李克农很重友情，一直惦记着王振武。解放后不久，他就给霍邱县人民政府写信，证明王振武营救过他。他还寄过钱、物，并把他本人和全家的合影赠给王振武。

1956年秋，作为中国人民解放军副总参谋长的李克农到安徽省合肥视察，巧遇来合肥开会的安徽省政协委员王振武，分外高兴。一个晚上，李克农身着军服，挽着这位年过花甲的老人，一起参加安徽省负责同志的宴会，并激动地介绍说，“王老是我革命战争年代里患难与共的老朋友，今天要请王老坐上席”。

那几天，李克农和王振武畅叙旧日情谊，临别时，李克农还殷切地邀请王振武到北京他家去作客。

第八章 进入苏区

李克农1928年1月从安徽到了上海，次年冬打入国民党特务机关，为保卫中共中央领导机关的安全作出卓越的贡献。

1931年8月，李克农、钱壮飞和胡底三人，根据共产党中央的决定，先后离开上海到达江西的中央革命根据地。他们摆脱了国民党当局的通缉追捕，参加新的战斗！

李克农撤入江西苏区的行程，也有一番周折。

他安排其妻赵瑛携二子离开上海回安徽芜湖后，自己动身去江西。但行至广东大埔附近，在村头遇到一队地主武装查询，百般刁难，搜走了他身上的钱财。幸亏他身上带着一张国民党政府官员的身份证，又是一副富商打扮，保住了一条命。

他只好折道到香港，在香港找到阚大姐。

阚大姐名甘棠，原名阚思颖，是本书后面将提到的刘鼎（原名阚俊民）之妹，人们亲切地称她为“阚大姐”。

她1910年生于四川南溪，毕业于重庆中法大学。学生时代参加进步活动，1926年加入中国共产主义青年团，同年12月转为中国共产党党员。1928年后，她在上海中共中央特科任交通员、秘书等职，曾认识在中央特科工作的李克农。她这时是中共在香港的地下党联络人。

李克农在香港找到阚大姐后，被安排在一家商店里做生意，伺机再去江西苏区。

在香港的时候，发生了九一八事变。日本关东军在9月18日深夜，向中国的东北军驻地北大营和沈阳城发动进攻。第二天，侵占了沈阳、长春等20多座城市。接着，日本军继续推进，占领辽宁、吉林、黑龙江三省许多城市，东北人民陷入水深火热之中。

李克农在香港仍保持看报纸的习惯，他从报纸上看到日本公然侵华的消息，大为震惊。中国军队居然不抵抗、不战，还不断撤退，更使他十分震惊。他每天从香港报纸上看到东北三省城市沦陷的消息，满腔悲愤，坐立不安。

这时，李克农在香港暂时隐蔽，没有具体任务，感到空虚。平时面对各种顾客，勉强应付，但语言不通，人地生疏，闷闷不乐。必须尽快到苏区去，参加革命斗争。

三个月后，1931年初冬，香港的天气还是暖和的，李克农和上海工人陈阿金等三人，装扮成做布匹生意的商人，离开香港。

他们一起赶路，白天乘车，晚上找个客店住宿，几天后，就到达江西境内。一切还算顺利。

再向苏区前进，越来越困难。要尽量避开国民党军队和当地地主武装的盘查，交通工具也少，很多地方要步行。

又向前进，荒无人烟。原来这里是进入苏区前的40里无人区！他背着箱子，肩膀已磨破了。这时，他决心轻装，扔掉了行李和箱子，包括珍贵的书籍和一条毛毯。轻装后，他和同伴，越过丘陵和田野，奔向苏区。开始一段路，他还有劲头，后来越走越累，脚板又打起了泡，走路一瘸一拐。坚持向前走，终于到达苏区边界，他的心里感到一阵轻松。

同时，他发现自己筋疲力尽，四肢无力，浑身发烧。啊，生病了！这不争气的身体，病得真不是时候！他恨自己是个文弱书生，经不起这个小小的锻炼。

两个同伴先去报信，一会儿工夫，两个妇女抬着担架飞快地走来。李克农不好意思让妇女抬着走，但这两位妇女不由分说，把他架上担架，抬起就走。

他躺在晃晃荡荡的担架上，看着健壮爽朗的苏区妇女，一种新奇感油然而生。这和他以前做地下工作时看到的都市女郎完全不同。

渐渐的，看到一片丛林包围的村舍，村头的红旗迎风招展，红旗上的斧头镰刀，在阳光照耀下发出金色的光辉。

他看到红旗了，而且是堂堂皇皇地高高飘扬的红旗，一股暖流在胸间激荡。他猛地从担架上坐起来，喃喃地说，“回到家了，回到家了！”

他抬头远望广阔无际的碧空，又低头观看路边延伸的绿草，好像是新的天地。这是自由的天地！过去那种做地下秘密工作压抑的感情，可以不受约束了！那不得不披上的种种伪装，可以完全扔掉了。想到此，精神为之一振，病痛也减轻了许多。

慢慢地，他觉出四周安安静静，和他这种热烈兴奋的情绪不合拍。他看见村内家家门户紧闭，鸡不鸣，狗不叫，也没有什么人走动。

"怎么这里没有人啊？"他问抬担架的妇女。

"坚壁清野。"一位妇女只说了四个字，再没吭声。

坚壁清野？他懂了，他应当想到的，这里是自由的天地，也是战斗的地区。红军已经粉碎了国民党军队的三次"围剿"，现在正准备粉碎国民党军队的下一次"围剿"。根据地的群众正在配合红军的备战工作，进行坚壁清野。

他来这里，就是要直接投入战斗，想到这里，心里还是兴奋的。

他们进村后，在一户人家暂时休息。李克农有点饿了，吃着红米饭、南瓜汤，也觉得十分香甜。

到了汀州，他就看见一个熟悉的人影站在村头向这边张望，是来迎接他的。

原来是钱壮飞！三个月前，他们在上海离别。现在，在苏区相见，喜出望外，他俩互相捶打、拥抱成一团，旁边站着一个人默默地望着他们笑。

钱壮飞给李克农介绍，"这是邓发同志"。李克农赶紧握手，说，"久闻大名"。

邓发连连说，"欢迎，欢迎。你们三位龙潭英雄的名字，我早就听说了"。

邓发特地来迎接李克农，不是偶然的。他们两人以前虽未见过面，的确相互闻名。更为重要的是，刚担任国家政治保卫局局长的邓发，也要任用李克农担任苏区和红军的保卫工作。

邓发是广东云浮人。1922年和1925年参加香港大罢工和省港大罢工，成为工人运动的骨干。1925年秋加入中国共产党后，更为积极。1927年12月参与了广州起义的组织、发动工作。后来，在革命处于低潮、白色恐怖严重的环境下，坚持在工人中进行艰苦、细致的组织、教育工作，成为一名工人运动的领袖。

邓发也有情报工作的经验，他在1928年任中共香港市委组织部部长时，主持建立了香港特科，开展斗争。

他在1931年7月调中国工农红军总司令部政治保卫处工作。

李克农到达江西苏区前不久，即1931年11月，邓发任国家政治保卫局局长。

1931年12月，李克农就被分配到国家政治保卫局工作了。

这个局是中央机构，总部设在江西瑞金。那时的体制和现在不同，现在是部比局高，那时是局比部高。国家保卫局相当于现在的公安部或国家安全部。当时成立时，主要负责肃清间谍，担任保卫，也管一个大战役后团以上高级军官俘虏的审查处理工作。

李克农在苏区的这几年，先到江西省保卫分局任执行部长，处理江西省石城、广昌、雩都、兴国、平安寨等地大批积压的反革命嫌疑犯案件，还处理所谓AB团、托派、改组派、社会民主党等案件。任务完成后，回瑞金中央国家政治保卫局任执行部长。后又调前方担任中国工农红军第一方面军红军政治保卫局局长，建立一、三、五、七、九共五个军团的保卫分局组织工作和红军中的保卫工作。后红军保卫局改为红军工作部，他就改任红军工作部部长。

李克农在1932年初，到江西几个地方去处理积压的反革命嫌疑犯案件，是奉江西省委李富春的指示去的，任务是执行新的苏区中央局指示：纠正肃反工作中的错案。

从1930年起的几年里，苏区在险恶的战争环境中，阶级斗争非常复杂，有时发现敌人在苏区内部进行阴谋活动，所以苏区注重肃反斗争。但是，在王明“左”倾指导的影响下，犯了肃反扩大化的错误。国民党派来的奸细是个别的，为数极少。而苏区在共产党组织、红军、政府机关及群众团体内部陆续开展肃反斗争，哪来这么多反革命！党内肃反斗争又缺乏经验，政策界线不清，把敌我矛盾和党内路线是非之争混同起来，造成了许多冤假错案，教训惨痛。

新的苏区中央局书记是周恩来，他是于1931年12月从上海到达苏区后担任此职务的。苏区中央局即中共“苏维埃区域中央局”，为中共中央在苏区派出的领导机关。在这年年底，周恩来主持苏区中央局会议，通过了《关于苏区肃反工作决议案》，否定了以前肃反扩大化的做法。

在此前不久，周恩来从上海到中央苏区后，在赴汀州途中，看到肃反扩大化的情况。他对此深感忧虑，在1931年12月18日就奋笔疾书，写给中共中央政治局一封信，提出纠正肃反中的严重错误。他写道：我入苏区虽只三日，但沿途见到闽西解决社党（指“清社会民主党”运动——本书作者注）所得的结果是非常严重的。他们处理方法之错误，为中央历次所指斥的殆有过之而无不及……

李克农回想起不久前他初到苏区的亲身遭遇，也感到随便怀疑革命同志是反革命，乱捕乱杀是错误的。冤假错案的确应该纠正。

李克农到达苏区时，就病了。一直发烧，还在拉痢疾，越拉越重，一天多次跑茅厕，晚上上茅厕的次数更多。

所说的茅厕，就是在野地里挖的一个坑。

一次，他正蹲在坑边。夜色笼罩着田野，一片寂静，没有灯光，也没有人声。

突然，一阵噼里啪啦拉枪栓的声音传来，警戒卫兵大声喝问，“谁在那儿里？干什么的？”

“拉屎！”李克农吓了一跳，边提裤子边站起来。

卫兵走近，低头看看茅厕坑，又抬头看看李克农，说，“你拉屎，坑里咋没有？是不是装的？”

李克农一听，火气就直冲脑门，忍不住骂了一句，“他娘的，你才会装拉屎”。

卫兵不由分说，一把抓住李克农前胸的衣服，把他拖到保卫局的审讯室里。李克农小肚子下坠，不得不弯着腰靠着墙根。

李克农气得浑身发抖，连说话的劲儿也没有。心想，听凭处治吧。卫兵又把他押送到中共苏区中央局组织部部长任弼时那里。任弼时说，“这是自己人”，叫放了。

又一天，因为这倒霉的跑茅厕，他又和卫兵争吵起来了，难道动不动就可以把人看作反革命嫌疑分子吗？

卫兵不管三七二十一，拉着他就要捆绑。

钱壮飞闻讯赶来了，赶快向卫兵解释，“他是党员，白区来的”。

“管你白区、红区的！”卫兵说。

“是上海来的。”钱壮飞继续解释。

“管你上海下海的！”卫兵又说。

李克农和钱壮飞惊愕得大眼瞪小眼，相视苦笑无语。真是“秀才遇见兵，有理说不清”。

以后，冷静下来，李克农对此有所理解，这不是红军战士的错误，而是当时苏区肃反扩大化，到处疑神疑鬼的影响。

1932年上半年，李克农以江西省保卫分局执行部部长（局长是吴德峰）的身份，到江西省石城、广昌、雩都、兴国、平安寨等地走动，发现这些地方肃反的气氛还很紧张。

送来关于反革命嫌疑犯的案卷，他只好先仔细地翻阅，在油灯下夜以继日地翻阅，认真地分析研究。

“AB团”的案件最多。奇怪，AB团早已解散了，怎么现在还有活动，而且活动得这样凶？

AB团是在大革命时期，1926年9月，国民党右派在江西南昌成立的反共、反人民的政治秘密团体。该组织名称的由来说法不一。有人说AB是反布尔什

1933年11月，红一方面军部分领导在福建建宁合影（部分）。左起：叶剑英、杨尚昆、彭德怀、刘伯坚、张纯清、李克农、周恩来、滕代远

维克的英文缩写，有人说AB分别代表省、县级组织。该组织成立后，曾策划了一系列破坏省农协、省妇女协会、省工会的罪恶活动，还暗杀群众运动领袖，并进行反共宣传。但1927年4月2日，在国民革命军第三军军官教导团团长朱德和国民党南昌市党部执行委员、共产党员傅惠忠的组织和领导下，教导团、工人纠察队和工农革命群众捣毁了AB团把持的国民党江西省党部，并逮捕了AB团头目程天放等，AB团其他头目仓皇逃跑，AB团随之自行解散。

“社会民主党”的案件很多，这个党从未在中国建立过，怎会突然冒出来？

肃清“社会民主党”事件，是从闽西苏区开始的。1931年初，闽西红十二军召开纪念李卜克内西、卢森堡、列宁大会。会上，缺乏国际共运史知识的青年红军误喊了“社会民主党万岁”的口号。据此，红十二军的闽西党的部分领导断定喊口号的人是潜伏的反革命派，肃反委员会为此还逮捕了十多名红军指战员。此前，共产国际又指示中国党要开展对社会民主党等资产阶级政治派别的斗争。于是苏区开展所谓“肃社党”运动。

“改组派”即“国民党改组派”，全称“中国国民党改组同志会”，是1928年至1930年间国民党内一度出现的一个反对蒋介石的政治派系。

汪精卫是“改组派”的实际领袖，标榜恢复所谓国民党改组精神，声称继承孙中山遗教，打着反对独裁、专制的旗号，要求改组国民党和南京政权，实际上是与蒋介石争权夺利。他们是一丘之貉！

蒋介石立即对该派进行镇压，先封闭了该派领导机关和所办的刊物，接着于1930年2月18日派特务在上海暗杀了该派负责人之一的王乐平，使该派各基层组织活动陷于瘫痪状态。

此后，汪精卫与冯玉祥、阎锡山等联合反蒋又遭失败，“改组派”军事活动宣告破产。1931年，汪精卫在香港发表声明，宣布解散“改组派”。

至于“托派”，中国确实有，但中国托派存在时间不长，而且力量很小。这些已不存在或力量很小的反革命组织，怎能派来大批反革命分子？

当时发现的许多案件并没有什么确切的证据，不少“证据”是捕风捉影。比如说有些青年干部是从白区来的，社会关系复杂，那他们可能是国民党派来的特务，是AB团的。实际上，从白区来的青年，社会关系复杂并不奇怪，他们向往革命才来苏区的。又比如说，从苏联学习回来的中国学生可能是托派。实际上，虽有少数中国留学生受到了托派宣传的影响，甚至加入了托派，但大部分中国留学生并未加入托派。这些都属于主观臆测，怎能作为反革命分子的证据？

还有些材料，随便扣帽子。比如说，有些干部、战士对当时的“左”倾冒险主义的做法有意见，发了一些牢骚，那就是“改组派”。至于什么是“改组派”，他们自己也不知道。

卷宗中有许多“证据”，是这些干部、战士的口供。他们自己都承认了，而且讲自己怎样当国民党特务，怎样参加托派，怎样被派来苏区，等等，头头是道，实际上都是假的。因为他们是受到“逼、供、信”的手段后才承认的。

所以李克农贯彻执行了苏区中央局关于纠正苏区肃反错误的指示，放了不少人，使这些忠实于革命的干部和战士又回到了自己的战斗岗位。

李克农后来回顾自己这段历史时说，“我一到苏区就放人”。

李克农在苏区的肃反工作中，也犯过错误。

邓发在1931年11月到1934年1月，一直担任国家政治保卫局局长。在王明“左”倾冒险主义的统治下，他犯了肃反扩大化错误（邓发在长征过程中，参加遵义会议，认识到王明“左”倾冒险主义的错误，拥护毛泽东的正确主张）。李克农作为邓发领导下的国家政治保卫局的执行部部长，对肃反扩大化的错误当然也有份。

李克农对自己要求是严格的，对自己在肃反工作中犯的错误感到内疚，对在苏区肃反扩大化中受过迫害的同志表示歉意。他后来讲，中央苏区抓反革命嫌疑犯时，他捆过人，行军时怕他们跑了，捆起来行军的。

甚至到1946年，有一天，李克农在北平对一起在“军事调处执行部”工作的人员说，“有许多事情，材料不足，判断有误，我在苏区搞保卫工作时也犯了错误”。他还说，“就这件事，我曾向毛主席写过信，要求不进‘七大’中央委员候选人名单”。

一个人什么错误都不犯，太难啦！能正视自己的错误，就是难能可贵的。

中共中央也注意吸取苏区肃反扩大化错误的教训。1945年4月20日，中共六届七中全会通过的《关于若干历史问题的决议》郑重宣布，“对于一切被错误路线所错误地处罚了的同志，应该根据情形，撤销这种处分或其错误部分。一切经过调查确系因错误处理而被诬害的同志，应该得到昭雪，恢复党籍，并受到同志的纪念”。

李克农完全支持这个决议。他通过亲身经历，深深体会到这个决议的正确。

第九章　长征途中

1934年10月10日，红军长征开始了。

这一天，中共中央和中央革命军事委员会（简称“中革军委”），率中央红军主力5个军团和军委纵队共86859人，从江西省瑞金，福建省长汀、古城等地出发。

李克农继续担任红军工作部部长，也在这一天，率红军工作部人员从瑞金出发，随军委先头部队行动。

红军长征是世界上空前的创举，谱写了惊天动地的史诗，意义十分深远。

但从当时的军事情况来说，红军长征是不得已而为之，是中央红军在第五次反“围剿”失利后被迫进行的战略转移。

1934年10月7日，红军各军团根据中共临时中央的命令，从防御阵地上撤下来，到瑞金、于都、会昌地区集中，准备突围。

蒋介石不让中央红军“走脱”，布置了四道封锁线，由粤军、湘军、桂军和国民党“中央军”三四十万部队围追堵截，企图消灭中央红军于粤湘桂边界。

红军英勇作战，连续突破这四道封锁线。

李克农率领红军工作部侦察部队随军委先头部队行动。任务是调查敌情，扫除敌探。

李克农在江西苏区经过几年的红军战斗生活，已经锻炼成为一个革命军人。这次从瑞金出发时，身着灰色军服，干净整齐；头上端正地戴着军帽，五角星帽徽红艳艳；脚上穿着一双黑布鞋，步履矫健。他知道前面的征途漫长而艰险，但他决心和战友们一起去“过关斩将”。他表情严肃而坚定，仍戴着一副圆边眼镜，看得出是一位知识分子干部，但眉宇之间，有一股英武之气。

他和红军其他指战员一起，在山区的羊肠小道上行进。经过多天的长途跋涉，已是满身泥灰，军服已不干净，但仍扣紧纽扣，保持整齐。为了侦探敌情，他和红军工作部的同志们，还要早行军，多走路。

他们属于军委纵队，李克农兼任中央纵队驻地的卫戍司令，在保卫中央和毛泽东等中央首长们的安全工作中起了重要作用。

在突破敌人四道封锁线的长征途中，军委纵队常常居中，几个军团分别担任前卫、后卫、左翼、右翼，是甬道式的行军队形。最前沿的接敌侦察工作由这几个军团的侦察部队担任。

但是，军委先遣队要在军委纵队的前头行军。李克农率领红军工作部同志们也在军委纵队的前头行军，及时把几个军团、特别是前卫军团侦察的敌情集中起来，进行初步的归纳、分析、研究，迅速向中革军委的领导人汇报，以便他们制订突破敌人封锁线的方案。

在10月和11月，红军突破敌人四道封锁线后进至西延山区。

12月，红军放弃北上湘西计划，改向贵州北部挺进，于1935年1月7日攻克贵州北部重镇遵义。9日，中共中央、中革军委进驻遵义城。

红军这样突然改变行军方向，就甩开原来尾追和堵击的敌军，在遵义得到12天的休整。

1月15日至17日，中共中央在遵义召开政治局扩大会议。

这是一座砖木结构的两层楼房，原为贵州军阀柏辉章的官邸，房屋和院子比较宽敞。红军攻克遵义后，司令部就设在这里，中革军委和红军第一方面军的办公室也设在这里。

李克农这时负责中央领导和会议的保卫工作，在这座楼房出出进进，比较忙碌。

会议是在这座楼二楼的一个大长方形的客厅里举行的，在晚饭后开始，一般从7点开到12点，共约5个小时。

15日晚饭后，还未到7点钟，李克农正在会场外面布置警戒任务，毛泽东提着马灯来了，还和李克农打了个招呼，但对李克农并没有十分注意，因为他正在考虑这个会议将如何进行。

会议共开了三个晚上，有20人参加。会议室内挂着油灯，通屋明亮。室内有一些不整齐的椅子和凳子。中央领导人博古、周恩来和毛泽东坐在中间的位置，其他人来了随便找个凳子坐下就行了。会场的布置很不正规，会议讨论的问题可是决定中国革命前途的大事。会上争辩激烈，着重总结了第五次反"围剿"失败的教训。毛泽东、张闻天、王稼祥尖锐地批评第五次反"围剿"战争中实行单纯防御、长征中实行退却逃跑的错误。三人的批评和意见，获得多数人同意。会议增选毛泽东为政治局常委。会后不久，政治局常委会决定由张闻天代替博古负总的责任，主持中央日常工作，并成立由毛泽东、周恩来、王稼祥组成的三人小组，负责指挥红军的行动。

会议期间，李克农对会场的保卫工作十分认真，布置得很仔细，自己还亲自在会场外检查。他体会到这次会议的特别重要性，对会议的进展情况特别关心。

自长征开始以来，红军打了两个多月的仗，每个战役都是精心布置，指战员都是英勇奋战，但红军仍是处处被动，遭到很大损失，处于极端困难危险的境地。为什么？是否是博古领导的方法有误？战略方针有误？是否是逃跑主义所造成的恶果？李克农的组织纪律性很强，一向尊重中央领导。但是，在许多事实的教训下，他和红军中许多同志一样，逐渐产生怀疑、不满和要求改换领导的情绪。

在许多事实的对比中，李克农认定毛泽东一系列主张是正确的。他看见进出会场的毛泽东，外表无拘无束，讲话坚定深入，就十分佩服。这次会议，在事实上确立了毛泽东在红军和中共中央的领导地位，这是一大幸事。中国革命的道路仍然很艰难，但前途是光明的，李克农对此充满信心。

蒋介石发现红军主力在遵义地区，又立即调集重兵前来围攻。但是，他们逼近遵义时，红军已经利用一段时间休整了。红军经费得到了补充，伙食得到了改善，战士们的体质得到了恢复，穿上了新草鞋，戴上新斗笠，每个人还发到了一两块银元。这支意志如钢的军队，在中革军委和毛泽东的指挥下，于1月19日分三路从松坎、桐梓、遵义地区出发，继续进行长征。

李克农也于这一天从遵义出发，他仍然率领红军工作部的同志们随军委先头部队行动。任务仍然是调查敌情，扫除敌探。

现在，毛泽东、周恩来和王稼祥的三人小组负责指挥中央红军，实际上由毛泽东做出大的战略方向的决策，周恩来负责执行，相当于总指挥或总参谋长的作用，王稼祥参加意见。在他们的指挥下，中央红军根据掌握的敌情，灵活地变换作战方向，忽东忽西，迂回曲折地穿插于敌方重兵之间。

敌情是严重的，而且是不断变化的。李克农在行军途中，尽一切可能调查研究敌情的变化，供三人小组决策参考。

李克农深深感觉到，中央红军一反以前的行军方式，获得了新的生命。李克农工作的劲头更大了，忘却了行军的疲劳。

现在，红军处处主动。毛泽东等领导人灵活地掌握敌情变化，巧妙地指挥红军避实就虚，在遵义以西，四川、贵州边界反复四次渡过赤水河，创造和抓住战机，打了几次胜仗。

国民党军队仍有绝对优势。蒋介石又调集几十万大军对红军围追堵截。红军就来回穿插，吸引和调动敌军行动。趁国民党军队在金沙江的防务削弱时，红军主力突然从云南南部掉头向北，以急行军速度，在5月9日全部渡过金沙江，摆脱了大批国民党军队的追堵，取得了战略转移中具有决定意义的胜利。

为了红军渡过金沙江，李克农的主要任务仍是调查敌情。他在红军巧渡金沙江时还出了一条妙计，保证了红军渡江任务顺利完成。

这次行动中，中央红军分为三路：第一军团为左纵队，直取龙街渡。第三军团为右纵队，夺取洪门渡。军委纵队和第五军团为中央纵队，直奔皎平渡。李克农在中央纵队。

金沙江皎平渡。红一方面军在此渡江

第一军团、第三军团分别赶到龙街渡、洪门渡时，因这些地方江宽水深，难以架桥，渡船又少，都改变计划，也要由皎平渡渡过金沙江。这样一来，中央纵队的渡江任务更为重要。

4月底，中央纵队的先遣支队已经到达皎平渡地区。4月29日下午，先遣支队有关人员开会研究如何渡江问题，李克农参加了。他还通知第三军团保卫局侦察科科长张明远、军委侦察科科长胡底等人与会。军委纵队司令员刘伯承、军委纵队的干部团团长陈赓也参加了会议。

会议开始，刘伯承讲了这支渡江先遣支队的任务是抢占皎平渡，保证后续部队过江。他说，“抢占渡口首要的是夺取渡口两岸的船只。有了船，部队才能渡江。所以，抢船是渡江战役首先的、关键性的行动，现在就是研究如何抢船”。

大家讨论得很热烈。最后，李克农提出了一个方案：抢船用大部队不行，要用小分队；不能正面进攻，要偷袭；组成精干的侦察组，化装成国民党兵，到伪乡公所征船。

他的这一方案得到了刘伯承等人的赞同。按照他的方案，张明远带一个侦察组，化装成国民党兵，摸到伪乡公所，搞到了船。

中央红军渡过金沙江后，在会理休整五天，继续北上，进入四川西北境内。5月底，中央红军强渡了天险大渡河。太平天国石达开在此渡河未成而最后覆灭，但红军胜利渡过。这是由于红军领导指挥正确，红军战士特别英勇善战。

李克农对此有亲切体会。他随军委先头部队进行了长途的急行军，终于渡过大渡河，虽然十分疲劳，但心里十分高兴。

过河后，中央红军继续北进，6月上旬一举突破敌人芦山、宝兴防线，歼敌一部。接着，翻越长征途中第一座人迹罕至的大雪山——夹金山（四川阿坝州）。

李克农随着军委先头部队通过这座海拔4000多米的大雪山，一上一下走了70里路。多么艰难的一段路啊！

这天拂晓，李克农和同志们吃了早饭，煮些辣椒汤喝（买不到酒），以温暖身体，每人还找到一根木棍，就整队行军，沿着小路，向山麓前进。上了山，气温突然下降，寒气逼人。环顾四周，雪海茫茫。人在积雪中行进，上面是雪的陡壁，下面是雪的深渊，风带着雪花，不时扑打在脸上，感到刺骨般剧痛。身上衣服单薄，冻得直打哆嗦。快爬到山顶时，高山缺氧，空气稀薄，感到呼吸困难，喘不过气来，头晕、眼花、腿软，老想坐下来休息一下。但不能啊，坐下休息就起不来了，有些人已经倒下了。李克农和同志们互相搀扶着，一步一喘地继续前进。终于爬到山顶，爬到了这终年积雪的高山之顶，身上更感寒冷，呼吸更加困难，但心情却豁然开朗，感到战胜困难后的愉快，便开始使劲地往山下跑。雪逐渐停止，变成细雨。他们踏着雪水，连走带滚地下山了。

他们继续前进，白茫茫的大雪山被抛在后边了。

中央红军翻越大雪山后，6月中旬同红军第四方面军会师，不仅打破了敌人的“围歼”计划，而且为开创新局面创造了有利条件。

1935年8月4日至6日中共中央政治局在松潘县毛儿盖附近的沙窝举行会议，重申前不久两河口会议确定的北上战略方针。

这个方针是：集中主力向北进攻，在运动战中大量消灭敌人，首先取得甘肃南部，以创造川陕甘苏区根据地。

沙窝会议还决定恢复红军第一方面军总部。

为了贯彻中共中央这个北上方针，中革军委根据这时的新情况，将红一方面军、红四方面军的各军统一混编，分为左路军和右路军。李克农这时调到红一方面军的第三军保卫分局工作，属右路军。

从8月18日起，右路军从毛儿盖地区出发，向若尔盖县的班佑、巴西地区前进。

从毛儿盖到班佑，要经过泥泞的茫茫水草地。

这是8月下旬的事。李克农随红军第三军离开毛儿盖后北行，来到了草地边上，找些树枝搭成棚子宿营。第二天天刚亮，就进入大草地。大草地是一望无际的沼泽地，荒无人烟。到处是野草丛生的沼泽和散发出腐臭味的黑色淤泥潭，几乎看不见树木。天气变化无常，时而狂风四起，大雨滂沱，时而漫天飞雪，冰雹骤降。雨过雪止，天也不晴，寒冷刺骨。晚上宿营难以找到一块干燥平坦的地方，只好争取在灌木丛中宿营，围着篝火，地当床，天当被。除寒冷外，还有饥饿的煎熬。身上背着几斤青稞面，经过雨水淋洗，成了浆团，结成一块，只好烧一茶缸开水，勉强冲青稞面吃。还没有盐吃，人没有力气。李克农眼睛不好，走路滑倒了赶紧爬起来，再走，特别注意用木棍探路，因为万一踏进泥潭，可能被吞没。草地里河流还很多，大家互相拉手搀扶着渡过河去。

这样走了六天六夜，李克农和许多战友们凭着钢铁般的意志，发挥团结友爱的精神，互相搀扶，互相激励，终于走出草地，挺过来了。

李克农所在的右路军，继续前进，于8月底按预定计划到达班佑、巴西地区，等待左路军到来会合，一起北上抗日。

红军敢于过大草地，出乎敌人的预料，也就摆脱了敌人的“追剿”部队。红军过了大草地后，蒋介石急调胡宗南部绕道到甘南地区堵截红军。但胡宗南部队行动迟缓，甘南地区敌人兵力薄弱，正是红军北上十分有利的时机。

右路军在班佑、巴西地区找到民房宿营，每人炒好几斤青稞做干粮，用烂布、羊毛打好草鞋，一切准备得差不多了。这样等了十多天，左路军还没有赶上来。

原来是张国焘搞阴谋，是张国焘不愿北上，企图分裂和危害党中央。

9月上旬，中共中央几次电令张国焘按预定计划到巴西、阿西会合北上。但张国焘这时阴谋暴露，不仅不服从党中央命令，反而打电报给党中央，要右路军全部南下。

9月9日，张国焘又背着中共中央，秘密电令右路军政委陈昌浩率右路军全部南下。

这份电报被右路军参谋长叶剑英所得，他立即携带了唯一的一份甘肃、陕西军用地图，星夜赶到毛泽东驻地，向毛泽东报告。叶剑英这一果敢行动，为保卫中共中央，为长征的胜利，作出了重大贡献。

在这个事件中，李克农也起了重要作用。他协助叶剑英，同张国焘分裂中共中央的阴谋活动进行了坚决的斗争。

毛泽东正在巴西，发现张国焘阴谋后，立即与周恩来、张闻天、博古紧急磋商。为了贯彻北上方针，并避免红军内部可能发生的冲突，毅然决定由毛泽东、周恩来率领红一、三军和军委纵队，临时组织北上先遣支队（后称陕甘支队），在黑沉沉的半夜就出发，先行北上。

这时，李克农已调回军委纵队，负责保卫党中央的安全。他粉碎了次日清晨一些追踪、阻挠的活动，保卫毛泽东等中央领导人顺利北上。

李克农和坚持北上的七八千红军，在毛泽东、周恩来直接领导和指挥下，又继续跋山涉水，穿越密密的大森林，到达一个叫俄界的地方住下了。

9月12日，在这里举行了中共中央政治局会议，揭发批判了张国焘的逃跑主义和分裂共产党、分裂红军的活动。

会议决定：红军还要继续北上。

9月18日，红军占领哈达铺，进入甘肃省南部地区。在这里，从一张报纸上得知陕北有相当大的一片苏区和相当数量的红军。

27日，中共中央政治局常委们在榜罗镇开会，正式决定前往陕北。会后，中共中央率领陕甘支队分三路北上，途中几次击溃敌骑兵的追击。

11月初，他们在甘泉与在陕甘地区活动的红十五军团会师。

至此，中央红军的长征胜利地结束了。

参加长征的李克农也圆满地完成了他在长征中的任务。他以坚定的革命信念和认真仔细的工作，在二万五千里的行程中，战胜无数艰难险阻，率领侦察部队沿途进行地面侦察工作，并担任中央纵队驻地的卫戍司令，对保卫中共中央和毛泽东等人在长征中的安全，起了重要的作用。

提起长征，李克农也有一件憾事。在长征途上，他是中央红军里唯一背照相机的人，在敌情严重、饥寒交迫的行军过程中，他始终舍不得扔下这架照相机。他沿途拍摄了不少红军长征途中极其罕见的场面，他要将这些历史的见证留给后人。

1941年李克农在桂林主持八路军办事处工作时，为防备国民党突袭，把这些珍贵照片交办事处人员夏之栩、曾宪植带到重庆八路军办事处。他们途经贵阳通讯处时，正值皖南事变，为了轻装，就把照片留在贵阳通讯处。后来，贵阳通讯处被国民党查封，人员遭逮捕，这些照片也被搜走。解放后，李克农曾派人去找，都没有找到。

第十章　水到渠成

李克农随长征北上的中央红军到达陕北后，正是1935年冬。

这时，陕北高原上，千里冰封，万里雪飘，气候异常寒冷。全国形势也很严峻。日本军国主义者利用中国国民党统治者的不抵抗主义，从九一八事变后，不停步地向中国进攻，企图独占中国。中国濒临危亡的局面。

中国危急！中华民族危急！国内各种力量必须汇集起来，才能有效地抵抗日本的侵略。谁来领导人民的抗日力量？国民党政权不行，主要是因为它仍然站在人民抗日力量的对立面。这个任务只有落在中国共产党身上。

中共中央在陕北多次研究了全国的政治形势，提出了建立最广泛的抗日民族统一战线的政策。

为了加强统一战线工作，中共中央采取的重要措施之一是建立中共中央联络局，又称西北联络局，由李克农担任局长。此局在周恩来、叶剑英的领导下，从事对国民党、特别是东北军和西北军的统一战线工作。

接着，中共中央又成立了东北军工作委员会，周恩来副主席兼主任，李克农等人协助。顾名思义，这个委员会的统战工作重点是以张学良为首的东北军。

中共中央对张学良做统一战线工作，主要是从红军加紧做俘虏军官高福源的工作开始的。

高福源就是那个在陕北榆林桥战役中被红十五军团俘虏的东北军六一九团的团长。

他被俘不久，就和其他俘虏一起，被红军带到了陕北安定县（今子长县）瓦窑堡。

起初，他既感沮丧，又懊悔。沮丧的是，自己是张学良的亲信，又在榆林桥战役中拼命顽抗，一定会被红军处死。懊悔的是，自己身为东北军人，家乡被日寇占领和践踏，这条命不死在抗日战场上，却偏偏要丢在这受人唾骂的“剿共”内战中。他在沮丧和懊悔之余，甚至偷偷地抹眼泪。

然而，被俘后的处境并不像他所想象的那样坏。开始几天，红军虽然把这个“当官的”和被俘的士兵分开，但对他的待遇还是同士兵一样，并没有歧视的地方。尤其是红军的卫生员时常亲切耐心地给他医治枪伤，红军的指挥员也多次来询问他的伤势和治疗情况，一点没有虐待他、羞辱他，更没有要杀他的样子。

中共中央到达陕北后，第一军团和第十五军团重组成第一方面军，统一了在陕北地区的红军。红军更加认真地执行优待俘虏的政策，中共中央又十分重视做东北军的工作。

李克农考虑如何做好被俘虏的东北军官兵的工作。

高福源他们一直受到红军的优待，他们吃的饭，住的房子、窑洞，不仅同红军一样，甚至比红军还要好些。红军在陕北直罗镇战役中缴获的棉衣，自己宁可不穿，先让给他们穿。高福源被俘时没穿棉衣，这时也得到了一套棉衣。

特别重要的是，红军经常带高福源等到瓦窑堡附近红军部队中参观，还给他们上政治课，和他们促膝交谈，用摆事实、讲道理的方法，同他们一起讨论抗日问题，批判蒋介石“攘外必先安内、抗日必先剿共”的谬论。红军干部对高福源讲，“东北军和红军打仗，不管谁受损失，都是削弱抗日力量，只能有利于日本帝国主义和拒不抗日的蒋介石。我们党现在主张停止内战，一致抗日。红军经过二万五千里长征到陕北来也是为了抗日。我们愿意联合东北军，联合一切抗日力量，抵抗侵略，帮助东北军打回老家去”。高福源认真思考了这些问题，觉得共产党、红军的主张有道理。

高福源在瓦窑堡住了约两个月，亲身感到红军对他们亲切友好的态度，亲眼看到红军官兵亲如兄弟、团结友爱的关系，亲耳听到共产党关于停止内战、一致抗日的主张以及红军爬雪山、过草地的英雄事迹，受到了深刻的政治教育，对共产党和红军越来越钦佩，最初那种沮丧、懊悔情绪逐渐消失。

高福源的这种思想变化，李克农在密切注视着。

李克农还了解了高福源的全部经历。高福源是东北人，对东北军一枪不放，把东北丢给日本军一事，平时就有所抱怨。现在家属仍滞留在家乡，遭受日军践踏，他也经常担心、怀念。

李克农还看出高福源喜欢参加红军的文化活动。

于是，李克农就赶写了一个话剧剧本《你走错了路》。说的是一位国民党团长被红军俘虏后，如何悔过自新、掉转枪口打日本人的故事。素材实际上取自于高福源本人。

红军剧团加紧排练，一天晚上在瓦窑堡的一个打麦场上演出了。

用粗大圆木和木板搭起来的戏台上，吊上两盏明亮的马灯，剧中人的动作和表情还是看得清楚的。

台下的军民们都全神贯注地看着戏台的表演，完全沉浸到剧情中去了。人群中时而爆发出哈哈大笑，时而有人不加掩饰地叹息、咒骂。

当戏里演到团长在逃荒的人群中看到自己的妻子不敢相认时，台下的人忍不住性急地喊起来。

“她就是你婆姨，快叫呀！”

演着演着，妻子开始向团长诉说别后东北家乡被日寇践踏，自己流离失所的种种苦难。突然台下“呜”一声，一个人号啕大哭，捂着脸跑开了，他就是高福源，他是在这天晚上和红军以及当地一些群众一起来看戏的。

李克农也在场，注意观察高福源的激动情况。

高福源回到宿舍之后，回想与自己遭遇相似的剧中情节，联想到家乡沦亡之苦，忍不住又痛哭起来，上床后辗转难眠。他想到东北军入关，想到自己被迫来打红军，被俘后红军对自己却优待有加，他想得很多。最后，他想到应有所作为，痛哭也不是办法，要回到东北军去劝说张学良走联共抗日的道路，为神圣的民族解放事业贡献自己一份力量。

这样，他安然入睡了。

第二天，他主动提出要求，希望会见红军高级领导人，有重要事情相商。

中共中央同意高福源的要求，派李克农接见他。

水到渠成。

在前一段红军工作的基础上，李克农编写的这个剧，对高福源思想的转变起了突破作用。

红军一贯重视文娱活动，在艰苦的条件下都尽可能地组织大大小小的演出。因为这可以活跃部队生活，激励部队士气，起着重要的政治作用。比如红军在几次反“围剿”胜利后，都举行了庆祝活动，表演节目。甚至在长征结束前，敌情仍然严重的情况下，红军也组织了几次演出。

1935年6月间，红军一、四方面军在四川西北部的懋功县一带胜利会师时，就在达维村召开了会师联欢大会，毛泽东、朱德出席讲话后，各部队表演了精彩节目，中西乐器，同时合奏；有歌有舞，尽情欢乐。

两天后的一个晚上，在懋功县的一所大天主教堂里，红一、四方面军又召开了联欢晚会。在晚会上，红五军团剧团表演了《烂草鞋》剧，形容国民党数十万大军，跟在红军后面，只拾得无数的烂草鞋，挖苦反动派无能，表彰红军的英勇，几乎把大家的肚皮笑痛了。三军团剧团跳了很多舞，热闹到深夜。

1935年9月初，红军右路军实现了从毛儿盖到达巴西镇的任务。一个傍晚，红军几个方面军在巴西镇的广场上举行了晚会，各部队在临时搭起的一个露天舞台上表演节目。战士们有节奏地鼓掌欢叫“再来一个”，情绪高昂。

李克农对文艺很有兴趣，也一直重视文化娱乐工作。

他在芜湖的一个中学读书时，就喜爱文艺，写过短篇小说，以家乡的赶鸭场为背景，反映当时农村的悲惨生活，发表在上海的一家刊物上。

他还喜欢写剧本、演话剧或组织演出。

大革命期间，他在芜湖主持民生中学工作时，就支持学生组织剧团，在当地公演一些话剧和活报剧，进行反帝、反封建的宣传。他还亲自修改这些剧本，导演这些剧目的演出。

20世纪30年代初，在江西中央革命根据地，李克农担任红军保卫局执行部部长和红军工作部部长时，对红军的文化娱乐工作也起了组织和带头作用。

当时，红军成立第一个剧团——八一剧团，经常为苏区军民举行文艺晚会，李克农积极地参加这个剧团的演出活动。第一次全国苏维埃代表大会期间，他在苏区文艺活动家李伯钊编导的《农奴》一剧中，与李伯钊分别扮演剧中农奴兄妹两个角色，生动自然，惟妙惟肖，成为大受欢迎的主要演员。

李克农还同钱壮飞、胡底等经常自己编写、自己执导、自己演出话剧、活报剧和双簧，既有丰富的政治内容，又有生动活泼的艺术形式。李克农主演独幕话剧《秘书长万岁》，尖锐地讽刺了当时猖狂进攻红军的国民党分子。台下一片笑声、掌声越出简陋的瑞金红军剧场，惊动了附近的群众。

据说，江西苏区建立中国共产党第一所艺术院校“高尔基戏剧学校”时，钱壮飞、胡底被调去了，爱好文艺的李克农心动了，也想“跳槽”。戏剧学校校长李伯钊欢迎他，中央领导人周恩来却不放。

李克农的组织纪律性是很强的。他服从组织的决定，在周恩来的直接领导下继续搞保卫局工作，但仍有用“文”之地。

这时，他担任中共中央联络局局长，竟然发扬红军演剧鼓动的优良传统，发挥自己杰出的文艺才能，利用话剧做俘虏官兵的思想工作，震撼了高福源的心灵。

这是李克农对红军文艺工作的发展和创造性的运用。

李克农通过参观、演剧等办法，间接地做了高福源的思想工作，并取得突破性成效后，就进入当面谈心、直接做高福源思想工作的阶段。

因此，应高福源本人的要求和中央委派，李克农很快接见了他。

李克农见高福源时，对他的态度是亲切的。关怀他在苏区里两个多月来的生活情况，询问他两个多月来的感受和想法。高福源感谢红军对他和其他俘虏官兵的优待，钦佩红军的所作所为，特别赞同共产党停止内战、联合抗日的主张。

两人平等地交谈着，气氛很友好。高福源还表示，“如果张（学良）副司令和其他的人知道了这一切，也会感动和赞同的，并且有可能在抗日的前提下与红军合作”。李克农认为他的想法是有见地的。日本帝国主义要灭亡中国，中华民族危机到了严重关头，中国的爱国将领都应当起来抗日。

高福源的想法得到李克农的肯定，很激动。他说，他最近总在考虑这个问题，昨夜想得更多。“为了东北军的前途，为了抗日救国，我愿意前去说服张副司令和其他人。不知你们相不相信我，敢不敢放我回去？”

1936年，李克农（左）在陕北保安（今志丹县）

李克农没有马上回答，而是在沉思。

高福源以为李克农在这个关键问题上犹豫了，便说，“是不是怕我回去就跑了？”

李克农立即用手势制止了他，语气诚恳地说，“高团长，我同意你回去。只是考虑这样做，对你会不会有危险”。

高福源很自信地说，“我自己既然要求回去，就有这个把握。再说为了共同抗日救国，有危险也不怕”。

李克农将此事向毛泽东主席、周恩来副主席汇报。他们都同意释放高福源。周恩来还指示：要高福源多住几天，多看看，多听听，回去后多讲红军联合一切抗日力量，停止内战、共同抗日的主张。

过了几天，这时的红一方面军司令员彭德怀又找高福源谈话，对他爱国意识和抗日热情，慰勉有加。

高福源临行前，李克农再次接见了他，并说，“你这次回去，还是用个人的身份，先试探一下张学良将军的态度。假如张将军有真诚的表示，红军愿意派正式代表前去谈判”。

1936年1月初，高福源离开了瓦窑堡，经延安首先到达甘泉城。当时驻守甘泉的是东北军六十七军一〇七师两个营，由该师参谋长张文清直接指挥。

高福源想找张文清联系，但守城部队不认识他，不许他进城。恰好，“西北剿总”粮秣处的职员栗宝臣登上城头，一眼认出了高福源，才用绳子把高吊上城墙。

高福源在甘泉城里与张文清等人见了面，向他们宣传共产党和红军的主张及政策，讲述自己的见闻和感想，劝说他们应该同红军联合起来抗日，再不要替蒋介石卖命打内战了。张文清等人表示，不打内战、进行抗日是他们长久以来的意愿，但要联合红军，自己却不能擅自做主，让高福源先去征求一下王以哲（六十七军）军长的意见。

高福源不清楚王以哲此时的心思，恐怕直接去见会出问题，就先给王的参谋处长、自己的同学好友佟道写了一封信，说明自己被俘后的情况和这次回来的目的，让佟道向王以哲转达。信写好后，即雇了一个老百姓送往洛川军部。王以哲立刻令佟道把高福源接到洛川。

高福源一到洛川，就向王以哲和王的参谋长赵镇藩作了报告，并说，“我这次是红军派回来见张副司令的，有重要事情向张副司令报告”。高福源为人豪爽，不愿转弯抹角地试探，又想引起王以哲和张学良的重视，所以一见到王就开门见山地慷慨陈词。

高福源这一手也有效。

王以哲立即把高福源回来的事密电报告张学良。

张学良在接到王以哲密电的第二天，就自己驾飞机急切地飞抵洛川。

张学良在住室里接见高福源，神情严肃。高福源跟着王以哲进来，见到张就跨前一步，行军礼，站得端端正正地开口说，“报告副司令，我回来了。我是红军派回来的，有许多事情要向副司令报告”。

张学良听了，勃然大怒，拍案大骂，“你好大的胆！你自己打了败仗，当了俘虏，还有脸来见我，还敢要我通‘匪’，我枪毙了你！”

高福源没料到张会这样对待他，干脆豁出去了，毫不示弱地大声说，“怕死？我要怕死就不回来了。但副司令忘了国难家仇，在这里打抗日的红军，算什么英雄好汉？”

“副司令你再想想，我们‘剿共’多年‘剿’出了什么结果？如还要继续打内战，我们东北军会落一个什么下场啊！”高福源越说越激动，禁不住失声痛哭起来。

张学良也深深地感动了，伸出微微颤抖的手，拉着高福源说，“你回来很好。你果然有胆量，刚才只是要试试你”。就拉着高坐下来商谈。

高福源长长地出了一口气，情绪慢慢地平静下来，把他被俘后所见所闻所感受到的一切，以及与红军联系的经过，详细地讲给张学良和王以哲听。

张学良一直留神地听着，态度认真。高福源说，“我已见到了红军的高级首长，他说如果副司令真正愿意同红军合作，他们可以派正式代表来谈判”。

张学良很兴奋，明确地说，“你谈得很好，很重要，我同意。事关重大，你要注意保密。你先休息两天，赶快再去一趟陕北，请红军方面派一位正式代表来”。

高福源不顾旅途辛劳，于1月16日折返瓦窑堡，向李克农作了报告。

李克农立刻带他见了毛泽东、周恩来。毛泽东、周恩来夸赞高福源的工作做得好，并表示感谢，说他为民族、为国家做了一件大好事。

中共中央经过研究，决定派李克农作为红军代表去同张学良谈判。

第十一章　单枪赴会

1936年2月21日，大雪纷飞。雪已下了一夜，陕北高原已是银装素裹。远远望去，一片银白，广阔无垠，看不清田野、道路，分不出沟沟、坎坎。仔细眺望，山脊起伏，像无数条银蛇，纷纷起舞。

在这个银白色的世界里，还有几个白点在移动。这是李克农一行人马在大雪中从瓦窑堡出发，向洛川行进。他们的头上和身上，也落了一层雪花。细瞧时，可以分辨出不同的装束。

李克农一行去洛川谈判是严格保密的，所以他们是便装打扮。正式代表李克农穿的是中山装。17岁的译电员戴镜元着学生服。化名“徐之光”的钱之光，名义上是秘书，戴礼帽，穿长衫，他实际上是苏维埃政府国民经济贸易局局长，负责采购物资和药品。还有一位警卫员，负责保卫工作，穿便衣。高福源带路，头扎白毛巾，一身农民打扮。另有几位护送人员和马夫，都是农民打扮。

谈判工作，从准备阶段开始，就是由中共中央和毛泽东直接领导、周恩来亲自布置的。

临行前，约在2月10日，李克农和戴镜元去见周恩来，周恩来给了详细的指示。他说，“根据目前的政治形势和军事情况，这次和东北军谈判成功的可能性很大，但也有一定的困难和危险，你们要有精神准备”。

周恩来强调，“不管出现什么情况，一定要力争谈成，谈不成也要谈和。要按照瓦窑堡会议的精神谈，同时可以根据具体情况，先商谈局部合作抗日和经济通商问题，重大问题及时请示中央”。

周恩来还指定了密码，研究了携带密码的方法。

一路上，李克农仔细回想周恩来的指示，考虑如何执行好这次使命。

25日上午，这一行人马快到鄜县（即富县）时，遇上了一场暴风雪。大雪淹没了村舍、山沟、道路，只见凹凸不平的一片白色，道路难认。风雪狂吼，几乎把他们从马上掀下来，他们就只好下来牵着马徒步前进。深一脚、浅一脚，摔了不少跟头。一次，李克农摔倒在雪地里，眼镜掉在雪堆里，不见了。没有眼镜，他什么也看不清，大家赶快帮他一起找，总算找到了。他戴着眼镜，哈气常蒙住镜片，只好用冰冷的手指擦去上面的一层冰霜。李克农笑嘻嘻地自我解嘲说，“这次是戴着眼镜摸黑走路，可以多考虑问题了”。紧张的气氛一下松弛了。

这天中午，大雪仍在纷飞，远远的，一片白色的丛林到了。这是鄜县城外山下的一个小村庄，都被大雪覆盖了。他们找了所农舍歇脚，高福源马不停蹄地进城联系去了。

这一行人出发前两天，毛泽东和彭德怀就电告张学良、王以哲，“李克农等四人于2月11日由瓦窑堡起程，25日可抵洛川。望妥为接待，保证安全”。

东北军已做了秘密接待的安排。

不一会儿，一队骑兵急奔而来，全是清一色的白马，跑在雪地里像是一团团雪球滚来。这是守军一个团长率队前来迎接。

进城后，东北军一师长宴请李克农一行。

李克农一行四人，加上高福源，换上东北军强健的马匹，在东北军的护送下，下午5时左右到了洛川。

当晚，李克农电告中共中央，“李等四人已安抵洛川”。戴镜元没有带电台，电报是用东北军六十七军的电台，以自己的密码发出的。

当晚，王以哲也用密电向张学良报告李克农到达洛川的情况。张学良因临时有事去南京，便回电委托王以哲代表他先就一些局部问题、具体问题接谈，重大问题等他回来再说，并嘱咐王要好好招待李克农一行。

为了保密和安全起见，王以哲和他的参谋长赵镇藩把李克农等人安排在六十七军军部近旁的独院里，除由两个副官陪住外，不让其他人接触。

洛川会谈分为两个阶段。

前一段从2月26日到28日。王以哲、赵镇藩根据张学良的回电指示，同李克农多次交换了意见，就红军与东北军六十七军的局部合作问题达成了以下口头协议：

一、为保证红军与六十七军共同抗日，确定互不侵犯、各守原防（包括六十七军在陕甘边区及关中区之防地）。

二、红军同意恢复六十七军在鄜县、甘泉、延安之交通运输及经济往来。

三、延安、甘泉两城六十七军部队所需粮秣、柴草、蔬菜等物，可向当地苏区群众购买。红军为便利延安、甘泉友军，转告当地苏维埃组织群众运粮、柴等物进城，恢复正常通商。

四、红军同意被其包围在甘泉的东北军两个军换防。

五、恢复红区与白区通商。红军前往洛川、鄜县等地采办货物，六十七军有保护之责；六十七军到苏区办货，红军有保护之责。但为掩人耳目，双方办货人员均穿便衣。

2月28日上午8时，李克农将协定内容电告中共中央。当晚11时中央回电同意。毛泽东和周恩来已于1936年2月上旬、中旬先后离开瓦窑堡东征。李克农关于谈判情况和请示报告，都密电直发抗日前线山西石楼。

李克农和王以哲约定，口头协定在3月5日秘密下达到部队实行。

谈判期间，王以哲两次掩护红军采购人员到西安购买物资，并收集了北平、天津、南京、上海、西安各大城市的报纸，还把河北、山西、绥远、察哈尔的军用地图送给红军。当时红军准备向这四省发展。

3月3日，张学良由南京返回西安，第二天就亲自驾飞机到洛川，一下飞机就来看望李克农。

当天（3月4日）下午3点，洛川会谈第二阶段正式开始，主要谈判整个东北军与红军停战共同抗日问题。

谈判是在李克农一行住处的一间小房子里进行的。

张学良和李克农初见面就饶有风趣。

张学良也化了装，身穿银灰色长袍，上衣是黑丝绒马褂，头戴礼帽，眼架墨镜，手提文明棍，像一位精明的富商，又有一副风流倜傥的派头。他一进门就对李克农说，“李先生辛苦了，我这次来是‘整销’的，不是‘零售’”。

他言下之意，红军与六十七军达成的口头协定，他已经知晓，完全同意。

但那只是局部的，他要进行一揽子全面交易。

李克农意会了，也完全同意，就诙谐地说，“张将军解甲从‘商’了”！

屋当中摆着一张八仙桌。李克农和张学良面对面落座。戴镜元坐在李克农旁边做详细记录，王以哲坐在张学良旁边陪同，偶尔在本子上记几笔。

桌子上还摆着名贵烟酒、茶叶之类。

屋角上有一个炭炉子，喷着红红的火舌。水壶里的水，吱吱地冒着热气。在严寒的冬季里感到特别暖和。

会谈的气氛也是融洽的。张学良谈笑风生，坦率直爽；李克农机智幽默，态度诚恳。两人虽在某些问题上发生争论，争得脸红脖子粗，但一会儿又平息下来。

“你是干什么工作的？”张学良开门见山地问李克农。

这可能是张学良从有关方面打听过李克农的经历，心存疑虑。

“红军政治部组织部部长。”这是李克农此行的公开身份。

“组织部是对付敌人的吗？”张学良又问。

“不是。”

“你到我这儿来，毛先生知道吗？”

“我正是奉他的命令来的。”

“好！”张学良一拍椅子扶手，站起身来，踱着方步，边走边说：

“那就请解答几个问题：(1) 你们红军是不是真抗日？是一个幌子呢，还是真的？(2) 红军内部是不是团结？(3) 你们说是抗日的，为什么一定要反对蒋介石？”

李克农也站起身来。那时他不抽烟，却对王以哲说，“王先生，请把烟拿过来”。

李克农点上一支烟，先猛抽一口，又缓缓吐出。

李克农心里清楚，红军代表以诚待人，但面对骄傲的张少帅，也要有一定的“斗争”。他平时不抽烟，这时我偏要抽，摆摆红军的威风，抖抖架子。再说，我也要借抽烟镇定一下情绪。

李克农说，“红军当然是抗日的，不是为了抗日，何必二万五千里长征到此？”

张学良问，“你们到了宁夏，还准备开到前方抗日，对吗？”

“是的。”李克农回答。

并接着解释说，“张先生，你是一个军事家，抗日这件事要有后方，不要说是总后方，至少要有运输后方”。

“至于第二个问题，红军是团结的。的确有些争论，你晓得，张国焘跟我们已经分了家。这是我们党内的斗争，你张先生，不是共产党员，不可能体会。”李克农知道张学良是暗指张国焘分裂、表明红军不团结，就主动挑明了谈。张学良点点头，表明理解李克农的回答。

“抗日为什么要反对蒋介石呢？”李克农接着说，“就是因为他不抗日嘛！凡是抗日的我们就团结，这是我们的方针”。

对这个解释，张学良不同意。因为天快黑了，张学良请李克农先吃晚饭再说。

饭菜摆好了，一个炒肉片，一个鸡蛋汤。李克农事先听说过张学良在抗日期间办事力求俭朴、节约。看到这简单的饭菜，心想，果然如此。

张学良边让座边诚恳地说，“请李先生吃这顿饭，实在不成敬意。不过抗日时期，我这里饭菜都是如此简单，请别误会”。

李克农说，“哪里，我看这样蛮好嘛！”

吃完饭，两人并肩在院子里散步一会儿。院外四周警卫森严，院内静悄悄的。两人还说了些“闲话”，李克农希望陕北烽火平息下来，红军与东北军合作相处，就像这院内的气氛一样。张学良答上几句，有些心神不宁似的。

回到室内，再次坐下来会谈。

张学良立即提问，“我不知道李先生能不能负责？要能负责，再谈下去”。看来，张学良对李克农在共产党内的作用多大不摸底。

“当然能负责。如果我不能负责，我早就声明了。既然派我来，我就是代表。”李克农回答得很干脆。

“那么，我要问一问，你们红军能不能放下武器，接受政府的改编？”张学良并不是老粗，在谈判中还要设陷阱。

李克农马上断然回答，“张先生，你误会了。我不是投降代表，是谈判代表。这一点你可不要弄错了”。

说完，李克农就立起身来往外走。红军代表确有和谈诚意，但不是软弱可欺！

张学良连忙起身相拦，连声说，“不要走！不要走！谈下去！”

李克农回来坐下，表情严峻地说：

“张先生也许还没有吃过亏吧。张先生是不是可以回想一下：你的部队东进时（按：指进攻陕北）一共是多少？现在是多少？一部分叫蒋介石缴过去了，又一部分跟我们的抗日部队抵消了。”

说到这里，李克农有意看了王以哲一眼，王以哲苦笑一下。

“好了，好了，不说这些了，再说另外一件事。”张学良算是谈判能手，赶快把话岔开，摆脱理屈尴尬的处境。

他接着又亮出一手，指着地图说，“能不能把瓦窑堡让给我？”

李克农立刻说，“如果副司令要此地，为什么不多要一些地方？我们共同抗日，收复失地不好吗？”

后来达成的协议中有此一项：1936年6月红军让出瓦窑堡，中共中央机关搬迁到保安。红军体谅东北军的处境，退让一下，让张学良拿这个“战功”堵蒋介石的嘴。好在红军与东北军双方均无伤亡。

在谈判中，张学良表示他完全拥护共产党联合抗日的主张，不愿意再让东北军去进扰红军后方，但他又对“反蒋抗日”的口号提出疑问。

他说，“现在整个国家的力量几乎全部掌握在蒋介石的手里，国民党的部队都是蒋的部下，而且蒋也是有抗日的可能的。那么，你们提出‘反蒋抗日’，统一战线能否完全实现？联合抗日能否完全做到？”

李克农解释说，“我们党倡导建立抗日民族统一战线，共同抗日，是主张联合一切抗日的力量。因为蒋介石坚持对内独裁、对外妥协退让，专打内战，死不抗日，所以要反蒋抗日”。

李克农又表示，“你的意见可以考虑，我要向我们党中央报告”。

张学良又提出如何抗日以及共产党对国防问题如何看的问题。他愿意抗日，但信心不足。他问，“中国和日本之间的力量对比是敌强我弱，你们要抗日，应该怎样抗法？”

李克农详细分析了中、日两国各方面的情况，承认中、日之间的力量对比确实是敌强我弱，武器装备也是敌优我劣。

张学良频频点头，认为这种看法实事求是。

李克农接着说，“但是，武器固然重要，而决定战争胜负的，不是武器，主要是人，是人心向背，因此唯武器论是错误的”。

李克农说，“我们要抗日，应该主要依靠全国人民的力量，也要尽量争取国际上的援助”。

李克农还谈了战争的方法，说“应该是阵地战、运动战和游击战三者的紧密结合”。

李克农指出，“至于抗日的前途，我们认为，抗日将是长期的，但最后的胜利将属于中国。因为中国地广人众，有利于进行长期战争，听以速胜论和投降论都是错误的”。

张学良认为这些看法有道理，很受启发。

张学良又提出，“红军为什么不西去宁夏，反而东渡黄河去山西？”他认为宁夏靠近绥远前线，靠近苏联，地理条件有利；而红军去山西会吃阎锡山的亏。

李克农解释说，“红军东征是为了推动全国抗日民族统一战线的形成，到山西、河北，政治影响大，到宁夏对全国影响小”。

李克农还坦诚相告，“我们对东征胜利是有把握的。东渡黄河去山西，还可以适当解决我军军需和兵源问题”。

谈判期间，中共中央经常把红军东征打胜仗的消息电告李克农。李就把主要战果转告张学良、王以哲，促进了谈判的顺利进展。

军事斗争和统一战线工作相辅相成。红军越打胜仗，谈判就越谈得好。

李克农还就红军与东北军如何分别派代表与苏联联系，以争取苏联援助的问题，与张学良交换了意见。

最后，张学良提出，希望能同中共主要负责人晤谈。李克农答应向中央报告。

到3月5日凌晨5时，谈判结束，达成了红军与东北军停止内战、共同抗日的初步协定。

口头协议几点如下：

一、张学良提出，最好由毛泽东或周恩来为中共全权代表，与张进一步商谈抗日救国大计。地点定在肤施（延安），时间由中共定。

二、张学良负责和盛世才交涉红军代表借道新疆去苏联事。

三、中共派代表常驻西安，由张学良以灰色名义掩护。

四、红军与东北军建立电讯联络。

两人对谈判的成果都是满意的。李克农了解到张学良确有抗日的意愿。张学良看出了红军确是抗日的武装，可以做东北军的朋友。

他们一起走出房间，带着倦意深深地吸了几口清新的空气。东方已有曙光，地面上、树梢上、山巅上层层积雪，好似白浪翻滚，向前推进。祖国江山多么美好！陕北高原多么壮观！

李克农又回到室内，顾不上睡眠，立即起草电报，把会谈结果报告党中央，并请示下一步行动。

第二天，中共中央复电嘉勉，完全同意谈判结果，并要李克农立即赶赴红军东征前线山西石楼，向中央负责同志汇报详情。

3月7日，李克农、戴镜元和警卫员一行三人，在王以哲派人秘密护送下，离开了洛川（钱之光已到西安采购物资和药品）。

3月16日，李克农一行到达石楼。李克农向毛泽东、周恩来、张闻天、彭德怀等中央领导人详细汇报了谈判经过和张学良的要求。

毛泽东赞扬说，“李克农这次单枪匹马，工作搞得很好！”

3月27日，共产党中央在石楼附近召开会议，认为张学良的态度是诚恳的，同他进一步谈判，对开展抗日民族统一战线很重要。

会议决定，由周恩来为全权代表，偕李克农到延安谈判。

4月6日，以红军政治委员毛泽东和司令员彭德怀名义致电张学良：“敝方代表周恩来偕李克农于8日赴肤施，与张先生会商救国大计，定7日由瓦窑堡启程，8日下午6时前到达肤施城二十里之川口，以待张先生派人至川口引导入城。……”

9日晚，双方在延安城内的天主教堂里举行谈判。

张学良一见周恩来就紧紧握手，他早就闻周恩来之名，非常钦佩。

张学良再次见到李克农非常高兴。李克农在上次洛川会谈中，有胆有识，给他留下了深刻的印象。

谈判前，李克农进一步向周恩来谈了上次洛川会谈中他与张学良讨论“反蒋抗日”问题的详情，并估计张学良在这次谈判还会提出此问题。

不出所料，张学良在谈判中婉转地提出，“作为东北军和红军能够联合抗日，究竟应该怎样对待蒋介石呢？”

周恩来心中有数，与他就此问题坦率地交换意见，进行了长谈。

周恩来、李克农返回瓦窑堡以后，在中共中央政治局会议上，向全体委员汇报延安谈判情况时，专门谈到张学良关于“逼蒋抗日”的建议，引起了中共中央的极大关注。他们讨论了国内阶级关系变化的实际情况，决定从“反蒋抗日”转到“逼蒋抗日”。

第十二章 接待斯诺

1936年，中国政治形势发生重大变动，是从第二次国内革命战争到抗日战争的转折时期。结束万里长征的红军到达陕北后，刚刚站稳脚跟，立即准备迎接中国抗日民主运动的新高潮。

为此，红军努力巩固和扩大现有的根据地，打通抗日路线，并宣传抗日主张。

但蒋介石对日本仍实行妥协政策，对内仍实行“剿共”政策。他对陕北根据地，除实行严密的军事包围和经济封锁外，还实行严密的新闻封锁，不让外界了解中国共产党的正确主张和中国革命的真相。

新建立的中共中央联络局，除进行国民党军队的统一战线工作外，还组织了白区的秘密交通，接待进出陕北根据地的重要人物。

中共中央联络局，对外称外交部。在这一年里，它负责接待了中国著名女作家丁玲和白区工作干部汪锋、孙作宾等，还负责接待了著名的美国记者斯诺和美国医生马海德。

作为联络局局长的李克农，对外宾斯诺和马海德如何安全地进入根据地十分关心，对他们在根据地的生活起居和活动计划，也安排得十分妥帖周到。

斯诺是美国报纸驻中国的记者，是一个自由主义者，但有正义感，愿对事物作客观公正的报道。

1928年夏，他只有22岁，离开美国到远东，首先到了中国上海。原计划在中国只停留6周。这时，正值中国大革命陷入低潮之际，他看到中国人民的苦难生活，既抱同情，又有疑问，决心留下，争取了解中国的真相。

1930年起，他常驻北平，但经常到中国其他地方以及中国的几个邻国采访。

1933年到1935年，他在担任报纸记者的同时，还在北平的燕京大学新闻系任讲师。

在这一时期，他极力想了解中国这个“神秘”国度的政治情况，但思想比较混乱。起初，他接受了上海《密勒氏评论报》主编鲍威尔亲国民党的观点，认为是“蒋介石把中国从暴民统治下拯救了出来，正义在国民党方面”。后来，他逐渐认识到国民（党）政府是一个腐败、缺乏效率和独裁的政权。但他对中共仍不了解，在1933年出版的《远东前线》一书中，附和美国学者佩弗的意见，认为“中共是一批无知的亡命之徒，对马克思主义连起码的常识都没有”。斯诺还把中国苏维埃的发展说成是“产生于群众性贫困的农民暴动”，前景渺茫。

后来，他认识了美国著名的进步新闻记者史沫特莱，并几次到上海，和鲁迅、宋庆龄有所接触，在北平时又和中共地下党员有所接触，听到他们对中共和中国革命的一些解释，思想有所震动。

他在想：国民党否认红军的存在，甚至否认苏维埃的存在，说只不过有几千名饥饿的“土匪”罢了；而亲共的人却称颂红军和苏维埃是中国要摆脱弊害祸患的唯一救星。究竟谁是谁非？

斯诺认为，在这样的“宣传和反宣传”中，关心东方政治的观察家要想了解中国共产党的真相，必须掌握第一手材料，得到可信的证据。

所以他很想到红区去采访，以便用亲身调查过的事实来解答一系列有关的问题，因为“这是中国唯一值得采访的消息”。

1935年，红军经过长征到达陕北，坚持斗争，并提出“停止内战，一致抗日”的主张。这引起了西方国家的注意，它们也想了解中共的情况究竟怎样。伦敦的《每日先驱报》向斯诺表示，报社很乐于资助他到“共区”作一次旅行，进行实地采访和调查，这对斯诺要到红军根据地去采访的想法也是一种促进。

但是，斯诺感到为难的是“无法进入红区”。1936年6月初，他的一位中国“好友”带给他中国西北出现了使人惊讶的政治局面的消息，说共产党和张学良的东北军之间秘密达成了停战协议。斯诺认为这种特殊情况可能使他有办法进入红区。

这位“好友”是谁？斯诺不便公开指名道姓。据说是上海的宋庆龄女士，又据说是北平的中共地下党负责人徐冰。看来都有可能。

斯诺抓住西北政局缓和的大好机会，与宋庆龄、徐冰进行联系，表示他急于想进入红区采访，请予帮忙。

他们积极帮忙了。宋庆龄和徐冰都通过共产党秘密关系与在陕北保安城的中共中央联系，转达斯诺的要求，并扼要介绍了斯诺的情况。

中共中央联络局局长李克农收到这些报告后颇为高兴，立即向毛泽东、周恩来汇报。

李克农对斯诺的经历和思想状况有一个大致的了解，认为斯诺虽然不是一个左派，却是一位尊重事实的外国记者，如他能到陕北革命根据地采访，客观报道中共的真实情况和正确主张，就有利于粉碎国民党对中共的造谣污蔑和歪曲宣传。

毛泽东、周恩来对斯诺的要求甚为重视，认为可借此突破国民党的新闻封锁，让外部世界了解中共的抗日主张。他们就同意李克农的建议，批准邀请斯诺来根据地采访。

接着，宋庆龄和徐冰等人为斯诺前往根据地作了必要的安排。

徐冰作为斯诺的“一个老朋友”，把一封给毛泽东的介绍信转交给他。这封信是用隐色墨水写的。据说，这封介绍信是中共北方局书记刘少奇委托柯庆施写的。

美国报纸评论员肯尼思•休梅克在介绍这一节情况时，指明徐冰当时是“中共地下党员、东北大学教授”。基本属实。

徐冰是河北南宫人，1903年生。1924年在德国柏林留学时加入中国共产党。1933年起到北平从事党的地下工作，曾编辑《世界论坛》《中外论坛》等进步刊物，进行抗日救亡宣传。

1935年，徐冰在中共中央北方局的领导下，在太原、北平组织华北救亡会、北平文化救亡会、华北民众救亡会等。同年冬，徐冰参与北平一二九学生爱国运动的组织领导工作。

就是在这期间，徐冰以新闻工作者和学者的身份与斯诺结识，斯诺对徐冰的学识渊博、为人正直甚为钦佩，成为好友。

燕京大学的学生黄华愿意作为翻译随斯诺到陕北，并借此留在根据地工作。

斯诺很高兴，因为斯诺在燕大执教两年，虽然学习了中文，但远未熟练，现有这位好学生、好朋友自愿当翻译，是再好不过了。

黄华，原名王汝梅，是河北磁县人，在燕京大学学经济。1935年冬参加北平一二九学生爱国运动，1936年加入中国共产党。斯诺在燕大执教时，黄华经常到斯诺家中去交谈，比较投机。

宋庆龄又通过中共地下党组织派在上海的中共秘密党员董健吾牧师先到西安，为斯诺进入陕北根据地进行联系、安排。因为董与张学良和陕北方面都认识。

计划董以“王牧师”的身份到西安某家旅馆去找斯诺，并准备安排他搭乘张学良的私人座机去肤施，然后转往陕北根据地。

这些安排计划李克农大体上是知道的，认为总的方面是可行的，只是认为乘坐张学良私人座机的计划不妥。因为此座机的驾驶员是美国人，不能保密。

李认为利用陆路秘密交通线，由西安乘汽车到根据地的办法比较妥当。

这条秘密交通线，就是李克农在数月前与东北军代表达成恢复红区与白区通商的协议后建立起来的。他自己还来回走过几次，所以很熟悉。

数月来，已有几起中共干部出入陕北根据地，经过国民党统治区时，常由东北军护送一段路，基本上是安全的。

1936年7月间[①]，斯诺从北平乘火车到了西安，基本上按照李克农的路线安排，来到当时苏区的临时首都保安。

---

① 此时间是根据吴黎平一篇回忆文章里的材料。他在苏区给斯诺翻译毛泽东的几次谈话，都记载着具体日期，比较可靠。美国一些书刊的有关材料，也说斯诺在 7 月间到西安，与吴文同。斯诺自述的“6 月初”就离开北平、去西安、到苏区，与他自述的“6 月”间才联系访苏区事，在时间上也有矛盾，可能是“7 月初”之误。

在西安，董健吾牧师以“王牧师”的身份，依照预定的暗号，与斯诺接上头。几天后，在一位年轻的东北军军官的陪同下，斯诺乘一辆东北军的卡车，经过洛川，到达延安。

从延安，斯诺改骑毛驴，继续前进，通过东北军的“前线”后，岔入山道，进入苏区，先到了安塞县，后到了保安。

李克农陪同周恩来在安塞县的村庄白家坪，迎接刚到苏区的斯诺。

周恩来明确表示，“任何一个新闻工作者要来苏区访问，我们都欢迎”。

周恩来还对斯诺说，“你见到什么，都可以报道，我们要给你一切帮助来考察苏区”。

接着，周为他安排了一个访问92天的日程。

斯诺对允许他在苏区不受限制地自由活动非常意外，有点半信半疑。

其实，这是毛泽东、周恩来认真确定的接待斯诺的指导方针，并由李克农切实地执行、安排，是真心诚意的。

后来的事实完全证明了这一点，令斯诺心悦诚服。

在保安，毛泽东尽管很忙，还是与斯诺进行了多次长时间的对话。

毛泽东先谈了当时的抗日战争形势，后谈了中共的抗日统一战线政策问题，最后又谈了自己的革命经历和长征的主要经过情况。

毛泽东按着斯诺的要求和所提的问题，凭记忆侃侃而谈，由当时在苏区任中共中央局宣传部部长（后改任中共中央宣传部副部长）的吴黎平口译。

吴系浙江奉化人，曾在上海复旦大学和莫斯科中山大学学习。1925年加入中国共产主义青年团，1927年转为中共党员，随红军参加长征后到达陕北。这次参与接待斯诺的工作，并专门担任毛泽东同斯诺谈话的翻译。

这时，黄华已从北平赶来苏区，在中联局的安排下，陪同斯诺在苏区访问，并担任翻译，也协助吴做毛泽东对斯诺谈话的翻译工作。

关于毛泽东所谈其个人革命经历部分，斯诺按毛泽东要求整理成英文书面材料，由黄华译成中文，毛泽东仔细审阅并作了一些修改，又由黄华以英文照改后退给斯诺。

斯诺又采访了周恩来和红军司令员彭德怀。

他几乎走遍苏区，从后方到前线，进行了广泛的采访，接触各色各样的人。从地里干活的农民到游击队办的小工厂工人，从前线的红军指挥员到人们亲切地称之为“小鬼”的司号兵和小勤务员，他逢人便提出问题，进行自由的交谈。

陕北苏区本来就是经济落后的地区，这时受到国民党军队的严密封锁，经济更加困难，人们的生活也很艰苦，接待外宾的生活条件很差。李克农领导的中联局就在现有的条件下，尽力安排好斯诺的生活。

斯诺对此是理解的，他特别感谢苏区的“慷慨而亲切的款待”。他在苏区同军民一样吃小米、睡土炕，了解他们真实的生活情况，与他们结下了深厚的友谊，心情舒畅。

李克农对斯诺的生活接待，有时是亲自过问的。斯诺在后来的报道中，有几段生动的描述，今摘录如下：

“我坐下来和驻扎在这里（刚到苏区时在安塞的自家坪过夜）的交通处[①]的一部分人员一起吃饭……我们吃的有炖鸡、不发酵的保麸[②]馒头、白菜、小米和我放量大吃的马铃薯。可是像平常一样，除了热开水以外，没有别的喝的，而开水又烫得不能进口，因此，我口渴得要命。

饭是由两个态度冷淡的孩子侍候的，确切地说是由他们端来的，他们穿着大了好几号的制服，戴着红军八角帽，帽舌很长，不断掉下来遮住他们的眼睛。他们最初不高兴地看着我，可是在几分钟后，我就想法惹起了其中一个小孩子友善的微笑。这使我胆子大了一些，他从我身边走过时，我就招呼他：‘喂，给我们拿点冷水来。’

那个孩子压根儿不理我。几分钟后，我又招呼另外一个孩子，结果也是一样。

这时我发现戴着厚玻璃近视眼镜的交通处长[③]李克农在笑我。他扯扯我的袖子，对我说：‘你可以叫他“小鬼”，或者可以叫他“同志”，可是你不能叫

---

① 这是根据《西行漫记》1979 年的中译本摘录的，指的是“联络局”。此书后面提到李克农时，还说他是“外交部的交通处长”。实际上，李克农是中央联络局局长，而该局对外称外交部。看来，当时斯诺对此了解不确切。

② 原译文如此。指含有麸子的小麦面粉。

③ 参见注释①。

1936年8月，斯诺（右一）在保安采访徐特立（左一），左二为黄华

他“喂”。这里什么人都是同志。这些孩子是少年先锋队员，他们是革命者，所以自愿到这里来帮忙。他们不是佣仆，他们是未来的红军战士。’

正好这个时候，冷水来了。

‘谢谢你——同志！’我道歉说。

那个少年先锋队员大胆地看着我。‘不要紧’，他说，你不用为了这样一件事感谢一个同志。”

这些“小鬼”们，是李克农临时抽调来联络局招待所工作的，李克农亲自教他们如何做外宾的生活招待工作，平时还让他们参加群众教育运动，上文化课和政治课等。他们尽力招待好斯诺等外宾，同时保持着自己的自尊心。

斯诺在苏区和李克农接触多了，关系比较密切。

一天，在保安的“外交部”里，斯诺想自制巧克力蛋糕来解解馋，就请李克农为他写了一份正式的申请书，要求中华苏维埃共和国西北区政府主席博古，分给他家藏的二两可可。粮食合作社又为他提供了一些其他材料，如代替黄油的猪油、面粉、白糖和鸡蛋。

可惜蛋糕没有发起来，底层又烤焦，上层仍黏糊。但斯诺对李克农等人的帮助还是很感激的。

斯诺在保安的时间比较长，采访之余，还参加一些文娱、体育活动。

他白天有空时就骑马、游泳或打网球，晚上常在“外交部”的俱乐部里打扑克。这副扑克牌是斯诺自己带来的。

斯诺在报道中回忆这个情况时说，“我的土炕成了保安上层人物的聚会场所”，“博古、李克农、凯丰、洛甫那样的体面人物”也常来打扑克。

在保安，联络局还安排斯诺观看了“人民抗日剧社”的一场露天演出。节目有三个小时，有短剧、舞蹈、歌唱、哑剧，有两个中心主题：抗日和革命。

这种把“艺术搞成宣传”的做法，并未使斯诺反感。斯诺看了以后表示欣赏，并指出：对中国的人民大众来说，艺术和宣传是划不清界限的。

斯诺对演出生气勃勃、幽默风趣、演员和观众打成一片特别感兴趣。

斯诺对演出之间观众相互叫喊点唱的情况感到新鲜。他被啦啦队叫唱时，也唱了一首歌：《荡秋千的人》。

看来，这场演出也对斯诺产生了良好的宣传效果。

马海德是在西安与斯诺相遇，与自称“王牧师”的董健吾接头、联系后一起到苏区的。李克农请示毛泽东和周恩来后，就安排他与斯诺一起，参加各种活动。

马海德是医学专家，又是国际主义战士。

他祖籍黎巴嫩，1910年生于美国。1933年毕业于日内瓦大学，获医科博士学位。

他1933年11月就到中国行医，并参加中国革命活动。先在上海从事医疗工作，后参加上海国际友人组织的马克思列宁主义小组，协助中共地下组织开展秘密革命斗争。

1936年，他在上海工作时就向往陕北革命根据地，经宋庆龄介绍、安排，于7月初到达西安，准备去苏区。

他跟斯诺经安塞到达保安后，被安排在“外交部”的同一个房间里。他俩都是美国人，在一起谈得来，也可以互相照顾。

马海德为人稳健，但思想活跃。毛泽东在保安对斯诺的几次深夜长谈，他都在座旁听，被毛泽东谈话内容之新鲜、分析之深刻深深地打动了。他没有提问，也没有插话，但回到“外交部”的房间后，常情不自禁地和斯诺就毛泽东谈话内容进行讨论。

马海德也和斯诺一起到西北部的偏僻山区和西部的红军前线访问。斯诺采访各式各样的人物时，他总是在旁边倾听他们的谈话。他为斯诺坦率、热情的性格所鼓舞，也被苏区军民充满革命激情的讲话所吸引，钦佩他们为革命献身的崇高精神。

这次访问结束后，马海德要求留在陕北苏区工作。不久，他参加中国工农红军，在中央革命军事委员会总卫生部任职。

他在1937年加入中国共产党，1950年又加入中国国籍。

他参加了中国人民的抗日战争和全国解放战争，后又任新中国政府卫生部顾问，对中国人民军队和新中国的卫生工作建设作出了贡献。

他后来被选为中国人民政治协商会议全国委员会常务委员，1988年10月30日因病在北京逝世。

至于斯诺，他来苏区，本来就是只作短期采访的。到10月上旬，他采访、收集的材料已差不多了，但他担心走不了。因为这时，蒋介石准备从南面和西面对苏区发动一次新的“围剿”，已命令南京军队大批开入甘肃和陕西，凡是在东北军与红军对垒的地方都逐步代替了东北军。

李克农立即给斯诺做好动身回白区的安排。通过东北军在洛川附近与红军毗邻的一条战线出去，这是当时唯一的“出口”了。

10月中旬，斯诺离开保安，李克农以及博古、陆定一、杨尚昆等人都来送行，联络局的一些“小鬼”还陪他走到保安城墙根。

10月20日，斯诺安全地经过了无人地带，到了东北军防线的后面。第二天，乘马进了洛川。第三天，从洛川乘卡车到了西安。

10月底，他带着在苏区采访时记录的许多笔记本和拍摄的大量胶卷回到了北平。

首先，他为英、美报刊写了许多轰动一时的通讯报道，然后汇编成一本书，书名是《红星照耀中国》。

此书于1937年10月在英国出版，于1938年1月在美国出版，轰动了西方世界，受到广大读者的热烈欢迎。

美国评论家认为此书是目击报道的杰作，发表的时机又很好，因为适逢日本侵华战争引起西方关心的时候。

1938年，漂泊在上海租界内的一群抗日救亡人士，在一部分中共地下党员的领导下，以“复社”名义，集体翻译、印刷、出版和发行此书的中译本。由于当时所处的环境，书名改为《西行漫记》，作为掩护。此书出版后，轰动了国内及国外华侨所在地，指引着成千上万青年走上革命的道路。

毛泽东看了此书中译本后，曾在延安的一次干部会议上提到这本书是外国人报道中国革命的最成功的两部著作之一。

斯诺到苏区的采访是成功的，主要是由于他追求真理的精神。诚如毛泽东后来提到斯诺时所说，他是在没有别人愿意来的时候到我们这里来，了解我们的情况，并通过提供事实帮助了我们。他是头一个为国际反法西斯统一战线所必需的、建立友好关系的工作铺路的人。

苏区对斯诺的接待工作也是成功的。妥善的安排，使得他能够了解苏区人民和红军艰苦卓绝的斗争，思想有了进步，成为中国人民的好朋友。这主要是由于毛泽东、周恩来等中共领导人十分重视，并确定了正确的接待方针，而李克农领导的联络局贯彻此方针，热情周到的接待也起了重要作用。

斯诺是第一个到苏区的外国记者，这次接待的成功经验，对新中国成立后接待外国朋友、特别是外国记者起了指导和借鉴作用。实事求是的方针，热情好客的作风，以及没有新闻检查等一系列好的做法都继承下来了，有利于打破敌对势力对新中国的新闻封锁，粉碎他们关于“竹幕”的污蔑，让全世界了解新中国的真相，收效甚大。

联络局在李克农的领导下，还开拓了新的业务——公开资料的研究工作。

李克农首先利用红军与东北军达成的协议，派人在西安不断收集国民党地区的报纸，通过秘密交通线运到陕北根据地。

他有时亲自收集和运送报纸，阅读后，选出重要材料，送给毛泽东和其他中共中央领导人看。

当时在联络局具体负责公开资料研究工作的是年轻能干的伍修权。

伍修权是湖北武昌人，1923年12月在小学读书时加入中国社会主义青年团，1925年赴苏联学习，1930年12月转为苏联共产党（布）候补党员。1932年

西安事变前，钱江、伍修权、李克农、井茂然（自左至右）在保安

回国，又转为中共党员，在红军里工作。1933年10月，担任共产国际派到中央苏区的军事顾问李德的翻译。

他参加长征到达陕北后，被分配到刚成立的中央联络局工作，颇得李克农的信任。

伍修权研究白区来的各种书籍报刊，从中摘选出政治、军事和经济等方面的情况资料，编成简报，送中共中央领导人阅读参考。

每一期简报上送以前，李克农都要亲自审阅、修改，要求每一条资料不出一点差错，十分仔细，非常认真。

这是李克农采取的利用公开材料搜集国民党情报的办法，这对当时根据地在受到严密包围、封锁的情况下，了解敌情起了重要作用。

以后李克农领导情报工作时，也把研究对方书报资料作为搜集情报的一个手段，取得了良好效果。

第十三章　西安事变

延安谈判以后，共产党和张学良的关系越来越密切。李克农负责有关东北军事务，与张学良的关系也越来越密切，保持着直接和间接的联系。

不久，中共中央决定派刘鼎为正式联络代表住在张学良那里。张学良让刘鼎以东北抗日义勇军代表的身份在东北军中出现。

李克农和刘鼎亲自约定电台联络密码。密码为两套，单双日交替使用。为了安全起见，李克农要刘鼎把密码背下来，记在脑子里，身上不带密码本。

刘鼎像是半路里杀出来的程咬金，既受到张学良的重视，又受到中共和李克农的高度信任。究竟是何许人也?

原来，刘鼎也是共产党内的知名人物。

他原名阚俊民，四川南溪人。1923年还是学生时就投身进步活动，加入中国社会主义青年团，1924年在德国勤工俭学时，经朱德、孙炳文介绍加入中国共产党。

刘鼎在军用机械方面学有专长。他在德国时就学习机械制造，后又被组织派到苏联学习军事工程。

1933年，他在闽浙赣革命根据地工作，受方志敏委派，任闽浙赣军区兵工厂厂长，领导研制大炮和炮弹。红军终于有了自己生产的第一门炮和所用炮弹。

他在1929年从苏联回国后，也曾在上海中共中央机关军事部门工作过一段时间，干过情报、保卫工作。

1935年，他在赣东北红军被打垮后不幸被俘。1936年2月，他从江西九江国民党俘虏营里机智地逃出来，到上海找共产党组织，先到了以前认识的秘密共产党员董健吾那里。

这时，恰逢张学良想同共产党联系，商谈共同抗日、为东北军谋出路事。张学良当时以为中共中央领导机关还在上海，就派亲信到上海要与共产党组织联系，也找到以牧师身份在上海活动的董健吾。

董健吾考虑到刘鼎是老共产党员，又是高级知识分子，工作经验也丰富，就要他以中共中央代表名义去见张学良。

刘鼎考虑到，到张学良处做统战工作，符合中共中央当前的要求，特别是到陕西后，靠近党中央所在地，容易找到党中央，就答应了。

延安时期，刘鼎（左二）与聂荣臻（左一）、罗瑞卿（左三）、杨尚昆合影

刘鼎到西安后，与张学良多次长谈，介绍共产党的政治主张和各项政策，并建议东北军用抗日的民族意识作为团结教育部队的中心。

张学良对他甚为钦佩，称赞共产党里能人多，并带他一起参加1936年4月在延安举行的与真正的中共中央代表周恩来的谈判。

刘鼎终于找到党的组织，汇报原委。周恩来本来认识他，这时就让他继续做张学良的统战工作。李克农也知道他，并确定今后和他保持直接联系的办法。

李克农通过刘鼎，了解到张学良不赞同蒋介石的“剿共”政策，思想激荡波动，抗日决心越来越大等情况，但对张学良与杨虎城在12月12日发动西安事变，事前却毫无所知。

12日凌晨4时，张学良和杨虎城将军指挥东北军和西北军开始对蒋介石的“兵谏”行动，即西安事变。

东北军卫队一营一连，在孙铭九率领下，冲进临潼华清池，与守卫士兵激战，蒋介石在睡梦中被枪声惊醒，慌乱之中披着睡衣逃出，在翻墙时跌伤脊骨，在骊山一块大石后躲藏。捉蒋部队冲进蒋卧室，发现人不在，但床上被褥尚有余温，估计蒋不会跑远，立即搜山，果然在乱草丛中找到缩成一团的蒋介石，立即将他送到西安新城大楼。

西北军同时行动，由军官训练大队的赵寿山统一指挥，很快解除了蒋系势力在西安的武装7000余人，控制了西安全城的交通通讯要地，并把国民党在陕军政要员陈诚、卫立煌、钱大钧等20多人拘禁在“西京招待所”，并扣留蒋介石的军用飞机50架及空地勤人员500名。

上午8时前解决战斗，西安市面恢复正常。

张、杨两将军立即致电中共，告知捉蒋行动，并请中共速派代表来西安，共商抗日救国大计。

李克农首先得到这个消息，立即报告中共中央。李克农当时十分兴奋。

当天，中共中央在保安召集紧急会议，专门研究西安事变问题。会议肯定了张、杨的爱国行动，初步确定了和平解决的方针。

会议决定派周恩来、叶剑英等人去西安。他们在15日清晨从保安出发去延安，17日下午在那里乘张学良的专机飞往西安。

接着中共中央指派李克农、边章伍、伍修权等人也赶赴西安，李克农被任命为中共代表团秘书长。

有人说，当时在西安参加谈判的是中共代表，不叫中共代表团，因之李克农不是代表团的秘书长。从名义上考证，这种说法是对的，因为周恩来的身份是中共代表。但实际上，以周恩来为首的这一行十几人是一个代表团，张学良、杨虎城等人也把他们当作代表团，而李克农实际上也起着代表团秘书长的作用。

周恩来、李克农一行人就住在西安金家巷一号张学良公馆东楼，有东北军卫队营担任保卫工作，基本上是安全的。

但是，西安市内大多数国民党潜特没有暴露，还会捣乱，而周恩来、叶剑英等人要到处活动。所以李克农十分注意周恩来等人的保卫工作，做了一些周密的安排。

代表团的日常工作也都由李克农负责。

代表团的日常工作是服务于代表团的中心任务。这个中心任务，就是要力促西安事变的和平解决。

李克农通过自己的思想认识过程，体会到中共中央这一方针的正确，要坚决贯彻。

他刚听到蒋介石在西安被捉的消息时，认为卖国贼蒋介石该死。但是他得知毛泽东对局势的分析意见后，认识到不能以感情代替政策，从国家、民族的利益考虑，只要蒋介石同意停止内战、一致抗日的要求，就应该释放蒋介石回南京。

中共中央在12日开会时，张国焘极力主张“杀掉蒋介石，打出潼关去”，毛泽东就驳斥了张国焘的观点。

毛泽东估计，西安事变有两种发展可能：一是南京同西安敌对，导致大规模内战爆发，推迟全国抗战的发动，造成日军侵略的顺利条件；二是事变和平解决，导致结束“剿共”的内战，使中共倡导的抗日救亡统一战线更快地建立起来。

毛泽东指出，共产党应避免第一个可能的出现，争取实现第二个前途。

中共中央15日举行会议，继续研究西安事变解决办法，张国焘又对和平解决的前途表示“未敢乐观”，但周恩来等政治局委员们都支持和平解决事变的方针。

事出仓促，但以毛泽东为首的中共中央能立即制定出正确的决策，李克农十分敬佩，并对此感到高兴。

西安事变后，李克农就负责了解国内外各方反应。因此，他也深深地感到事变的和平解决还有许多重大障碍，要实现并非易事。

首先，南京政府内亲日的军政部部长何应钦积极主张讨伐张、杨，把蒋介石救出来，而实际上他要置蒋介石于死地，好取而代之。他讲得冠冕堂皇，一度取得多数人的支持，16日被任命为“讨逆总司令”，17日就职，取得指挥调动国民党军队的大权，立即调遣20个师分别从河南西部和甘肃东部向西安推进。东路第二十八、三十六、五十七师先后进入潼关。还派飞机轰炸西安，一时间局势紧张。

日本也公开表态，为何应钦亲日派撑腰。日本首相、海相、陆相、外相在16日举行会议，并决定：对西安事变，严密监视其演变，万一日侨生命财产有危险之虞时，决定临机适当处置。

而东北军、西北军内部也不一致：个别将领叛变了，而且地处要冲。如西北军冯钦哉部在潼关叛变，20日还沿渭河西进。

东北军、西北军中，大部分高、中级军官又主张杀蒋介石，认为放了蒋，犹如放虎归山，后患无穷。甚至杨虎城也有此想法。

李克农将了解到的部分情况即时向毛泽东、周恩来等中央领导人汇报，供他们做出有关决策时参考。

李克农到达西安后，为了配合周恩来与张、杨的会谈，与东北军、西北军许多中、高级军官进行了广泛接触，对他们的思想状况有具体的了解，特别是了解到他们要杀蒋介石的情绪很强烈。

他根据自己原来的思想，对这种情绪能够理解。他一方面向周恩来汇报、请示，另一方面根据自己在此问题上的认识转变过程，以中共中央主张和平解决西安事变的精神，耐心地和他们交谈。

东北军、西北军内中、高级军官的思想也大体统一了。

于是，共产党、东北军、西北军"三位一体"，为同蒋介石谈判，准备了有利的思想一致的条件。

为了同蒋介石谈判取得成功，还必须以军事力量为后盾。

西安事变一爆发，中共中央就很重视红军、东北军、西北军的军事部署，尽可能做到军事上的"三位一体"。

李克农担负了与张学良的通讯联络工作，对此有所了解。

西安事变爆发的12月12日当天，红军就向西安四周开进，支援张、杨抗日友军。毛泽东还致电张学良，对东北军和西北军的军事部署提出具体建议。

接着几天，毛泽东又陆续致电张学良，建议东北军火速抢占潼关，告知"兰州万不可失"等。

中共代表团到了西安后，由于何应钦派来"讨逆军"，军事形势更趋紧张。

李克农跟踪了解情况，向周恩来和叶剑英汇报，供他们与张学良、杨虎城讨论军事形势、做出必要的军事部署时参考。

何应钦的"讨逆军"看到红军、东北军、西北军都严阵以待，未敢轻举妄动。

中共中央还开展“政治攻势”，联合国民党左派，争取中间派，反对亲日派，以推动西安事变的和平解决。

为此，毛泽东在12月21日电示正在西安的周恩来，让他派人去胡宗南、王耀武、董钊、樊松甫等黄埔系的国民党将领处，揭露何应钦亲日派借军事进攻加害蒋介石的阴谋。

周恩来与张学良、杨虎城商量后，李克农协助他们做了安排，派人去胡宗南等人处，效果较好。

这时，南京政府中亲英美派的宋氏家族和孔祥熙等人也反对何应钦的阴谋，主张同张、杨谈判，以营救蒋介石。英、美不赞成日本借机独占中国。

12月22日，宋子文偕宋美龄、蒋鼎文、戴笠等人从南京乘飞机到西安，准备与西安三方正式谈判解决事变问题。

23日、24日进行了两天三轮谈判。

23日上午，在西安开始第一轮四方谈判，由周恩来、张学良、杨虎城、宋子文出席。

首先，周恩来提出综合了西安三方面意见的六项主张：

1.双方停战，中央军撤兵至潼关以东。

2.改组南京政府，肃清亲日派，加入抗日分子。

3.释放政治犯，保障民主权利。

4.停止“剿共”联合红军抗日，共产党公开活动。

5.召开各党、各派、各界、各军的救国会议。

6.与同情抗日的国家合作。

宋子文答应将此方案转报蒋介石。

23日下午，进行第二轮谈判，仍为前四人参加。

宋子文提议先组织过渡政府。四方对该政府人选问题原则上取得一致。

但在放蒋问题上，四方发生了分歧。宋子文急于放蒋，提出蒋下令撤兵，即可放蒋，到南京后再释放已被南京当局逮捕的七君子；西安三方担心蒋食言，要求先放七君子，才可放蒋。

对联共、开救国会议，宋子文避而不谈。

这一天，李克农在住所等待着。傍晚，周恩来才回来。周恩来指示，把谈判情况电告中央。李克农立即组织起草电报，并在当夜发出。

24日上午，进行第三轮四方谈判。周恩来、张学良、杨虎城、宋子文、宋美龄五人参加。

经反复磋商，四方达成“孔、宋组行政院、肃清亲日派”等九项决定。

由于四方（实际是蒋介石和西安双方）都急于解决事变，两天谈判比较顺利地结束了。简言之，蒋介石答应停止内战、一致抗日等项要求，西安方面同意释放蒋介石回南京。

24日下午，周恩来会晤宋子文，宋希望中共能成为他抗日、反对亲日派的后盾，并派专人驻沪与他秘密接洽。周恩来答应派潘汉年接洽。

24日晚，周恩来在宋氏兄妹陪同下见蒋介石。这是国共两党近十年内战后的首次最高级会谈。

会谈中，蒋介石承诺：1.停止“剿共”，联红（军）抗日，统一中国，受我指挥。2.由子文、美龄和汉卿（即张学良）与你商谈解决一切。3.我回南京后，你可直接去南京谈判。

深夜，中共代表团的周恩来、博古、叶剑英对当天的重大活动情况进行研究，李克农也参加了。

接着，李克农根据周恩来指示，把24日五人谈判结果、周与宋会谈、周与蒋会谈情况，组织起草电报，在25日发中共中央。

李克农还向周恩来汇报，张学良要亲自送蒋介石的决心较大，张在几天前就致电英国《泰晤士报》，做此表示了。

周恩来等人尽力劝阻张学良不要去南京。

但是，张学良在25日下午4时，不告周恩来等人，亲自陪送蒋介石和宋氏兄妹飞往南京。

西安事变得到了和平解决，国共十年内战在事实上大体停止下来，可望实现团结抗日。

中共代表团在西安期间，毛泽东在保安与代表团通过电台保持着频繁而密切的联系。

李克农的重要任务之一，就是要保证这种联系畅通、及时。

周恩来和叶剑英经常向中共中央报告情况。对各种会谈特别重视，事前请示，事后汇报；还报告东北军、西北军军事部署以及联军作战计划，对当前战略提出建议。

毛泽东不断向周恩来通报敌情、我情和国内外反应，还就重要会谈精神、抗击“讨逆军”的作战部署做具体指示。

中共中央书记处在12月21日致电周恩来，提出和平解决西安事变的五项具体条件，提出“在上述条件有相当保证时，恢复蒋介石之自由，并在上述条件下赞成中国统一，一致抗日”。

这实际上是西安四方谈判的基础，也是西安事变和平解决的基础。

李克农深知这些报告和指示对争取西安事变和平解决的重大作用。他每天除对外联络、对内处理代表团的事务外，都等待周恩来和叶剑英回到住所，把来电内容及其他重要情况向他们汇报，并听取指示，接着按指示草拟电报，向中央报告，在当夜处理完。

这样，每天等别人全都休息以后，他才能躺一躺。他那时身体并不好，经常咳嗽哮喘，心脏也有毛病，眼睛视力更差。但是，他的工作热情和苦干精神，使一些身强力壮的人都自愧不如。

张学良陪送蒋介石到南京后，立即遭到扣留。张学良以为他去负荆请罪，就可得到谅解，但蒋介石并不守信用，周恩来、李克农对此是有预料的。

在扣留张学良的同时，蒋介石还调动了三四十个师的大军向西安推进，威胁东北军与西北军。

于是，在1937年1月下旬，西安出现动荡不安的局势，人们愤怒异常，东北军内部产生了“和”“战”的分歧。少壮派军官，主张与南京进行军事对抗，救张学良回西安。内战危险重新出现。

周恩来、叶剑英、李克农面临着如何保持西安事变和平解决成果的难题。

西安方面，既要做军事准备，以对付蒋介石的军事压迫；又要积极努力，争取和平解决问题。关键是要保持西北“三位一体”的团结。

1月27日晚，东北军少壮派首脑应德田、孙铭久、苗剑秋会见周恩来、叶剑英、李克农，要求红军支持他们要求张学良回来的主张；如果蒋军进逼，发生战争，请红军全力帮助，打垮蒋军的进攻。

周恩来向他们解释，“我们是坚决要求张先生回来的。但要求张先生回来的方法很多，不一定要用打仗的方法。因为一旦打起仗来，容易造成更混乱的局面”。

孙铭久号啕大哭，跪在周恩来面前不起来，要求红军帮助打仗。

李克农有些沉不住气，站起来想讲话。叶剑英也要讲话。周恩来都拦住了，他对孙铭久继续解释。

一直到后半夜，周恩来最后说，“这个问题很重要，容我们好好商量一下，明天再答复你们”。

1月28日，红军司令部决定：只要东北军、西北军两方朋友完全团结一致，意见一致，我们可以暂时保留我们的主张而支持他们的主张，跟他们一起打。

1月30日晚，在西安召开东北军、西北军、中共三方会议。东北军代表于学忠、王以哲主张通过谈判撤兵。杨虎城也主张实行同顾祝同谈判的方案，和平解决。最后周恩来表示赞同双方一致主和的意见，并提醒双方注意内部团结，做好说服部下的工作。

第二天，李克农奉周恩来之命，代表红军同东北军代表米春霖、谢珂以及西北军代表李志刚一起，冒着风险悄悄潜往潼关，与南京政府新任命的西安行营主任顾祝同谈判停战问题。

李克农等人刚出西安城，就听到了西安有枪声。他们怕城里出事，又赶回来了。因为李克农知道东北军少壮派对三方会议要和谈的决定不服，可能要“闹事”。

周恩来沉着冷静，要他们坚持与顾祝同的谈判。

李克农率人第二次出西安城，直奔潼关。在经过刘多荃的防地进华阴时，他见到了在那里当旅长的高福源。高福源告诉李克农，现在气氛有些异常，让他多加小心。李克农没有想到，这是他见到高福源的最后一面。

李克农等人见到顾祝同，双方谈判的第一条就是关于张学良的问题。东北军、西北军将领有一封“请愿书”，要求南京政府释放张学良。顾祝同不接，说他不能转。

当李克农一行返回西安，又经过刘多荃防地时，已经不见高福源了。

哨兵用枪拦住了李克农的汽车，问，“你们干什么去了？”

李克农一听心里明白了，高福源一定出事了。经过商议，他们立刻掉转车头，徒步分散回到西安。

李克农来到西安城外，对哨兵说，他要找杨虎城，哨兵就放他进城了。

杨虎城公馆在芷园。月亮形的拱门，庭院里是密密丛丛的深绿色灌木。

杨虎城见到李克农就说，“你怎么不打电话？现在事情不好了，王以哲、高福源都已经叫人杀了！”

“怎么杀了？”李克农心头一震。

原来东北军少壮派军人在2月2日上午突然对主和派将领下手，由卫士营一批军人闯入王以哲住宅将王打死，何柱国因为躲在杨虎城公馆，才免遭杀身之祸。

随之，西安出现混乱紧张的局面，人心惶惶，谣言四起。有人还造谣说，王以哲之死是共产党指使人干的，共产党还要杀一批东北军官。共产党与东北军、西北军“三位一体”的团结有遭到破坏的危险。

为了应付这严重的局面，周恩来当机立断，冒着生命危险，带着李克农、刘鼎赶到王以哲家吊唁。

三个人刚进厅，就看见王以哲还倒在血泊里，身上有九个弹孔。王以哲的妻子和孩子哭作一团。

周恩来沉着地吩咐李克农、刘鼎分别行动，劝慰家属，收敛尸体，搭设灵堂。

这时，东北军里一些高级将领陆续来到，看到这场面，都深受感动。

王以哲的妻子一面啼哭，一面声诉。身边的孩子依偎着母亲，惊恐万状，大声啼哭。

李克农见此情景，联想起和王以哲交往的种种往事，觉得心酸，也不觉流下眼泪。他暗暗抹去，并极力劝慰王以哲的妻子不要太悲痛了。

王以哲的妻子拉着儿子问，“今后我们孤儿寡母依靠谁呀？”

“依靠红军，依靠共产党！”李克农回答。王以哲的儿子后来由共产党抚育成人，解放后当了一名工程师。

二二事件后，根据周恩来的决定，李克农送孙铭九、应德田，苗剑秋去云阳镇红军驻地，避免了东北军内部更大规模的互相残杀。

西安局面稳定下来了，基本上保持了西安事变和平解决的成果。

第十四章 创建机构

1937年2月，古都西安天气仍然寒冷，但户外的阳光已有一丝暖意，冰雪开始融化，预示春天即将来临。

为了适应统战工作的需要，中共在西安七贤庄一号院设立了一个公开的办事机构——红军联络处。由李克农担任处长，也叫主任。

这是中共在国民党统治区建立的第一个办事处。李克农亲自布置重大任务，又检查各种具体工作，为开创这类办事处积累了经验。

在西安事变和平解决后的1937年1月，中共中央领导机关已从保安迁驻延安。

1937年春，李克农在西安七贤庄红军联络处办公室（童小鹏摄）

红军联络处必须保持西安—延安密切的电台联络。

早在西安事变前，1936年春夏之间，七贤庄一号院的地下室就设立了一个秘密电台，是中共代表刘鼎在张学良同意下建立的，当时是为了保持东北军与中共的联系，也向各省转发新华社从陕北发出的消息，着重号召全国军民和爱国人士与红军联合抗日。

红军联络处建立后，李克农的首要工作是保持这个秘密电台，加强这个电台的工作。

当时在机要科工作的有童小鹏等人，电台与中共中央经常联系，与各方联络，还继续转发新华社的新闻电报，电台工作非常紧张，机要员经常熬夜，比较辛苦，还要特别警惕国民党特务的破坏。李克农总是随时检查他们的工作，亲自进行教育，同时十分关心他们的生活和健康。

这些机要人员，警惕性很高，全力确保共产党的机密。为了应付国民党特务的突然袭击，译电人员把地下室墙下面的木板搞成活动的，如有情况，立刻将密码和其他东西放在夹板内。

李克农规定机要人员不要外出，以避免国民党特务绑架，发生意外。这些年轻人，平时大门都不出，生活单调，但都能自觉地遵守。

红军联络处的第二项重要工作是接待各界人士。

李克农利用这个点做统战联络工作，宣传共产党的抗日主张，团结更多的人一起抗日。

这里也接待爱国青年，奔赴延安参加革命。

这里还转送共产党地下组织给党中央的报告。常常是地下党将报告密写在一部小说书页的背面，这是单面印刷的线装书，拆开后再原样装订成册。联络处接到后用碘酒将报告显示出来，抄好后送往延安。

对有关工作人员，李克农耐心地分别教他们如何工作，如何待人接物，还教会小勤务员如何给客人挂衣帽，如何送烟、送茶等。既保持革命者的风格，又适应大城市的风俗习惯。

红军联络处的第三项重要工作是购买、运送物资器材。

这里接收爱国华侨和各地进步人士捐献的物品和医疗药品，还买一些白报纸、棉布和其他军用物资。

这些人员的工作既重要又艰苦，李克农亲自为他们安排。西安到延安的公路很坏，跑一趟汽车得用三天时间，遇上阴雨大雪，更加难走，有时就被阻留在途中荒岭上。

他们深知这些物资来之不易，沿途非常小心谨慎，千方百计保证把物资、器材安全迅速地送到延安。

派来红军联络处的工作人员，几乎全部是没有到过大城市的“红小鬼”，当地群众戏称这个联络处为“娃娃店”。他们在李克农的领导和教育下，深知西安与延安不同，情况复杂，要防止国民党特务和其他坏人的破坏和捣乱；要站稳立场，提高警惕，注意安全保卫，保持红军的光荣传统，都兢兢业业地工作。

红军联络处在处长领导下，设有秘书室、机要科（包括电台）、总务科等，还有专门的采购人员和保卫人员。

这个联络处的组织机构是在李克农亲自主持下建成的，也是中共驻外地联络机构的雏形。后来，中共在国民党统治区一些重要战略城市设立的一些八路军办事处，也是这样设置的。甚至新中国成立后在国外设立的使、领馆，也可以看到类似的风格和机构设置，保持着中共艰苦工作的优良传统。

在红军联络处里，还住着中共代表周恩来，他是从西安金家巷一号张学良公馆搬来的。

周恩来在西安的重要任务是与国民党代表谈判国共合作抗日问题，敦促蒋介石实现其对西安事变和平解决的诺言。

李克农起辅助作用，并与国民党联系，安排谈判事宜。

1937年2月中旬至3月中旬，周恩来、李克农与国民党代表顾祝同、张冲等在西安举行首次谈判。

谈判中，中共代表同意红军改名为国民革命军，但要保持红军的独立性，而国民党代表借此要控制红军。

双方坚持不下，谈判无结果。

中共代表又提出释放政治犯问题，国民党代表支吾其词。

最后，双方决定：由李克农和张冲到上海去继续谈判。

李克农和张冲一起乘飞机离开西安去上海。

这是张冲的座机。张冲作为国民党的代表，于2月间乘坐这架飞机从南京来到西安。

张冲是浙江人，与蒋介石是同乡。他是国民党中委，也是中统特务头子之一，得到蒋介石的信任。他是忠于蒋介石的，与中共代表也保持一定的“友好”关系。

李克农离开上海已经六年了。这一别六年，他经历了长征，经历了无数次的战斗，现在又回到当年进行惊心动魄斗争的地方。

六年的变化很大。六年前李克农在上海的工作完全是秘密的，现在李克农的身份一半秘密，一半公开。

处境仍有风险。李克农要利用新的环境，在上海投入新的战斗。

李克农离开西安前，周恩来对他说：你这次随张冲一起去上海，继续进行国共合作问题的谈判，特别是关于释放“政治犯”的问题，估计在当前的政治气氛下，不易有什么进展。但你可利用去上海的机会，做几件我们需要做的事情。

李克农到上海后，首先见到宋庆龄，向她问好。

李克农向她通报了西安事变和平解决后，中共关于国共两党联合抗日的具体主张，以及最近国共谈判简况。中共要促使国民党尽快释放“政治犯”，希望宋庆龄从旁协助。

为此，宋庆龄安排李克农与她的姐姐孔祥熙夫人宋霭龄谈谈。

不几天，李克农在孙中山的上海故居里和宋霭龄会了面。宋庆龄对他们两人做了介绍以后，便到花园散步去了，没有参加他们的会谈。

在促使国民党释放“政治犯”方面，仍没有什么具体结果。不过通过这次会晤，李克农做了统战工作，宋霭龄表示支持国共联合抗日。

李克农来上海还有向毛泽民取款的重要任务。

这笔款项是一笔数额相当大的美钞，是共产国际在1937年初，为了援助在艰苦环境中坚持斗争的红军，从法国汇到上海来的。

这笔款项如何转到陕北根据地，是一个难题。因为不能引起国民党的注意，要避免国民党的阻挠。

毛泽民是中央苏维埃银行行长，在延安接受了中共中央交代的任务：把共产国际已汇到上海的美金秘密转到西安或延安。

毛泽民组织了一个班子，成员有其妻钱希均以及钱之光、危拱之等人。

他们先到西安，准备在那里开个钱庄，但国民党没有批准，他们就到了上海，分散居住。

李克农来到毛泽民夫妇住处，商谈解决这笔汇款的办法。

毛泽民和夫人住在上海愚园路永昌里的一座小洋楼里，像个大老板和阔太太住的地方。这是为了隐蔽身份，保证一定的安全。

他们见到李克农来，像盼到了救星，非常高兴。

他们三人一起商量，最后决定分散处理：美金换成法币（国民党统治区的纸币）后，一部分经过上海银行汇给西安银行，一部分直接送到西安。

毛泽民已在上海老垃圾桥那里开了一个银行，以便汇款和兑换。

毛泽民每天用美金买公债、股票，换成法币，以便处理。

他们几个人打扮成富豪或大老板和国民党官太太，把法币用旧报纸包好放在皮箱底部，上面放些与他们身份相符的东西，乘火车的头等车厢或包厢，轮流去西安，通知在西安的红军联络处接应。

西安火车站常常要搜身，幸亏叶剑英亲自将汽车开到站台接应才平安无事。

这笔款子就这样全部转到了西安。那里的红军联络处用这笔钱买了武器、药品和其他一些物资，发挥了很大的作用。

李克农这次来上海，奉中共中央之命，利用国共紧张关系有所缓和的有利条件，在上海建立了半公开的红军驻沪办事处，任处长。

办事处设在繁华的福煦路多福里21号（现在的延安中路504号），是红砖墙的西式小楼，共有两层楼。楼下有电话机，便于对外联系。阁楼上架设电台，可以和西安、延安联系。

这座楼前后都有出口，便于在必要时转移。

李克农为了活动方便，化名李震中，对外称十七路军军需主任。

他还抓紧时间，与中共上海地下党取得联系，帮助他们整顿组织。

这时，日本侵华的步伐加快，中共中央派代表周恩来继续与国民党上层谈判合作抗日问题。

在这些谈判中，李克农和已在上海的潘汉年处于辅助周恩来的地位。

早在1936年西安事变前，潘汉年就离开陕北来到上海、南京，以中共代表身份与国民党谈判合作抗日问题。

1937年3月下旬至6月中旬，周恩来先后到杭州、庐山与蒋介石进行两次直接谈判，谈判的中心仍是红军改编问题。

由于蒋介石坚持要瓦解和吞并红军，双方高层负责人的谈判也无结果。

直到1937年8月中旬，日军已把战火烧到上海时，蒋介石急欲调动红军开赴前线抵御日军，也想借日军之手来消灭红军，才在谈判中改变要控制红军的僵硬态度。于是，双方达成协议：将陕北的红军主力改编为国民革命军第八路军。

从军队开始，国共两党实现第二次合作。

双方还达成协议：在国民党统治区若干城市设立八路军办事处。

8月19日后，叶剑英和秘书童小鹏在南京组建八路军办事处。

8月27日，李克农在隆隆的炮声中离开上海，到达南京任八路军办事处处长，投入新的战斗。

这时的南京还是盛夏，气候炎热，局势也趋紧张。中国军队保卫上海，与日军激战的消息不断传来。日寇的飞机每天来轰炸，群情激奋。抗战的一天来到了！国民党政府首都南京开始有了抗战的气氛。

李克农率领八路军驻南京办事处的同志们为国共合作抗日的实施开展工作。

按照战斗序列，国民政府军事委员会于1937年11月将国民革命军第八路军编为国民革命军陆军第十八集团军，任命朱德、彭德怀为正副总司令。因此，八路军驻南京办事处又称第十八集团军驻京办事处。

10月3日，朱德、彭德怀致国民政府军政部部长何应钦以及军事委员会正副参谋总长程潜、白崇禧的电报说：

“兹派职路参谋长叶剑英为驻京代表，李克农为驻京办事处主任，以后钧部所发与职路之一切军需、军械等，概由该办事处主任李克农负责署名领取，特电谨存备案。”

当时，李克农名片上的职衔是：陆军第十八集团军驻京办事处处长。

1937年10月，叶剑英（左）与秦邦宪、李克农（右）在南京八路军办事处（童小鹏摄）

看来，这里的主任、处长，是一个意思，即李克农是该办事处的负责人。

9月初，博古（秦邦宪）来到南京，也住在八路军驻京办事处。

博古是中共中央代表，叶剑英、李克农都是中共中央派出人员。所以，八路军驻京办事处又是中共中央驻京办事处。

办事处设在南京市区鼓楼附近的傅厚岗66号（现青云巷41号）的一幢西式小楼里，外边围着竹篱笆。

这是原南开大学校长张伯苓的公馆，因周恩来与张伯苓有师生关系而租用的。

李克农住在楼下一房间里，兼办公室。叶剑英先住在楼上，后为防空方便，移住楼下。楼上有间房为博古的办公室及会客室。另有顶楼（假三层），为机要科科长童小鹏等人的住处及办公室。

这个办事处，是第二次国共合作以后，中共和八路军在国民政府首都设立的第一个公开合法机构。

半年前在西安设立的红军联络处，也是经过国民政府同意的，在国民党统治区也是公开合法的，但有较大的区域性。

八路军驻京办事处则是与国民党中枢直接联系的机构。

第十五章 派驻南京

八路军驻京办事处，是在抗日战火中匆匆成立的。这时，日本已对中国发动全面的侵略战争，叫嚣要在几个月内灭亡中国。中华民族面临生死存亡的关头。

办事处的任务紧急而繁重。作为办事处负责人李克农的工作既紧张又繁杂。他外勤、内务都要抓，但安排得井井有条。

办事处的首要任务是：继续同国民党谈判两党合作抗日问题。

代表中共中央的谈判代表是博古和叶剑英，李克农尽力协助。

在办事处成立之前几个月（2月到8月）的国共两党代表谈判中，只解决了红军改编问题。至于已经提出的边区政府问题、国共合作组织形式问题以及国共合作宣言问题等都尚未达成协议。

在这场谈判中，国民党要控制与共产党反控制的斗争仍很尖锐。

9月间，博古与国民党代表康泽进行了多次谈判。每次谈判前，李克农与博古、叶剑英一起开小会讨论，根据中共中央的指示，商定对付国民党代表的办法。

双方代表在谈判中有时争论激烈，差不多到了拍桌子的程度。最后，双方达成一些重要协议，使共产党取得合法地位，为“两党联合救国的伟大事业建立了必要的基础”（毛泽东语）。

办事处的另一项紧急任务是：营救被国民党关押的“政治犯”，接待、审查被释放的“政治犯”。

“释放一切政治犯”，是中共提出的国共合作共同抗日的一个重要政治条件。所以，每次两党谈判，中共都要提出这一要求，但国民党方面总是采取拖延的办法。

卢沟桥事变以后，到7月31日，江苏省高等法院才释放被关押在苏州的沈钧儒等“七君子”。对释放共产党“政治犯”问题，国民党继续拖延。

李克农来到办事处时，绝大多数共产党“政治犯”仍在国民党监狱中。（在此之前，即8月18日，周恩来去南京晓庄附近的首都反省院给“政治犯”做形势报告时，已把过去同他一起工作过的夏之栩、王根英和熊天荆三人保出来。夏之栩是赵世炎烈士的妻子，王根英是陈赓的妻子，熊天荆在中共中央机关工作过。王根英出狱后回陕西，后去前方。夏之栩和熊天荆被安置在八路军办事处。）

李克农等人催促国民党履行协议、释放全部“政治犯”时，国民党说“你们开名单来”，想用这个办法难住共产党。

于是，叶剑英、李克农领导办事处抓紧“开名单”的工作。这是和国民党斗法，是难不倒共产党的。

要求释放的名单一般先由出狱的人向办事处提供，然后，办事处以朱德、彭德怀或叶剑英的名义、一次又一次地给国民政府军政部部长何应钦写信，指名把他们保出来。

后来，办事处还通过陈立民弄来南京中央军人监狱“政治犯”的一份名单，指名向国民党要人。国民党对共产党掌握情况如此全面感到惊异。

殊不知这是得道多助。

陈立民是一位革命同志。他的表弟在南京中央军人监狱里做司药，对“政治犯”同情，从一个做看守的朋友那里弄到这份“政治犯”名单，交给陈立民。后来，陈立民和他的表弟都去延安了。

办事处营救“政治犯”的斗争还没有结束。

9月中旬，国民政府军政部以“疏散”为名，下令把关在中央军人监狱的100多名刑期在15年以上的“政治犯”和少数“军事犯”集中解送安徽和县姥下镇，余下的100多名“政治犯”全部关到狱中之狱的南监。国民党企图把这200多人解往武汉。

李克农派人多次去交涉，加上两地被关“政治犯”的不断斗争，到10月上旬，这些“政治犯”陆续被营救出狱。

1937年8月，李克农和经周恩来、叶剑英保释出狱的部分女同志合影。前排左起：张琴秋、夏之栩、熊天荆、华萼、吴仲莲；后排中：石联星（童小鹏摄）

自8月到10月，从南京、苏州、上海、杭州陆续出狱的“政治犯”，大约有1000人。许多“政治犯”是办事处派人接出来的。他们在狱中受到许多折磨，身体十分虚弱，出狱后都强撑着打起精神。有一批从南京中央军人监狱出来的“政治犯”，徒步行走，高唱国际歌，沿途情绪热烈。当地人见此情景也很激动，对他们既同情又钦佩。

也有不少“政治犯”出狱后，看到八路军驻京办事处消息，主动找到办事处来的。李克农亲自组织人员接待他们。他嘱咐：办事处的物质条件很差，但一定要给他们以温暖。

起初，出狱的人很少，大都住在傅厚岗办事处。出狱的女性更受优待，就住在办事处二楼。她们和男犯人一样，曾在狱中受尽磨难，但坚贞不屈。

李克农对她们更加关怀和鼓励。有一天，他和刚出狱的七八位女同志在办事处楼前合影。她们重见天日，笑得很开心，李克农也很高兴。

以后，获释人员增多，办事处就在铁道部附近的西流湾一号租了一处房子——五间平房，来安顿他们，对外名义是办事处职员宿舍。后来，出狱人员多了，就在鼓楼附近租了一个小旅馆，几层楼都住满了。许多人睡地板，几个人合盖一条被子，吃的是粗茶淡饭，生活很简朴，但大家心情愉快。从狱中来到办事处，就是回到了自己的家，见到了亲人。

李克农对接待工作过问得很详细。

夏之栩的母亲，人称“夏娘娘”，也是“政治犯”，从苏州反省院获释后，不知南京有八路军办事处，被难友韩葆春带往浙江萧山他的家中暂住。李克农知道了，就叫打电报、汇款去，请韩葆春把夏母送到南京来。夏母来到南京后也住在西流湾的平房里。

出狱人员住下后，李克农就派人前往登记、发钱、发衣服，并送去文件和延安出版的《解放》周刊，供他们学习。

办事处还对出狱人员进行初步审查，让他们书面汇报狱中情况和一些同狱人员的具体表现。审查分三类情况处理：一类是从口供以及监狱里其他同志中了解，证明是坚定的，送延安或者留在白区工作；第二类是比较好、但还有些问题的，要检查清楚，就送延安学习，继续审查；第三类是很有问题的，如供出同志来的，表现明显不好的，就发给路费，让他们回自己的家乡参加抗日。

就这样，审查一批，送走一批。

办事处的工作不断发展，李克农从审查后的出狱人员中留下一些人充实办事处的机构。

在营救大批被关押的中共党员出狱的同时，办事处又开展了重建长江中下游共产党组织的工作。这也是紧急任务。

博古受中共中央委派到南京主持这一工作。

李克农在总的方面协助。办事处内协助博古搞组织工作的是黄文杰，负责秘密交通联络的是夏之栩、王凯。

开始重建中共地方党组织时，首先是就近建立南京市委。

原中共南京市委自1934年8月被国民党特务破坏以后，只有很少几个共产党员在南京活动，共产党组织已不存在。1937年八九月间，大批平津的流亡学生在共产党和民族解放先锋队的领导下，陆续到南京。博古指示由北平来的李华等几位共产党员组成中共南京市委，接着在南京陆续发展一批人加入共产党。

南京市委工作直接由博古领导，博古走后由李克农领导。

1935年以后，长江中下游各省的共产党组织几乎全遭破坏，也必须尽快恢复和重建。

在博古、董必武（临时来南京）的统筹安排下，办事处派了从国民党狱中刚释放的一批优秀共产党员，如刘宁一、陶铸、钱瑛、方毅等去上海、浙江、安徽、湖北等地参与恢复和建立中共江苏省委、湖北省工委、安徽省工委、浙江省临时工委等组织。

这样，中共在长江中下游的活动又重新活跃起来。

八路军驻京办事处是国民政府同意设立的。但国民党又视之为眼中钉，总想限制和监视它的活动。李克农则领导办事处全体人员，利用合法地位，打破国民党的限制，避开国民党的监视，开展必要的活动，以发展抗日民族统一战线，并搜集抗日战争情报。

办事处门口，有补鞋的，卖烟的，拉洋片的，以及其他摆摊的小贩，还有逗留的路人。这些人实际上是为国民党做耳目的，时时刻刻监视着办事处的来往人员。

办事处重要人员外出时，国民党特务还进行跟踪。

李克农有时和跟踪的国民党特务玩“捉迷藏的游戏”，甩掉他们的跟踪。

在1937年9月的一个晚上，周恩来在南京约请一位国际友人谈话。为了避开特务的盯梢，约定在南京郊外一个僻静处见面。

快到约定时间，李克农陪同周恩来乘小汽车，离开了办事处。

司机是王应絮，王本来在南京新京汽车行开出租汽车，办事处刚成立时，还没有自己的汽车，便租用了他开的车子。

李克农了解王应絮是受苦人，没有政治问题，平时关心他的生活，启发他的政治觉悟。王应絮为共产党人平等待人的作风所感动，第一次感到了人世间的温暖，很快爱上了这个办事处的集体。

一个多星期以后，一些爱国华侨捐献了一部汽车给办事处。李克农找王应絮谈话，问他愿不愿意到办事处开专车，这正是他近日来十分向往的事。他毅然辞掉了新京汽车行的工作，到办事处来开车，从此参加了革命，一心一意地为革命工作。

李克农在汽车上发现后面有车跟踪，便对司机王应絮说，“身后有‘尾巴’，甩掉他！”

王应絮立即加大马力，全速前进，很快拉开了和“尾巴”的距离。

车子开到约定地点，并与停在那里的外国友人的车子并排时，王应絮一个急刹车，周恩来迅速打开车门下车，钻进外国友人的车子里。

他们的车刚开走，盯梢的车子就赶上来了。王应綦正把车停在路边，给“抛锚”的汽车修理。

李克农在路上招手，让盯梢的车子停下来，冲着他们说，“车坏了，帮着给修修怎么样？”

特务们看看车里没有周恩来，又看看笑眯眯的李克农，哭笑不得，悻悻离去，回去后向上司汇报，跟踪无结果，挨了一顿臭骂。

周恩来和国际友人顺利地进行了会谈。

博古、叶剑英外出活动，或会见国民党上层人士，或会见国民党高级将领，李克农亲自安排他们坐王应綦开的车，为保证他们的安全做周到的安排。

李克农也常常拜会国民党上层人士，或到国民政府有关部门交涉重大事宜。这些就是办事处负责人的日常活动，让国民党特务们忙着跟踪，追来追去，回去向上司报告吧！

办事处一些工作人员，也要经常外出办事：或采办布匹、纸张；或采购军鞋、药品；或到军需署及兵工署领取军饷和军械；或到铁道部和下关火车站联系运送物资。事情多，手续也繁杂。他们进进出出，十分忙碌。开始，国民党特务们也忙着跟踪，因找不到“油水”，后来就懒得跟踪了。

在抗日救亡的形势下，许多爱国青年写信给八路军驻京办事处，询问如何去延安。办事处两次在《抵抗三日刊》上，以公开答问的方式，介绍了延安抗日军政大学、特别是陕北公学的情况，也如实介绍了延安生活艰苦但军民融洽等情况。于是，青年们来到办事处要求开介绍信到延安去的络绎不绝。

南京的国民党特务们私下议论：共产党真“邪乎”，他们来到这座不起眼的小楼后，就能吸引很多人。

为了避开或减少国民党特务的监视，李克农在办事处附近高楼门29号（现高云岭29号）租了一座小楼做“处长公馆”。刚出狱的张越霞也住在这里。她假扮作“处长太太”，平时可以看家，有事进出时陪伴着李克农。这符合国统区的生活习惯。

李克农有时就在“公馆”里会客，招待朋友，有些人是重要的民主人士，或是秘密的共产党员。为了他们的安全，这种来往要尽可能保密。

比如，李克农接待了王昆仑。

王昆仑是老国民党员。1902年生于江苏无锡。在北京大学读书时，积极参加五四运动。1922年，从北京南下上海见孙中山，在孙中山的启发和鼓励下，参加了国民党，以后更积极地从事反帝、反军阀的革命活动，接着参加了北伐。1927年四一二反革命政变后，他对蒋介石所作所为不满，开始在国民党内部进行反蒋的民主斗争。从20世纪30年代起，他就和中共接触往来，并在1933年秘密加入了中国共产党，成为一个特殊的秘密共产党员。

这时，李克农见他，向他介绍国共联合抗日形势，要他继续以国民党左派人士的面目，推动抗日民族统一战线的建立。

王昆仑是一位著名教授，又是国民党的立法委员，在国统区内有重要的社会地位。后来，他利用这种有利地位和社会影响，帮助筹建各界抗日救国会，对动员各界人士抗日起了有益的作用。

王昆仑与国民党上层人物和地方军事首领有广泛的接触，既鼓励他们抗日，又了解许多重要情况，向共产党报告。王昆仑在南京也向李克农提供了重要政治情报。

李克农还接待了阎宝航。

阎宝航是具有进步思想的爱国人士。他是东北人（1895年生于辽宁海城），曾是张学良的高级幕僚。1931年九一八事变后，他逃往北平，同高崇民、杜重远等人发起成立东北民众抗日救国会，积极从事抗日救亡活动，支持东北义勇军抗日。1935年，他又同高崇民等人上书张学良，敦劝他停止“剿共”，联共抗日。对促进张学良发动西安事变，思想上有一些影响。1937年6月，华北局势紧张，他在北平发起成立东北抗日救国总会，任常务委员，与共产党有接触，愿意听取共产党抗日救国的意见。抗日战争爆发后，他随“总会”迁至南京，知道南京新设立了一个八路军办事处，要见办事处负责人。

李克农前几年在陕北和西安时，就知道阎宝航其人，这次热情地接待了他。李克农向他介绍了抗日形势和中共抗日纲领，指出抗日将是长期和艰苦的，但只要中国人民动员起来，最后一定会胜利。

阎宝航相信中共抗日纲领、政策、方针是正确的，愿接受中共的领导。他还要求加入中国共产党。李克农对他的思想进步加以鼓励。阎宝航这年秋在南京实现了加入中国共产党的愿望。

李克农后来又见到他时，叫他不要暴露共产党员的身份，仍以知名的东北爱国人士的身份，继续开展抗日民族统一战线的工作，并利用与国民党上层人士相识的条件，进行交往并开展情报活动。

他后来和于右任、孙科及其他一些国民党高级人士关系搞得很好，了解了重要的抗日情况，向中共中央提供了有关德国进攻苏联的重要情报。

李克农在南京很注意情报工作，把搜集抗日战争情报也当作办事处的重要任务之一。这不仅因为他长期从事共产党的情报、保卫工作，有“情报头脑”，而且是由于当时的斗争情况复杂，共产党需要了解各方面重要情况，知己知彼，才能立足，并推动抗日战争。

李克农从广泛的交往中，了解并研究当前形势的许多重要问题，及时向中共中央报告。

今选录叶剑英、李克农在1937年12月4日发出的《关于南京危急时国民党动态》电[①]为例，全文如下：

毛、洛、周、博并报朱、彭：

（甲）进攻南京之敌已近句容，蒋已派四十八师增援前线。

（乙）刘湘军部守南京，又调陈布雷、李仲公、张振球等先后回京，表示坚决守城。

（丙）德大使奉希特勒命见蒋，提出妥协条件，闻内容主要的是：

（一）加入防共协定。

（二）华北五省实行高度的自治。

（三）扩大淞沪协定，即浦东归德国，闸北归意国，市中心区域、吴淞归日本。

（丁）此间人士认为，蒋原拟十一月三十日左右离京，已将作战部人员如刘为章等先行来汉，今见南京危急，坚决守城，乃是外交上原因，不是军事

① 叶、李当日离南京去武汉。

原因。

（戊）汪、孔、阎、张群等于离京前曾包围蒋，劝蒋讲和。蒋表示对日抗战是我主张，除非我下台，否则我不能主和。近日武汉主和派活动甚力。

叶、李十二月四日

李克农发出的这类情报，对中共中央决策起了重要参考作用。

在三个多月的短暂时间里，李克农在博古、叶剑英的指导下，亲自动手具体组织完成了几项紧急任务，都完成得很出色。

第十六章 抗日宣传

李克农领导八路军驻京办事处时，利用一切可以利用的条件，运用各种各样的方式，开展抗日宣传工作，也很有成效。

这时，抗战开始了，国民党有一定的抗日积极性，但执行的是片面抗战的路线，不愿人民广泛发动起来，尽力限制共产党的政治影响。这可能破坏已经形成的两党合作抗日形势，会影响抗日取得胜利。

而共产党提出的是一条全面抗战路线，要动员和组织人民，才能抵御强敌——日本帝国主义，实现中国的自由解放。

所以办事处要利用公开、合法地位，宣传共产党的抗日纲领和抗日民族统一战线的方针政策，动员群众抗日，扩大共产党的政治影响。

李克农身处国民党统治区，首先注意利用国民党的报纸来宣传共产党抗日的主张。

李克农派人掌握了国民党元老派的机关报《金陵日报》，是一个成功的例子。这并不是由于他的主观设计，而是在于他以高度的政治敏感，抓住了机会。

1937年8月底，“政治犯”陈农菲（又名陈同生），从国民党监狱释放后，来到了南京八路军办事处。李克农以前认识他，见到他很高兴，对他进行审查后，恢复了他的共产党组织关系。

李克农专门找陈农菲谈话，谈到工作安排时，李克农说，“农菲，你有一个比别的同志更有利的条件，要好好利用，这是花了代价换来的”。

陈农菲有点茫然了。他想，他同其他出狱的人一样，哪会有什么更有利的条件。

李克农看出了他的惶惑，就说，“我看了你的判决书，上面有‘被告坚不承认有加入共产党之事实……’。严刑逼供也没有使你承认。以后任何时候，只要工作需要，你可以继续搞你的革命的‘不承认主义’，利用你原有的社会地位、社会关系，在敌人内部去进行工作，这便是你的有利条件”。

李克农进一步解释，“承认了是共产党的同志，国民党通报各地，又有照相、指纹可查，再要隐蔽起来困难便多了”。

本来，陈农菲想到红军去，早日归队。现在，他被李克农亲切的谈话说动了，当即表态，“我现在总算活着出来了，工作嘛，服从组织决定”。

进步文学家阳翰笙，按照李克农的意见，首先把陈农菲出狱的消息透露给国民政府的参军长吕超，吕超与陈农菲的堂叔交厚，对陈农菲还没有职业表示关心。吕超也是金陵日报社董事长，正在为该报的销路不好犯愁。吕超的弟弟吕一峰以前与陈农菲在成都相识并有交情，又受托从上海给吕超写一封长信，介绍陈农菲办过报。吕一峰是老情报干部，1933年加入中国共产党，此时也在《金陵日报》任重要职务。于是，吕超向国民政府主席林森推荐，特聘陈农菲为《金陵日报》总编辑。林森是《金陵日报》的后台。

陈农菲立即将此情况向李克农汇报，并请示。

李克农明确指出，“这是求之不得的好事”，“我们党要办一张在国民党地区公开发行的日报，国民党用尽一切方法与我们为难，我们的《新华日报》现在还是有人无报，潘梓年、章汉夫等同志只好打‘太极拳’。国共合作宣言，国民党到今天还不公布。八路军出动抗日的消息也一点透不出去，我们党的主张不能与广大群众见闻。假如这个报纸能在团结、抗战、民主的原则下，总编辑有权不受限制地工作，你便可以去。这需要与林、吕谈清楚”。

李克农又说，“我了解林森，他虽是国民党元老，但他对蒋介石的专横，自己当傀儡主席，内心是不愉快的，因此也存在很大的矛盾。他曾说，‘我这主席不过是监印官耳。’其实，国民政府的大印，也只有蒋介石才管得着。吕超这个空头参军长更是毫无实权。现在，他们都想利用抗战搞点政治资本。找你办报，其目的便在此”。

李克农还具体地告诉陈农菲如何与林、吕交涉。他说，“他们知道你过去在四川办报有成绩，要借重你。现在是他们请你，不要不答应，也不要答应，要讲点先决条件……”

林森和吕超一起约见陈农菲，陈农菲根据李克农交代的原则谈，谈话很顺利。

林森说，“现在全国已经抗战，报纸主要是讲抗战。现在是举国一致抗战，当然要讲团结……但只可讲民主，不可讲反独裁”。

陈农菲提出国民党中央党部新闻杂志检查处要每天送大样检查问题。林森表示此问题不难解决。他对吕超说，“汉群（吕超字汉群），请你打个电话告诉他们，《金陵日报》的大样每天我看过的，不过，这件事便偏劳你了。”

吕超送陈农菲出门时，对陈说，“大样你看了便印，就说林主席和我都已过目”。

陈农菲到办事处向李克农汇报了这些情况。

李克农很高兴，笑眯眯地说，“有些同志不明白敌人的内情，将复杂的事想得太简单，简单的事想得太复杂。国民党是一个复杂的东西，我们要善于分析，懂得什么工作用什么方法。他们不要我们办报，可是他们的主席却请共产党人去当总编辑。我们的子孙也不会相信有这样的糊涂事，可是他们却是如此糊涂！”

李克农有点兴奋，站起来说，“看吧，国民党白色统治了十年，在他们的首都南京，即将出现一张为人民讲话的报纸”。

这张报纸已办了八九年，连送带卖每期不过印一千份。陈农菲为了将这一张死气沉沉的报纸办好，首先要解决政治内容问题，谈判倒很顺利。但人事问题很大，不解决，报纸也难以办好。

要解决人事问题也不易啊！原来报社那一帮人，都是林森、吕超的亲戚故旧，多不会办报，而且缺乏能力，但又不能解雇。

陈农菲正在为此事踌躇。日本飞机一次轰炸，把报社房屋后半部炸塌了，前半部的门窗也都震坏了。那些人怕死，不愿在南京继续干下去，大部分写了辞职书，要求报社经理立即发薪水、旅费。

陈农菲觉得这样正好。旧的人走了，加进一批新的力量。但新的人哪里来呢？陈农菲又找李克农汇报。

李克农说，“这个问题我早已为你做好准备”。说着，李克农给陈农菲一张名单，上面写有：何云、朱仲龙（穆之）、周维……

陈农菲高兴得要跳起来，说，“那太好了”。

名单上有些人，陈农菲认识。何云是与他一道在中央军人监狱的，当过编辑，写作能力很强。周维也是陈农菲的同狱难友，热情、胆大，长期做白区工作。两人都是老共产党员。

李克农特地向他介绍了朱仲龙。说，“朱仲龙你不知道，他是平津流亡学生中的活动分子，有名的‘小朱’”。李克农继续说，“他参加报社工作，可使报社与抗敌救亡青年群众有很好的联系。通过他们，报纸可以反映出工、农、商、学、兵各方面抗战的活动。报纸有了广泛群众联系，内容丰富，不愁无人看的”。

李克农对如何利用这张报纸，甚至如何组织稿件，都对陈农菲做了详细的指示。

报纸经常刊登抗战的消息，又约了上海文化界一些进步人士为报纸写稿。报纸有起色，销路增加了。报纸这样做，也是有斗争的。报纸在显著地位刊登《中共中央公布国共合作宣言》和八路军平型关大捷消息等，引起国民党中央党部新闻检查室主任彭革成强烈不满。彭革成几次找陈农菲谈，说不应该将这些消息登在显著地位。陈农菲据理力争，又有董事会做靠山，彭革成无可奈何。

李克农见到陈农菲时，赞扬说，“你的工作干得好！”

李克农还组织办事处人员油印宣传品，直接散发。这种油印报是不定期的，每当收到中共中央的声明、八路军通电以及八路军在前线的捷报等，就立即印发油印报。为此，有关人员夜以继日地工作。

刚出狱的袁超俊，身体很虚弱。李克农留他在办事处工作，他非常兴奋，主动承担油印报的工作。

有一次，他选材、刻蜡版、油印，工作了两夜三天没休息，任务完成了，也因此吐了血。李克农知道后，非常心疼，和吴志坚副官一起把他送到鼓楼医院治疗，在医院住了一个来星期。

这些油印报，是以办事处公报的形式发行的，首先是送给南京各报馆。各报对八路军战报，一般都照登。许多读者看到八路军在前线作战胜利的消息，十分兴奋。

国民党害怕了，害怕共产党政治影响扩大，就禁止各报刊登办事处油印报提供的新闻，以封锁共产党的抗日主张，封锁八路军的抗战消息。

李克农又以公开合法的方式，打破国民党的宣传封锁。

10月7、8、9日，八路军驻京办事处在上海《申报》甚至国民党机关报《中央日报》上，以大幅广告的形式，刊登感谢国内各方贺电的《朱德、彭德怀启事》。《启事》明确指出，“所部业已开赴前线，正与暴敌激战”。《启事》还说，“我全体将士誓与全国民众及各友军在蒋委员长领导之下扫除强敌，务使民族解放之伟大事业克底于成”。《启事》表达了八路军抗战到底的决心，因推出了蒋介石的“领导”，国民党大报也不好不登。

10月18日，南京的《京华晚报》刊登一篇对叶剑英的专访。叶剑英被访问时，谈了八路军抗日的情况。叶剑英对记者说，“晋省得失，不仅关系华北之存亡，实对中日整个战局有相当之影响……近日，我军在各路战事始终占取优势。游击战术，业已收得相当之功效……从侧面将敌军截成数段，然后可以各个击破”。

一些爱国的报纸，如上海邹韬奋主编的《抵抗三日刊》、南京梅汝璈主编的《时事类编特刊》等，继续刊登办事处提供的材料，有利于抗日宣传工作。

国民党中央宣传部就指示各报不得刊登八路军的番号，有的报纸照登八路军的战报，只是改称“第X路军”。读者一看就明白了。

国民党气急败坏，除限制报纸刊登八路军作战消息外，还让报纸刊登造谣消息，诬蔑八路军“游而不击”。这事刚好发生在林彪率八路军一部在平型关杀敌获胜以后。

这一天，李克农和往常一样，在寝室兼办公室的书桌上摊开一张张报纸阅读。突然，南京《新民报》一篇文章引起了他的注意。

这篇文章说，八路军主张游击战，实际上是“游而不击”。文章还说，日寇已经打到山西，但未见八路军抗日，不知哪里去了。

李克农读后怒不可遏，“啪”的一声用力一拍桌子，连报纸也震滑到地上。正在隔壁房间的警卫员以为发生了什么事，连忙跑进来看看。李克农正冲着窗户嚷嚷，“无耻，造谣，非给他们一点颜色看看不可！”

李克农说着，抓起电话机，摇通了《新民报》的总编辑，“请你立即到南京八路军办事处来一趟”。没容答话，李克农挂上话筒。

李克农立即穿上缀有“少将”领章的军装，等待总编辑的来到。

那个戴着近视眼镜的总编辑，一脸茫然神色，走进办事处的会客室，抬头看见正中坐着一位威严的将军，满脸怒气，目光冷漠，心里“格登”一下，不知出了什么问题。

《新民报》本来是一张中间立场的报纸，这段日子，看国民党风头很盛，就把屁股往右挪了挪。

这位总编辑进来一会儿，见李克农还没有动静，沉不住气了，轻声问道，“长官，找我来有什么事吩咐吗？”

李克农拿出那份《新民报》摔给他说，“你自己看吧！”

李克农气得呼地站起来，在房间里走来走去，义正词严地责问，“你们讲八路军‘游而不击’，有何凭据？八路军在平型关首战大捷，消灭了1000多日军，怎么是‘游而不击’？你们究竟想干什么，要讲清楚！”

总编辑狼狈不堪，浑身是汗，连忙承认错误说，“对不起，对不起，敝报是转载大报消息和文章，不是有意骂八路军”。

“对不起就算了？你们明天要出更正，否则后果自负！”李克农扔下这句话就走了。

总编辑自知理亏，呆瓜一样地怔了半天。

第二天，《新民报》真的发了更正。

李克农为反对国民党的“宣传控制”，进行了有理、有利、有节的斗争，取得了一个又一个的胜利。

李克农也体会到，拥有自己的报纸来开展抗日宣传，更为重要，所以他积极筹办《新华日报》。此事很有可能，因为在国民党统治区出版一家中共报纸，是第二次国共合作抗日的谈判中，蒋介石已口头同意了的。

当然，此事的实现也不会那么简单，必须抓紧办。所以，八路军驻京办事处成立后，李克农就与国民党交涉，但国民党C.C.头子陈立夫极力阻挠、拖延。

9月下旬，李克农又一再交涉，得到国民党中央宣传部部长邵力子的同意，开始在南京筹办《新华日报》。

邵力子对中共态度是比较温和的。

《新华日报》由出狱不久的潘梓年负总责，钱之光负责经理工作。刚出狱的袁超俊和寻找共产党组织的赖祖烈等也参加了筹备《新华日报》工作。

9月下旬，赖祖烈找到办事处。李克农问清他是怎么到南京来的，要他写个书面材料，并问他有什么要求。赖提出要到延安去。李克农说，“办事处很需要人，你在福建时与钱之光同志很熟，留下一起筹办《新华日报》吧”。赖就留下了。

袁超俊是8月底刚从苏州出狱。9月间到上海找到共产党的关系。上海共产党的组织叫他带两位同志经南京去延安，刘少文写了介绍信。到南京办事处后，李克农也把他留下工作，另派人送那两位同志去延安。

钱之光在八路军驻京办事处负责军需工作，与各方面联系较多，特地请国民党元老于右任写了《新华日报》报头，有利于该报在国统区的出版。

办事处还派人到上海买了大批白报纸，在南京中山路租了一处房子作为营业部，还通过关系租到一个印刷厂，赶紧把印刷机的电源线装好。

这时是10月中旬，《新华日报》的筹备工作已大体就绪。由于上海战局紧张，南京有失守的危险，邵力子打电话给潘梓年，叫他们撤退到武汉再筹备出版。

于是，钱之光等先遣人员于10月19日前赴武汉。叶剑英、李克农后来向中共中央做了汇报。叶剑英、李克农给中共中央的报告还说：“《新华日报》在京已无可能开办，报馆人员均先赴武汉，汉夫先走，梓年随后亦到，到武汉后即继续办理合法手续”。

11月间，南京形势危急，国民政府负责人均已离开，八路军办事处人员留在南京已无意义，在请示中央后，也决定分批离开南京，前往武汉。

这时，日本军队越来越逼近南京，南京守军开始在街道、马路上架设铁丝网，实际上守城御敌的准备很不充分。

南京城一片乌烟瘴气。军用汽车不是运送军队开往前方，而是运送要人的箱子、马桶等往后方跑。国民政府各机关官员们见面时的寒暄话竟是，“你什么时候走？”城内的居民纷纷逃难，大官们的汽车在逃难的人群中只顾朝前开。人们叫喊声、汽车喇叭声响成一片。南京火车站和码头上人群拥挤，行李堆积如山。人心惶惶，秩序混乱。

李克农沉着地统筹安排办事处人员撤离事宜。

除博古已于10月19日先从南京乘船赴武汉外，钱之光、夏之栩、李应吉、康一民等人于11月19日从南京乘火车经徐州、郑州去武汉。

李克农自己留在最后一批走，预计在12月初动身。李克农在离开南京前，对几项重大事件亲自做了安排。

11月上旬的一个晚上，李克农找中共南京市委书记李华谈话说，“南京形势紧张，看来保不住，你们要准备撤离”。李克农还就撤离工作做了具体指示：1.凡是能够参加游击队的，尽量去溧阳、溧水参加游击队；2.凡是在南京真正站不住脚的，不是南京本地土生土长的就撤退；3.如果身份没有暴露，南京有家可长期埋伏的，就留在南京。

李华根据李克农所谈的三项原则，到11月底前，一切安排停当，中共南京市委工作宣告结束。李华从办事处取了钱和护照，在南京失守前，买到车票乘最后一班火车去郑州转武汉。

1937年11月，南京八路军办事处往武汉撤退前，全体工作人员合影。左二为李克农

11月间，李克农还就日军占领区内建立中共地下交通工作进行布置。主要是建立了南京—上海—广州的地下交通机关，以便在南京继上海失陷后，这一交通关系不至于断绝。

11月底，李克农亲自把一份密封的重要文件交给交通员王凯，叫他在自己的南京家中等小宋来取。

李克农对他说，“你的家眷在南京，容易隐蔽，所以党决定你留下，任务是把一份重要文件交给上海地下党派来的小宋同志。你完成这个任务后再行转移”。

小宋就是李克农的安徽老乡宋季仁，长期担任中共地下交通工作。数月前，李克农在离上海赴南京时，就安排宋担任上海—南京之间的秘密交通。上海的秘密交通点是梅白克路医院。

南京沦陷后，王凯为了留交文件，经历许多风险。

有一次，他出来探听小宋是否来找，碰上一个挂洋刀带醉意的日本鬼子，抓住他，说他是“中央军”。

王凯在日军小队长逼迫下往前走，边走边想，“克农同志要我千方百计完成任务，可我没完成任务就落到敌人手里，这该怎么办？”走着走着，到了乌衣巷中间，王凯看看前后没有旁人，一闪身，飞起一脚朝鬼子小肚子踢去，不料落空。鬼子狂叫一声，急忙拔刀，王凯又一箭步扑去，就势打去“点心拳”，鬼子“呀”的一声嚎叫，墙塌似地倒地了。

大马路上的日本哨兵急速赶来，正好路旁有家鸦片馆，王凯飞也似的躲进鸦片馆里，在店主人的帮助下，在馆内躲了六天，避开了日军的全城大搜查。

六个多月了，由于日军切断交通等原因，小宋还没有来。王凯经过慎重考虑，乃带着妻子和孩子，装扮成乞丐，逃出南京，将文件直接送到上海。

到了上海，王凯按照李克农在南京时的交代，去梅白克路医院找小宋，但不见这个医院，因为中共上海地下党的联系地点已转移了。王凯就回到自己家乡——福州，与八路军驻重庆办事处取得了联系。后来，王凯辗转到桂林，继续从事中共的秘密交通工作。李克农见到他还活着，高兴得流泪了。对他一直妥为保藏党的文件和设法完成任务的精神赞扬不已。

李克农在离开南京前，还安排了物资疏散、转移的工作。

李克农派赖祖烈和史唯然为押车副官，把新华日报社采购的800多令纸张和报社的其他物资送到西安去。从浦口到西安，火车走了七天七夜。火车到河南兰封[①]时，遇上日军飞机轰炸，炸弹失灵没有爆炸，他们才幸免于难。他们把物资交给八路军驻西安办事处后就去武汉。

李克农是在12月4日清晨离开南京的，这时日军已打到镇江。和他一起走的有叶剑英、童小鹏、吴志坚、袁超俊和负责广东、香港工作的廖承志，加上司机王应絮，一共七人。

行前，李克农在办事处的屋里屋外最后检查一遍，看看有无文件、资料遗留，甚至已经变冷的灰烬，他也用脚踏一下，看看是否还有没烧透的纸片。一切检查完毕，他出门把锁挂上。他没有上锁，他知道他们刚一离开，就会有人光临的。

一行七人分乘两辆旧的小汽车，经芜湖、南昌到长沙。

这两辆旧汽车是李克农在撤退前从上海用700元法币买的。他预计到最后从南京撤退时难以买到火车票和船票。

这两辆小汽车分别由袁超俊和王应絮开，到达当涂时，他们听得到日军的炮声了。

路经芜湖时，李克农回到阔别已久的家乡，到家里看望亲人。首先是李宁认出是父亲，父女抱头痛哭。赵瑛刚巧从外边回来，见此情景，也不禁珠泪双流。

李哲卿看见儿子回家还是高兴的，张罗着招待儿子的朋友们。他知道他们一路来又累又饿，尽管自己家庭的经济很困难，还是请他们一行七人在附近的饭店里吃了一顿饭。

李克农在芜湖家里只待了一个多小时，就和家人告别，又踏上了征途。车子旧，路又不好，一路走，一路修。李克农还很乐观，开玩笑说这两辆小汽车是“烂背骡子”。路上走了五六天，到达长沙。袁超俊和王应絮在长沙修车子。李克农、叶剑英、童小鹏、廖承志等人坐小火轮先去武汉。

---

① 兰封——旧县名，在河南省东部，1954年与考城县合并为兰考县。

第十七章　武汉风云

1937年12月中旬，李克农一行到达了武汉。

武汉由汉口、武昌、汉阳三镇组成。浩浩长江，东流横穿；龟山蛇山.相对而望。气势十分雄伟，令人心旷神怡。这时是冬季，北风吹来，已有寒意，但还不是严寒，室外的阳光，晒在身上，暖和和的。

这个华中重镇，是“九省通衢”，本来就是热闹的。现在，国民政府已从南京迁到这里，一下子成为国民党统治区的政治中心。

中共中央也决定在这里派驻中共代表团，并设立八路军办事处，与国民党和国民政府保持联系。

八路军驻武汉办事处

中共中央还根据国内新形势的需要，决定在武汉成立中共中央长江局，领导中国南部共产党的工作。但长江局是不公开的机构，以中共代表团为掩护。长江局的重要成员就是代表团成员，住在办事处内。

所以，中共代表团、长江局、八路军办事处都住在挂牌“八路军驻武汉办事处”的大楼里，可以说是“三位一体”，成为中共和八路军在中国南方国民党统治区内的指挥与联络中心。

办事处大楼是汉口原日本租界大

石洋行的楼房，在中街89号，今江岸区长春街67号，是周恩来多次与国民党交涉才争取到的。

办事处处长是钱之光，他曾在八路军南京办事处工作。

李克农在此工作的对外身份是八路军总部秘书长和中共中央代表团秘书长。他的实际身份是长江局秘书长，和长江局一样是不公开的。

李克农的工作重点在长江局，工作十分繁忙，大小事情他都要管，每天从早忙到晚，经常忙到深夜。

不仅如此，李克农还面对着十分复杂的情况。外部有国民党的限制和破坏，李克农既要与之团结，又要适当地斗争。内部有长江局书记王明的右倾错误路线，李克农既要尊重他的领导，又要减少他的错误路线的干扰，工作难度之大，可想而知。李克农凭借他的政治敏感，坚持原则，争取妥善处理。

中共代表团的首要任务，是继续与国民党谈判合作抗日问题。与国民党谈判的中共代表团由周恩来、王明、博古、叶剑英组成，周恩来是负责人。

这时，中共代表团经常与国民党接触，并就一些重要问题进行协商。在一段时间内，两党合作气氛还是比较融洽的。周恩来担任国民政府军事委员会政治部副部长，郭沫若任政治部主管文化宣传工作的第三厅厅长，共产党人还参加了国民党召集的国民参政会。这样，中国共产党人同国民党统治区社会各界公开接触，说明中共有关团结抗日的主张，争取到很多人的同情和了解。

但是，国民党的特务经常监视共产党人的活动。

所以，李克农一方面协助中共代表团的谈判工作，保持代表团与延安中共中央的经常联系；一方面很注意中共代表团成员的安全，常常做出具体安排，甚至亲自保护他们。

一次，国民党特务头子康泽请周恩来吃饭，李克农陪同出席。康泽一再劝酒，周恩来不好拒绝，多喝了几杯。李克农怕他酒醉，又不便公开阻止。这时康泽还一再敬酒，可能不怀好意。于是李克农举杯说，“我替胡公喝！”（胡公是对周恩来的昵称）。接连三杯下肚，面不改色，还说，“再来，再来！”康泽连称，“好酒量，好酒量！”不再专门对周恩来劝酒。饭后，根据康泽建议，大家合影留念。

周恩来带有几分醉意回到住处。他的妻子邓颖超埋怨李克农，“克农，你怎么不劝他少喝点！”李克农说，“邓大姐，要不是我今天保驾，胡公今天醉得更厉害哩！”

李克农回到宿舍，喝了一杯茶，脑子清醒了许多，心中一机灵，总觉得今天的事有些地方不对劲，康泽坚持的合影留念会不会是阴谋？他们会不会拿出周恩来参加合影的照片做文章呢？

第二天，李克农就跑到照相馆，进门对老板说要看看昨天照相的底板怎么样，要不要重照。底板拿出来了，当时底板是玻璃的，李克农把玻璃底板举得高高的，冲着门口射进的阳光，眯着一只眼睛看了半天，一转身，装着失手，将玻璃底板掉在地上，摔得粉碎。临出门时他还连连说，“可惜，可惜！再重照”。

老板无可奈何，康泽也无可奈何！

1938年，任长江局秘书长的李克农（右）和第十八集团军高级参谋罗炳辉在办事处

在中共代表团与国民党的谈判中，主要是周恩来主持大计。王明是1937年12月下旬到达武汉的，参加代表团与对方磋商。

王明也赞成国共合作，共同抗日。但是，他根据共产国际的指示，反对中共中央关于抗日民族统一战线中独立自主的原则，主张“一切服从统一战线”“一切经过统一战线”，把共产党的行动限于国民党蒋介石所允许的范围内。

中共中央领导人毛泽东、张闻天等不同意，长江局负责人周恩来、董必武等也不同意。

李克农从亲身的体会中，也

看出王明的路线是错误的。他想：蒋介石的抗日积极性并不高，反共的主张未变，共产党如听从蒋介石的摆布，是自取灭亡，会导致抗日的失败。

所以，李克农在实际工作中坚决执行中共中央确定的独立自主原则，在长江局内经常向周恩来请示，放手开展中共在中国南部的工作。

前几年，中共在南方各省的组织受到了严重破坏。当务之急是恢复这些组织。李克农把这项任务作为重点工作来抓。

约一年的时间里，南部13个省先后建立了共产党省委或省工作委员会。他们在本地区内开展救亡活动，发动群众抗日，并吸收一批抗日的积极分子入党，推动了抗日斗争。

李克农在长江局内安排夏之栩负责党内秘密交通，与这些共产党省委进行联系。

“白区工作被破坏了百分之九十九”，这是当时的历史事实。但也有个别例外，比如，中央特科在1932年从上海派回湖南的一位情报工作人员，就在国民党反共干将、当时任湖南省主席兼保安司令何键的鼻子底下，建立发展了一个情报组织。这个组织长期战斗在严重的白色恐怖下，既无一人叛变，也未遭敌人破坏。

李克农这时在武汉任长江局秘书长，也主管南方的情报工作。他接管了上述湖南的情报组织，同该组织负责人刘道衡建立了深厚的同志情谊。

这个组织，在李克农精心指导和爱护之下，为恢复湖南当地党组织、开展抗日统战和情报工作，以及保全党的有生力量，都起了相当重大的作用。

谢和赓

李克农还亲自联系一些秘密共产党员，常为他们的统战和情报工作具体地出谋划策。

1937年底，李克农就在武汉接收了秘密共产党员谢和赓的组织关系。谢当时正在广西做桂系军政上层的统战工作。

谢和赓，1912年出生在广西桂林的一个

诗书世家。青少年时受到二哥谢铁民（大革命初期的共产党员）的影响，接受了马列主义思想。20世纪30年代初在北平上学时，加入共产党。后参加察绥抗日同盟军，与吉鸿昌将军一起浴血抗战。1934年，他受中共中央北方局南汉宸的派遣，到广西做地下工作。他这时已是桂系白崇禧副总司令的中校机要秘书，还兼任大本营中校秘书，在秘书长张群手下，做大本营国防会议记录等事务工作。

李克农鼓励和支持谢和赓保持爱国青年的面目，可以显露才华，要继续取得桂系首领的信任，并敦劝他们抗战。谢本人的政治面目不必灰色，但也不要红。

1937年下半年，谢和赓起草了一份1.2万字的建议书，题为《全民军事总动员纲领与展开全国游击战争之方案》。并以“白副参谋总长机要秘书兼大本营秘书”名义，写给何应钦参谋总长、白崇禧副参谋总长核呈蒋介石。

蒋介石看了此建议书，接受了某些建议，有些建议未付诸实施，总的说是赞成的。这增加了白崇禧对谢和赓的信任，李宗仁也说，“和赓很行！”

周恩来、李克农在武汉见了谢，对他的建议书被重视表示高兴。周恩来鼓励他说，“没想到，你在察哈尔只有很短时间的作战经验，能写出这样具体的纲领和方案来，确是难得！”李克农在临别时夸他说：“小鬼，真行！”还嘱咐他“注意身体，小心谨慎！”

1938年5月，白崇禧拟向国民党军师长以上军官集训团发表演讲，题为《军队政工与群众政工之关系》。白指示谢和其他两位秘书，一周内各自拟出讲稿呈阅，以备选用。谢奋战三天三夜，写出了初稿，有1.4万多字。先拿给李克农看，又转给周恩来核阅。

次日，李克农把原稿还给谢，谢喜愧交集。原稿已用红笔删掉2000多字。删去的是那些揭示国民党中央军脱离群众的过火的言论和指责他们在政工上种种毛病的意见。

李克农对谢解释说，“周恩来改的是白崇禧以军训部部长的身份讲话，而不是站在副参谋总长地位指责政治工作的失误”。李克农还指出，“不要让原稿提出的政治训练原则和方法与我党的太相似……”。

谢于是将原稿删改到一万字左右。几天后，白崇禧到集训团演讲，完全采用了谢的讲稿，白因此对谢更加重用。谢的军阶由中校迅速升为上校，谢在白身边的政治地位日益巩固提高，因而有了更加有利的工作条件。谢为此非常高兴。

谢抽空向李克农做了汇报，李克农也很高兴。李克农笑着说，“有恩来当你的‘改文老师’，这恐怕是两党合作中的一件奇事，不但老蒋和白崇禧想不到，就是毛主席他们也料想不到啊！”

李克农接着说，“小鬼，你真幸运。有党作你的靠山，只要你谨慎而沉着奋斗，你的工作一定会成功。‘战无不胜’是我党对中国革命的最大信心，我们每个做地下工作的人，都应该有这种信心！”李克农如往常一样，用双手把谢紧紧拥抱。谢心情激荡，感受到组织的温暖和同志间的热情。

数月后，李克农自己也到桂林，更方便地直接领导谢和赓，使他在统战和情报工作方面发挥更大的作用。

李克农在武汉后期，还根据周恩来指示，把刘仲容安置在白崇禧身边，后来在抗战和情报工作方面也发挥了重要作用。

李克农很重视桂系在抗日民族统一战线中的作用，随着形势的发展，中共中央会越来越需要了解桂系首领李宗仁、白崇禧的情况，并做促进工作。这就需要早做安排，妥善安排。

谢和赓已晋升为白崇禧的上校机要秘书，他今后要进一步取得白的信任，并争取长期留在白的身边。

问题是，谢和赓受职务的限制，出来活动不便，不能经常与李克农联系。但指派一个秘密交通员，容易暴露，因为国民党特务和桂系特务都会对一个经常与谢接触的生人产生疑问。

这个联系人，政治上当然要可靠，也必须与桂系有密切关系，才能够在桂系里立足。于是李克农就选中了“桂系的亲信、中共的朋友”——刘仲容，作为谢和赓的助手，担负谢和赓与李克农之间的秘密联络工作。

刘仲容是一位特殊的高级联络员。

他是爱国民主人士，不仅年龄比谢和赓大，社会地位也比谢高，他心情愉快地接受这一任务（详情见下述），可见他思想境界之高。

刘仲容，1903年生于湖南益阳。早年留学莫斯科中山大学，并担任该校学生会主席，是位政治上的活跃人物，与共产党员同学和国民党员同学都有广泛的接触和良好关系。他于1933年在上海与共产党建立了联系，逐渐觉悟到救中国必须依靠共产党，并在党的领导下做抗日的统战工作。1935年初秋，在共产党发表《八一宣言》后，他由中山大学同学王公度（桂系的亲信和联络官）介绍，到广西的南宁见了李宗仁，畅谈时局，劝桂系与中共、东北军和西北军等方面联系，逼迫蒋介石起来抗日。他还毛遂自荐地说，愿为德公（李宗仁）奔走效劳，与共产党等方面疏通联络。

李宗仁以前听到过刘仲容的父亲刘承烈的鼎鼎大名。刘承烈早年参加辛亥革命，与两广地方实力派关系密切，20世纪30年代中期出任过桂系驻天津的首席代表，联络北方军阀。在此期间，刘承烈与共产党方面也有联系，他的电台曾供中共北方局使用过（与中共中央通报）。他在1938年还到过平西根据地。

这时李宗仁欣赏刘仲容确是外交联络人才，采纳了他的忠告后，就派他为桂系代表，与共产党领导人以及东北军、西北军首领进行联系。因此，他取得了与共产党联系的合法身份。

接着，1936年和1937年，刘仲容作为桂系首领的代表，到了延安和西安等地，受到毛泽东、周恩来等人的接见，进行多次长时间的亲切交谈，在政治上和生活上都受到深切的关怀。他确信共产党的团结抗日主张符合国家民族的利益，与共产党更加靠近。

1938年，李宗仁在徐州就任第五战区司令长官。2月，刘仲容奉李宗仁之命去河南潢川担任第五战区青年军团的顾问。8月间，战局恶化，李宗仁撤离徐州到武汉，刘仲容也来到武汉。在武汉，刘仲容到八路军办事处，又见到周恩来，还见到李克农。李克农提出，他最好能争取到白崇禧身边工作，实际上做谢和赓的助手。他欣然同意，并表示他受到共产党如此信任，一定做好此项工作。

这个时候，蒋介石任命白崇禧为副参谋总长兼桂林行营主任，而李宗仁的第五战区司令部迁到湖北襄樊，李宗仁即将前往。刘仲容和谢和赓获悉后，就决定利用李宗仁和白崇禧即将分手、正在安排人事的机会，请白崇禧亲信刘士毅出面，建议白崇禧把刘仲容带往桂林行营。白崇禧同李宗仁协商结果，就给刘仲容一个桂林行营参议的名义，把刘留在他的身边工作。

李克农的安排实现了。

周恩来、李克农在汉口见了谢和赓，对他和刘仲容今后工作的配合做了具体指示。周恩来说，“仲容现在没有组织关系，但你要把他当作党内的同志一样看待，一样相信他。除了你认为必须亲自向我们直接汇报的事，你都可以托他转达。因为你的地位关系，时间关系，为了争取迅速了解情况，你得多靠他协助工作”。

不久，李克农到桂林工作，刘仲容利用“公务”的机会与李克农接触，有时也私下秘密来往，转递谢和赓获悉的机密情报，也直接汇报自己获悉的关于广西统战活动的情况，很有成效。

李克农在武汉时，把刘仲容安置在白崇禧身边后，就看到刘不仅可做一个很好的联系人，而且可成为一个重要的情报关系。为此，李克农对刘仲容的工作，指导得很具体。

李克农提醒刘仲容，为了能长期在白的身边工作，首先要搞好与白的关系，要注意两点：1.生活上保持清廉作风，取得白的尊敬。2.政治上不损害桂系利益，取得白的信任。这也符合中共中央争取李、白的意图。

李克农还提醒刘仲容以后要注意安全，遇事不可惊慌，要冷静沉着；要提高警惕，特别要警惕蒋介石特务的破坏和陷害活动。李克农还送给他一支手枪，以防万一。

后来，刘仲容取得了白崇禧和李宗仁的信任，跟随白到重庆、南京等地，一直到1949年南京解放前夕。他既成功地利用了这个大保护伞，对付蒋介石特务的迫害；又不断地获取了重要情报。他获悉的关于桂系首领李、白政治动向和蒋介石反共阴谋的情报，对中共中央决策起了重要参考作用。

李克农在武汉期间，还直接与李宗仁的亲信杨德华联系，指导他的情报工作。

杨德华是爱国民主人士，1936年4月在上海参加了抗日救国会。1937年去延安、西安，受到毛泽东、朱德、周恩来、叶剑英等中共领导人的接见，听到他们介绍共产党抗日救国的方针和政策，深受教育。他回到上海后，把这些谈话要点向救国会成员传达，还转告李济深、蔡廷锴，大家都受到鼓舞，他因此更得到李济深的信任。

全国抗战开始后，周恩来、叶剑英要他到桂系那里工作。因为他了解桂系情况，在桂系军队中有不少武汉军校的同学，很有利于开展统战工作。于是，他通过李济深的介绍，于1937年冬到徐州，参加李宗仁第五战区长官司令部的筹备工作，任司令部中校参谋。

初期，他综合办理作战、情报、后勤、战教、备战等工作，后分工主管后勤与情报等，最后又主持战教动员等业务工作，兼与李宗仁的主任秘书夏次叔一起办理五战区总动员工作。

1938年，杨德华利用到汉口参加战区代表会或其他工作的机会，差不多每个月一次，到武汉八路军办事处，向周恩来、叶剑英、李克农等人汇报情况。

他主要报告五战区所辖2亿人口地区"敌、友、我"动态和所指挥的50万地方杂牌军概况。他每隔两三个月，将五战区作战计划直接送给李克农，作分析"敌、友、我"动态的参考。有时交新华社特派记者章汉夫代送。

1938年5月中旬，五战区军队徐州突围后，司令部里的蒋介石嫡系分子阴谋诬害他，密电请蒋介石对他执行军法处置。幸亏机要处处长李扬将电报内容私下通知他。他乃向李宗仁、白崇禧说明蒋介石嫡系分子打击桂系人员真相，李、白也很生气。

杨德华又到武汉向周恩来、叶剑英、李克农汇报了这个情况，并提出离开五战区司令部为宜。接着，叶剑英、李克农又一起见他。还告诉他，"中央已批准你入党，以1937年为候补期，于1938年转正"。

李克农赞扬他这一时期的统战和情报工作都有成绩，鼓励他以后继续努力。李克农还嘱咐，"你一定要遵守'长期埋伏，积蓄力量，待机而动'的方针。今后你和党只有单线联系，没有上级通知不能发生横的组织关系，一定要坚守党的秘密工作原则，以保安全"。

杨德华深为共产党的信任所感动，后来在革命工作中取得了更大的成就。

李克农在武汉期间，还注意抓南方重点地方建立电台的工作。1938年初，他亲自派申光到香港建立地下电台，沟通了香港与延安和海内外的通讯联系。李克农又几次派申光到香港购买大批通讯器材，送给正在抗日前线作战的八路军，保证了八路军通讯联络的急需。

李克农对八路军驻武汉办事处的机要电台也十分重视，不仅亲自选择地点，随时检查工作，而且还亲自保卫它，防止国民党特务破坏。

办事处电台设在“董必武公馆”里，便于掩护。实际上，这里是中共湖北省委秘密机关所在地。为了保密，除了直接负责领导机要工作的人，谁也不许进电台房。这是汉口安仁里的一座小楼，有两层楼和一个阁楼。电台就设在阁楼上，李克农因检查电台工作常去那座小楼。陶铸任中共湖北省委领导，也常出常进，但他们还没有碰过面。

一天傍晚时分，电台正在发报，李克农又来检查工作，刚走到电台房门口，夜色朦胧中忽然发现一个人要往电台门口走，以为是坏人，就立即迎上去，问，“你找哪个？”

此人就是陶铸。半年前他在南京时，与李克农互有耳闻，但没有见过面。现在也互不认识。陶铸见有人在中共湖北省委机关内，硬是挡住他的去路，也很惊奇，故意说，“我谁也不找，进去看看”。说着，还要往前闯。

李克农一看急了，就抓住陶铸的胳膊往外拖，陶铸就把李克农往旁边推，两人就在走廊里厮打起来。李克农的眼镜被打掉了，就睁着眼瞎抓，陶铸硬是被拦住走不过，憋得脸通红。

他们的吵闹声惊动了整个楼层，电台里的人跑出来，打开电灯一看，一边是长江局秘书长李克农，一边是湖北省委委员陶铸，正打得不可开交，弄不清是怎么一回事。把他们俩拉开一问，才知道是陶铸因事要经过电台门口，遇见李克农，互不认识，就演了一出京戏“三岔口”。

李克农和陶铸都忍不住哈哈大笑起来。

陶铸弯腰从地拾起眼镜给李克农，连声道歉，“克农，误会，误会，一家人打起来”。

李克农接过眼镜戴上，开玩笑地说：“陶铸，幸亏你没把我的眼镜打破，手下留情了。咱们是不打不相识”。

许多年以后，李克农和陶铸在北京相遇，提起这段无意中演出的新“三岔口”，忍不住再度大笑。

第十八章 “接”张国焘

1938年4月，武汉气候转暖。但有时风吹得紧，天空上飘来片片阴云，落下绵绵细雨，气候乍暖还寒，人们感到烦闷。

李克农正在长江局的办公室里看文件、材料，通讯员突然来通知，周副主席要李秘书长去一下。人们还习惯地称呼周恩来为周副主席。

什么事如此紧急，李克农心中纳闷。他收好文件，立刻前往。

周恩来正在办公室等李克农哩！待他落座后，就对他说，“克农，张国焘私自跑到这里来了，你去火车站把他接来，可不能空手而归哟！”

原来，几天前（4月4日），正是清明节，任陕甘宁边区政府代主席的张国焘，到国民党统治区陕西中部县，与国民政府陕西省政府主席蒋鼎文和国民党陕西省党部主任委员谷正鼎一起祭黄帝陵（中部县在延安地区南端。1944年，因轩辕黄帝陵寝所在，更名为黄陵县至今）。祭奠后，张国焘没有返回延安，而是走向西安。

这次，张国焘离开延安去祭奠黄帝陵，中共中央是知道的。但他跑向西安，并未经中共中央许可，是私自采取的行动。

他在延安时，就对日寇的横暴进攻表现胆怯，害怕残酷的长期抗战，不想继续待在最坚决抗日的共产党里。在国民党的诱惑下，对革命发生动摇，只是“苦无逃生之计”。

他在中部县城北桥山山顶上祭黄帝陵时，心不在焉，一起祭陵的蒋鼎文、谷正鼎可能对此人已有所了解，就挑拨性地试探，“蒋委员长对你很器重，请你去西安谈谈”。祭毕，他就摆脱了边区政府的护送人员，只带警卫员张海跟着蒋鼎文坐上小汽车直奔西安。

张国焘到西安后，住进国民党的西京招待所。他心里有鬼，瞒着八路军西安办事处，与当地的国民党官员和特务接洽，备受他们的优待和保护。

7日，他在国民党特务的安排下，从西安乘火车去汉口。

他在乘汽车去火车站的前几分钟，才打电话给在八路军西安办事处的中共代表林伯渠，约他到西安火车站谈话。谈话时，张国焘胡说什么现在共产党中央由毛泽东等少数人掌权，没有民主，党内一大批能干的人受到打击，没有实权，等等。他企图以造谣污蔑、挑拨离间的手段破坏共产党内的团结。

林伯渠据理驳斥，并劝他不要误入歧途，不要去汉口，应立即返回延安。张国焘执意不听，径自登上了去汉口的火车。林伯渠返回办事处后，立即把张国焘的情况电告中共中央。

中共中央接到林伯渠的报告后，就估计张国焘已走上了脱党的道路，但为最后挽救他，立即给长江局周恩来等人发来特急电报，要他们寻找张国焘，劝导他，促其觉悟，回党工作。

8日清晨，周恩来手持电报，紧张地思索着，考虑如何处理。他对张国焘还是了解的。此人在革命的过程中，忽“左”忽右。1927年大革命失败后，对革命产生过动摇。同年7月中旬，中共中央决定在江西南昌举行武装起义，并派周恩来去领导，而张国焘却赴南昌去阻止发动南昌起义。所以对此人逃跑，也不太意外。不过此人在共产党内资历很老，是中共在1921年创建时“一大”的12位代表之一，而且生性自负，骄横跋扈，还异常狡猾。要把他从火车站“接”来，可不是一件简单的事。去“接”的人，必须有高超的智慧和过人的魄力。

周恩来立即想到了李克农，认为李克农是能够完成任务的。

周恩来对李克农说，“这次张国焘私自离开陕甘宁边区，是决心要逃离革命。长江局决定把他接到八路军驻武汉办事处来，是要尽最后教育的责任，尽力挽救他”。

李克农说，“胡公，张国焘这个头可不好剃哩”。

周恩来说，“所以你要想办法，还要带上几个人一起去”。

李克农对张国焘的叛逃，有所震动，他是共产党内的领导人之一啊。

李克农对此事件，又有所理解。长征途中，就对他“领教”过了，知道他的底细。那时，张国焘明显地暴露出是一个野心家，一贯追求个人权力、地位。他凭借掌握着红四方面军的“实力”，要抓整个红军的军权，还想当共产党总书记。中共中央为了红一、四方面军的团结，对他做了一些迁就，又不能让他抓全部的党权、军权，于是，把周恩来的红军总政委的职务让给他。

但张国焘仍不满足，继续进行分裂共产党和红军的活动，又犯退却逃跑主义错误，使红四方面军蒙受重大损失。

于是，1937年3月，中共中央在延安召开政治局扩大会议，批判他的分裂主义和军阀主义错误。为了教育和挽救他，同年9月，仍派他担任陕甘宁边区政府副主席。林伯渠主席不在期间，由他代理。

但他的旧意识很浓厚，又不注意自我思想改造，不愿听取同志们的善意批评，反而斤斤计较个人得失，因此发展到现在的叛逃，并不奇怪。

李克农还想到，现在国共合作时期，张国焘可能对形势做出错误分析，对中国革命前途丧失信心，可能认为今后将是国民党的天下，他在共产党内“失意”，就离开革命，既可摆脱艰苦的生活，又可在国民党政府里做大官。

李克农认为，沙子总要被革命的大浪冲走，但他还是接受周恩来交代的特殊任务。看来，对张国焘进行一番斗争是免不了的。

于是，李克农带了童小鹏、邱南章、吴志坚，全副武装，立即奔赴汉口火车站。

李克农确知张国焘是乘火车来的，是哪一次车，就不得而知了，只好在站台上呆着，夜以继日地等。这办法虽笨，但比较可靠。

他们连续等了三天，18个车次的列车过去了，还不见张国焘的踪影。遇事沉着的李克农也很焦急。莫非张国焘临时改变主意，没有来？或是中途换车了？

童小鹏等三人也很焦急，担心让张国焘跑掉了。

他们虽然焦急，但谁都没有讲话，像打埋伏的战士一样，耐心地等待着。

4月11日傍晚，从西安来的一列火车进了站。他们都注意观望，分头注视从每一节车厢下车的旅客，就是看不见张国焘。

邱南章立即上车检查，在最后一节车厢里发现了张国焘。

邱从车厢窗口打手势发出信号后，李克农和吴志坚立即上车。李克农看见张国焘坐在那里，穿着一身便服，身材魁梧，仪表堂堂，但神情紧张。

李克农也看出周围气氛异常，车上可能有国民党便衣特务“保卫”张国焘。站台上有几个便衣人员在车厢旁转来转去，可能是国民党特务来接张国焘的。

李克农很快走近张国焘，客气地说，是王明同志和周副主席派来接他，请他赶快下车。

张国焘抬头看了李克农一眼，态度傲慢地说，“我自己走，你们不要管了”。

李克农也提高了声调，坚决地说，“我是奉中央之命接你回家的。请您赶快跟我走，这里太危险”。

这时，邱南章和吴志坚已经围在张国焘身边，连说带劝，把张国焘扶下车，几乎是挟持着他走到事先停在站台上的小汽车里。

刚才那几个在站台上转来转去的国民党特务，走过来要拦阻，身穿第十八集团军军服的邱南章和吴志坚立即拔出了手枪，国民党特务一发愣，停住了。这工夫，汽车飞快驶出了车站。

在汽车里，李克农对张国焘说，“王明同志和周副主席要和您谈话，咱们先到办事处去”。

张国焘说，“今天我太累了，先找个旅馆住下，明天再说”。

李克农一看不好再勉强。张国焘虽然是私自来汉口的，但他现在仍然是陕甘宁边区政府的代主席。

李克农就说，“好吧！”

李克农让邱南章和吴志坚陪张国焘在汉口的江汉路找了一个小旅馆住下。

李克农和童小鹏带着张海回八路军办事处向周恩来汇报接张情况。

当天晚上，李克农陪长江局负责人王明、周恩来、博古、凯丰到旅馆和张国焘谈话。在交谈中，张暴露了他要共产党向国民党投降的思想，王明等先未予理会，主要批评他私自出走的错误，劝他到办事处，再商谈其他问题。但张心里有鬼，不敢到办事处去。

李克农交代邱南章和吴志坚继续监视张的活动。

回办事处后，李克农协助王明、周恩来等向中央发报，报告与张交谈情况并请示处理办法。

13日，李克农陪周恩来又到旅馆见张国焘，周恩来拿着中央希望张国焘“早日归来”的电报，又劝张先到办事处住，张坚持不去。

14日晚，李克农又陪王明、周恩来、博古到旅馆去劝张到办事处，张借口去了会被“圈”起来，仍顽固地拒绝。

周恩来说，“你到办事处可以和大家多交谈，行动还是一样自由嘛”。

张国焘推托不了，李克农趁机连劝带拉地把张国焘推进了在旅馆门口的小汽车，来到办事处。

在办事处里，周恩来等人几次三番找张国焘谈话，希望他悔悟。但他阴阳怪气，不多说话，执意要脱离共产党。

周恩来就指明，张国焘只有回党工作，才有前途；万一他不愿回党工作，也希望他向党请假，暂时找一适当地点，或在国内，或在国外，或到莫斯科共产国际去，以便从长考虑。他也拒绝了。

15日，张国焘几次找借口离办事处外出，李克农不便阻拦，就派邱南章或吴志坚陪同他。他见了国民党C.C.特务头子陈立夫、蒋介石侍从室副主任周佛海以及已被中共开除出党的前总书记陈独秀等人，进行破坏抗日民族团结和污蔑共产党的各种挑拨离间的活动。

张国焘还一再向周恩来提出，要到武昌见蒋介石，汇报陕甘宁边区政府的工作。

长江局几位领导人开会研究，知道这是借口，决定派周恩来陪他一起去，看他要什么花招。

16日上午，张国焘见蒋介石时，一开始就说，“兄弟在外，糊涂多时”。周恩来立即针锋相对地插话说，“你糊涂，我可不糊涂”。接着张国焘语无伦次地说了一些边区政府的事。

蒋介石见张国焘这位共产党里的“大人物”，竟如此低三下四，就摆出“元首”的架子，勉励几句，就接见完了。

回到办事处后，周恩来立即批评张国焘对蒋介石谈话的错误态度：向国民党头头如此摇尾乞怜，完全丧失了共产党员的立场。

16日下午，张国焘又说要外出去配眼镜和看牙，李克农又派吴志坚带上一些钱陪他去。

张国焘一出门，就走街串巷乱闯，想抽空溜掉，可是总摆脱不掉吴志坚的身影。

傍晚，张国焘“逛”到长江边，来到轮渡码头。为了摆脱吴志坚，他故意在岸边徘徊，等人们都上船、轮船快要抽回跳板的最后时刻，他疾速地跑上了轮船。张国焘自以为得计，喘了一口气，准备找个座位坐下，但四处一望，很快发现了吴志坚那个瘦长的身影。张国焘这个老手，也不知这个机灵的红小鬼是怎么跟上来的。

到了武昌以后，吴志坚陪张国焘到一家小旅馆吃晚饭。晚饭后，吴志坚劝张回汉口，张不理。吴只好让他在旅馆住下。

初步安顿后，吴志坚偷着写了一张字条，请茶房打电话到汉口八路军办事处，说他和张国焘在武昌此旅馆。

李克农得到电话传来的消息，立即派邱南章和警卫人员到武昌找到了张国焘，说奉周恩来副主席命请他回办事处，他不肯走，邱南章等人就连推带拉地和他一起上了轮渡回汉口。张坚决不回办事处，邱南章就和张一起在汉口中山路的太平洋饭店住下，让吴志坚回办事处汇报张逃跑经过。

17日上午，李克农陪同王明、周恩来、博古一起到太平洋饭店同张公开谈判。

周恩来等人知道张国焘已决心叛党，难以救药，为了尽最后努力挽救他，就提出三点办法，要他考虑：一、改正错误，回党工作（这是中共中央最希望的）；二、向党请假，暂时休息一时期；三、自动声明脱离党，党宣布开除他的党籍。

张国焘不答应回党工作，但表示愿意在二、三点办法中选择一个，希望允许他考虑后再定。

周恩来等人走后，张国焘就打电话约国民党军统特务头子戴笠谈话，表示他决心投靠国民党特务机关。当天晚上，张国焘乘军统特务机关派来的武装汽车走了，“从此即不知其所在”，实际上是投入戴笠的麾下当走狗了。

张国焘离开旅馆前，在房间的桌子上，留下一张给周恩来等人的字条，内容是，“兄弟已决定采取第三条办法，移居别处，请不必派人找，至要”。表示他脱离共产党的最后决心。

中共中央乃于18日作出《关于开除张国焘党籍的决定》，向全党公布。

5月7日，毛泽东在延安的陕北公学讲了张国焘叛逃问题。毛泽东说，张国焘过去在政治上早已开小差，现在组织上也开小差了，此人一贯称自己是“中国的列宁”，实际上他是一个十足的“老机”，历史上不是“左”，就是右。

毛泽东历述这个过程说：

——党的“三大”讨论第一次国共合作时，张国焘反对，开会十几天，他反对十几天。

——到了武汉，他又支持陈独秀的右倾。

——长征路上，他反对北上抗日，带着部队开小差，主张到西藏去建立根据地，以后又另立中央。

——到陕北以后，1936年10月，他反对党中央致国民党二中全会的信，反对第二次国共合作，说什么党中央的信是“韩文公祭鳄鱼文，与国民党合作是幻想”。

——西安事变发生后，他半夜敲我的门，坚决主张对蒋介石处以极刑。

——党中央进入延安后，张国焘说“延安是一块鸡肋，食之无味，弃之可惜”。这是曹操主义，结果开了小差，从延安一直逃到汉口。

正如毛泽东所说，张国焘逃跑到武汉后不听中共中央和周恩来等人的劝告，投入蒋介石的怀抱。

蒋介石让他加入军统，当国民党特务，受军统头子戴笠直接指挥，企图利用张国焘过去在中央的地位和关系，大搞对中共组织内部进行“打入、拉出”的阴谋活动。

最初，张国焘成为戴笠的座上客，“受宠若惊”。戴笠向客人们宣称，“共产党的头头成为我的部属了”，借此进行反共宣传。张国焘主持军统“特种问题研究室”和“特种政治工作人员训练班”，从事反共特务活动，十分卖力。

他派遣特务到边区搞策反和侦察工作，但共产党防范严密，把这些特务都抓起来了。他搞共产党的情报，也内容泛泛。这样，他受到戴笠冷遇。戴笠见到他，不是讽刺几句，就是严厉训斥，有时拍着桌子骂他不肯为军统卖力。张国焘只好忍气吞声，自叹“卖力不讨好”，经常垂头丧气。

蒋介石不愿重用他。1941年起，给他当个国民参政会的“参政员”等闲职，算是对这个共产党大叛徒的“安抚”。1948年冬，张国焘逃到台湾，已不受国民党重视，既无工作，又无生活费。

1949年冬，中国大陆解放了，共产党领导中国人民站起来了，张国焘羞愧交加，从台湾移居香港。1968年，他又移居加拿大，投靠儿子，住在老人院里，闷闷不乐，1979年12月病死在那里。

张国焘事件发生几天后，即1938年4月20日，中共长江局机关支部召开党员大会，周恩来在会上传达中共中央关于开除张国焘的决定，并发表讲话，告诫大家吸取教训，坚决跟党走。

李克农也在长江局机关和办事处共产党员间加强革命气节教育。他指出张国焘不思悔改，同党、同革命闹对立，搞分裂，直至公开叛党，走上绝路。

周恩来和李克农的话，并不是无的放矢。抗日民族统一战线建立后，共产党内、革命队伍内，极少数革命意志薄弱的人，不愿继续过艰苦生活和严格接受共产党的领导，想投靠国民党。武汉八路军办事处人员，身处国民党统治区内的花花世界，面临着严峻的考验。所以李克农利用张国焘这个反面教员，在办事处内抓紧思想教育。

办事处的绝大多数人是革命立场坚定的好同志，但有个别人不可救药。李春祥就是这样一个人。武汉八路军办事处有一项工作，就是与国民党交换抗日情报。李春祥是负责每天到国民党那里取情报的。国民党特务对他进行策反工作，他革命意志不坚，被拉过去了。

李克农发现他的情况有些不正常，就停止他这项工作，改由刘九洲和国民党联系、取情报。

同年10月，办事处因日军逼近，决定撤离武汉。李春祥谋划如何逃跑。

李克农安排好办事处的最后一批人乘“新升隆”号轮船离开。就在开船的前一天晚上，李春祥假借周恩来的名义，从船上拿了一个箱子走了。不一会儿，刘九洲来查船，听了守船人的报告，感到不大对头。他和吴志坚跑到码头，到大小船只上去找，结果还是给李春祥这个叛徒溜掉了。

刘九洲回到办事处向李克农汇报情况。李克农说，“沙子总要被大浪淘走的。张国焘是大沙子，李春祥是小沙子。革命的洪流会继续滚滚向前”。

第十九章　乘船被炸

1938年10月，日军侵略战火已烧遍了半个中国。硝烟弥漫，遮盖了万里晴空；一片阴暗，扼杀了大地生机。日本侵略军在正面战场上继续进攻，国民党军队节节败退，广州沦陷，武汉形势危急，国民政府移往重庆。

这时，中共在延安举行扩大的六届六中全会，纠正了王明的右倾路线，再次强调中共必须独立自主地领导人民进行抗日战争。会议根据战争形势的发展，决定撤销长江局，在重庆设立中共中央南方局。

会后，周恩来从延安回到武汉，向长江局和办事处人员传达会议精神，并布置撤退事宜。钱之光负责带领办事处老弱人员及一部分物资先到湖南下摄司安置。

国民党当局以“焦土抗战”为由，要炸毁旧日本租界大石洋行大楼（八路军武汉办事处在此）。在李克农的安排下，周恩来带少数机要、报务和警卫人员就在22日清晨从办事处搬出，到汉口鄱阳街一号郭沫若家里住了三天。

李克农考虑到周恩来的安全，提议他多留一些警卫人员，但周恩来只同意带一个警卫班。在武汉沦陷当天，25日的凌晨2时半，周恩来一行人才分乘坐小汽车、卡车，离开武汉去湖南长沙，准备去重庆。他已被任命为南方局书记。

周恩来为什么要滞留武汉呢？因为他在这几天，一直到24日深夜，要和中共中央通过电台联系，布置在失陷后的武汉周围发展武装抗日事宜。

在武汉沦陷前夕，周恩来还为《新华日报》在武汉出版的最后一期报纸撰写社论《告别武汉》。

李克农率领一批人员和一批物资，在22日最后离开办事处大楼，从水路离开武汉。

几天前，国民政府各机关人员从武汉撤离时，都把大轮船租用光了。八路军办事处只租到一条小轮船——新升隆号，待命随时开航。

李克农让刘九洲（先后担任周恩来和博古的警卫工作），负责船上的安全保卫，并照顾吴志坚。吴志坚是周恩来的随从副官，这时因腿上生疮不能行走。

22日，国民党当局仍在高喊“保卫大武汉”。在长江边的国民党军队正在抵抗日军的进攻，战斗激烈，枪炮声连续不断。在武汉三镇的国民党军队正在城区布置铁丝网等各种障碍物，准备进行巷战。但是，人们知道，国民党当局并无决心保卫武汉，武汉是保不住的。

几架日本飞机飞临城区上空，投掷炸弹和用机枪扫射。城外的油库被炸中起火，一股浓烟冲天；城区的居民区也被炸中，大批平民伤亡，整个武汉呈现一片混乱。

李克农命令新升隆号轮船立即开船南下。船上载着100多人，有办事处的新华日报社的工作人员，报纸印刷厂的排字工人，八路军警卫排战士，还有两位外国女士。

《新华日报》是几个月前在武汉创刊发行的。它通过报道，激发国统区广大人民抗日爱国的热情。这份报纸在武汉一直坚持办到日军逼近，留下三个工人排印完最后一期才撤退。报纸和印刷厂的其余人员跟着李克农一起先撤退。

船上怎会有外国女士呢？

一位是金发碧眼的德国女人，中文名叫王安娜，她是王炳南的夫人，是随着丈夫一起从武汉撤离的。

另一位也是金黄头发、白皙皮肤的女人，她是加拿大女护士，名叫琼•尤恩。在1938年1月随白求恩大夫率领的医疗队来华，到延安和晋绥解放区工作过。1938年10月，她从延安来到汉口，汉口形势危急。她找到英国领事馆，要求帮助她离开这里，领事馆回答无力解决交通问题。在非常紧急的情况下，周恩来建议她随李克农乘船离开汉口。她欣然同意。

“新升隆”号轮船逆水而上，轮船汽笛长鸣，烟囱浓烟滚滚，与传来的

1938年，董必武、凯丰、李克农（后排左起）叶剑英（前左三）与外国友人王安娜、卡尔逊（前排左起）合影

隆隆炮声相呼应，人们心情沉重。许多人挤在大船舱里，一部分人安置在一些狭小的单间舱房里，或立、或坐、或躺在木制的床铺上，有些人轻声地交谈，有些人思考着什么。

甲板上堆满东西，有木桶、木箱，人们难以通过。李克农指挥人员把甲板上的东西整理放好，让出一条狭窄的通道，人们可以来回走动了。

他边走边检查，发现一堆木桶和木箱后面有动静，便握着手枪，悄悄走近，发现一个陌生的男孩子蹲在那里。他吃了一惊，把手枪别在腰上，伸手把男孩子拉起来。

这个十岁左右的男孩，惊骇不安地说，“我不下船”。

李克农问，“你是怎么上船的，上哪儿去？”

男孩看见这个胖胖的人态度和蔼，就不害怕了，说，他是和爸爸逃难，偷偷跑上船的。

这时，男孩的爸爸也从附近的大木箱后面走出来，说他是汉口的商人，眼看日本鬼子快要打过来，就和儿子跑到江边，但找不到别的船，他哀求李克农不要赶他们下船，表示愿意付船费：

李克农看看这父子俩哀求的神情，十分同情，心想，日军侵略中国，不知给多少人家带来了灾难，日寇不消灭，只有国破家亡：他转身走进船舱，和副领队边章伍商量：现在多一个人在船上，就多一份重量，可是等船靠岸时让他们两人下去，实在不忍心，也不是我们八路军的作风。就留他们在船上吧，船费不必收。但要给他们讲清楚，这条船很危险，是否能到达重庆很难说。

父子俩千恩万谢进了大船舱。

轮船严重超载，吃水很深。船尾还拖着一条驳船，驳船上也堆满了东西，有装满办公用品的柳条箱，办公桌子、公文柜、办公椅、无线电器材、印刷厂机器以及几大箱医药用品。

轮船行驶的速度很慢，走了一天，仍在湖北省境内。入黑之前，轮船在离岸不远处抛锚。船长是在长江下游航行有经验的人，他认为这段河道多险，夜间航行很危险。

这时，从轮船上眺望汉口方面的天空，仍有火光和黑烟。

晚上，大约10点钟才开晚饭。李克农叫大家放开肚皮尽量吃饱，说情况千变万化，不能准时开饭。

晚饭后，所有旅客和船员都集合在甲板上，听李克农布置次日的行动。他解释说，白天这条轮船基本上不能航行，因为目标太大，有被炸毁的危险。

他还规定，为了统一行动，用锣声代替号声，并规定开饭、集合、疏散的信号。

快午夜了，大家才躺下休息，听着江水拍打船舷的声音，逐渐入睡了。

23日早上，船行两小时后，到达湖北省嘉鱼县燕子窝附近，李克农让船靠岸停泊，在树下隐蔽防空。因日本飞机常在白天来这一带轰炸，下午3点以后一般就不来了。

李克农命令大家下船，去村子里休息，找些东西吃，在下午3点半上船。只有舵手、周恩来的通讯员、三个警卫、腿上生疮的吴志坚以及带着孩子的妇女留在船上，听到飞机声也要立即就地隐蔽。

人们纷纷登岸后，疏散着向附近的村庄走去。前面是一片棉田，棉花已经成熟，雪白发光，农民们正在田间采摘。四周一片宁静，刚从船上下来的人们，心情也不紧张了。

王安娜由她的丈夫王炳南陪同往前走。李克农、边章伍和尤恩跟在后面走，两个警卫殿后。

李克农一边走一边开玩笑，因为尤恩看见自由走动的水牛，就紧挨着李克农和边章伍身边走，表现出很害怕的样子。李克农向尤恩保证，水牛生性善良，没有什么可怕的。

“可是，李同志啊，水牛是不喜欢外国人的面孔的”，尤恩表示异议地说。

“那你是外国人喽。不过没关系，我们全是土生土长的，你混在我们中间，水牛闻不出谁是‘洋鬼子’。”

尤恩笑了，相信她在这些人中间，的确不必怕水牛了。

她1933年在加拿大护士学校毕业后，曾来中国山东省，在加拿大天主教会开办的诊所里工作，学会了中国话。所以现在能用中国话和李克农交谈，说起来还算流利，就是一口山东腔。

下午3时许，许多人回来，先上了船。

李克农、王炳南夫妇、夏之栩和尤恩等数人，正在附近的一家茶馆里坐着，可以眺望到堤岸和船只。李克农说，“我们殿后吧。等大家都上船了，我们再走”。

稍过一会儿，李克农这几人走出茶馆，刚走到江边，准备上船，忽然李克农说，“有声音”。

他翻身滚下堤岸背面，看天上，果然日本飞机来了，他叫大家赶快散开、隐蔽。

“散开！不要聚在一起，散开！”李克农重复地叫着。

人们四散分开，设法在堤边的草丛中隐蔽。

就在这一瞬间，从长江侧面飞来三架敌机，在上空盘旋了一周。那架领头的飞机向下俯冲，一下子又向上飞，掀起的一阵气流猛然袭来，要把地上的人吸走似的。接着，飞机向轮船投掷炸弹，船头先被击中，轮船重心不稳了。接着，船上烟筒又被炸，船上起了火，在减弱的马达声中，还有哭喊声、尖叫声和呻吟声，不少人受伤、被炸死，有些人惊慌地往水里跳，有的游上岸，有的淹死了。刘九洲和吴志坚最后离船，跳到江里游走，幸免于难。

日本飞机转了回来，又投下一颗颗炸弹，“新升隆”号轮船和驳船都被炸得粉碎。

日本飞机投完炸弹以后，又向江岸的人群扫射，附近村庄的居民、水牛、鸡犬，也遭到屠杀。

日本飞机走后，李克农站起身来，把放在地上被敌机子弹打穿的军帽戴上，抓紧善后处理。

他首先把幸存者召集在一起，让人分头去堤岸、田间寻找伤员和死者尸体，他自己带着几个渔民去江上，用小船救捞幸存者和残余物资。

“新升隆”号轮船上的乘客和船员，大多数已经遇难。船长的妻子和4个孩子也都被炸死了。幸存者只有30余人，其中大约10人还身负重伤。

李克农一面让人去埋葬死者的尸体，一面让人把伤员安置到农民家里。

李克农说，“炳南，你和这两位女士一起到离这里最近的农家去，请他们准备一下开水、手巾等，其他必需品恐怕在农家是弄不到的，我们随后将全部伤员抬到农家去”。

李克农然后转过脸来，压低嗓门用温和的语调，对被日机轰炸吓呆了的王安娜和尤恩说，“对不起，我知道你们受惊过度还没有恢复过来，可是这里只有你们两位还懂得医道。现在请你们考虑一下怎样治疗伤员”。

尤恩是专职护士，看过白求恩大夫怎样抢救伤病员，总算有些经验。王安娜在德国学过急救知识，对医务有点常识，现在情况特殊，愿当尤恩的助手。

她们立即行动。

尤恩知道在非常简陋条件下进行救护的方法。没有镊子，就把一双木筷子放在沸腾的热水里，然后用它取出伤员腿上的弹片。从农民手里买到的手巾和作绷带用的布很少，脱脂棉根本没有。王安娜和尤恩就找了点刚采摘下来的棉花，去掉棉籽，然后用盐水蒸煮，使它们有吸水性。没有药用酒精，就用烧酒代替。

最后几名伤员抬来时，天色已黑，她们就借着微弱的烛光给伤员治疗。

终于把几位伤员都包扎好了，两位女士累得站不住了。

当晚，李克农在村子里说服农民提供住处，农民们知道他们是八路军，敞开大门，热情接待。

幸亏李克农把装着一笔经费的小皮箱随身带下船得以保存。李克农还建议，把各人所有的钱，都集中起来统一使用。李克农斩钉截铁地说："不管什么情况，也不能增加农民的负担，否则我们寸步难行。"

大家在村子里吃过晚饭，天已黑了，李克农和一些人研究制订行动计划和确定去湖南长沙的路线。

大家分散在农民家里住，都在潮湿的地面上打地铺，躺在薄薄的稻草上，互相紧挨着身子抵御夜寒。

王安娜原先准备把皮大衣留在船上，后来因为皮大衣有一只口袋可装护照和钱，下船时便穿在身上，现在睡地铺勉强派上了用场。

尤恩只穿了一身布军服下船，把全部东西——她的衣服钱包、照相机和胶卷等，都留在舱房的床上，她认为反正下午就回到船上了。现在对这个一时疏忽很后悔，特别是在这个寒冷的夜晚睡地铺，感到衣裳单薄。房主人拿出一条粗布棉被，五个人不够盖，尤恩没有厚一点的衣服，冷得双肩和右腿疼痛，她不能入睡，索性起来到门外走走，发现有一个大草垛，就爬了上去，把全身埋进干草里，只露出头来。

过一会儿，李克农、边章伍和警卫员小马到几家查"床"，大家都在安然睡觉，就是少了尤恩小姐。

他们急坏了，分头在附近寻找。边章伍和小马打着手电筒，叫喊尤恩的名字，发现她在草垛里过夜，回去汇报。李克农听了才放心，说午夜后再去看看她是否平安无事。

尤恩受到关怀，十分感动。她恍然大悟，为什么八路军的部队不会溃散。他们志同道合，相互关怀，现在和她在一起的就是这样的人。对李克农他们，她油然产生一种亲如一家人的感情，她想着想着又入睡了。

这是轮船被炸后，幸存者们在李克农安排下度过的第一个安静的夜晚。

第二十章　到长沙去

黑夜过去了，天刚黎明，大家立即起“床”，把打地铺的房间收拾干净后集合在一起。

李克农对大家讲，“武汉快要失守，日军逼近，我们必须赶快离开湖北省，到湖南省长沙去，那里有八路军办事处”。

没有交通工具，只好步行。李克农把人员分成几个小组，每组约六个人，并指定了负责人，便于赶路时互相照应。还找到了一些农民，临时凑成五副担架抬着重伤员走，一个也不准落下。约定走到一个叫作沙河的小镇会齐。

有几个人提议，把队伍改编成更小的小组，李克农不同意。他说，“我们不能抛弃负伤和体弱的战友。据农民说，这一带盗贼很多，特别是最近，见到难民就不加区别地袭击，将他们仅有的财物劫掠一空。我们这样分成大组，又有武装的战士跟着，土匪就不敢动手”。

李克农再次强调，“现在不管是属于哪个组织，哪个部门的，大家都要同心协力，共渡难关，必须尽快地向前行走”。

这一群人沿着小路前进，穿戴虽邋遢，但精神振奋。

沿途农民看到这一群有武器、有伤员的部队，大都惊慌不安，有些人往泊有小船的岸边跑去，一眨眼工夫，他们就在这纵横交错的水路和湖泊上失去踪影。

“这些家伙怎么这样薄情啊。”行军中有几个人还说，“他们对我们这些逃亡者难道一点也不同情吗？我们只不过想买点吃的，找一个地方休息一下罢了”。

“看得出，你们还没有离开过城市。”李克农很理解农民的心情，说道，

“你们没有坏心，农民怎么知道呢？他们到现在为止，所遇到的陌生人几乎都是坏人。如果将他们那一点点东西拿走，或者把他们赖以生活的小船也征用了，这对他们意味着什么，你们知道吗？”

李克农解释说，“农民们什么过失也没有，我们倒是犯了一个错误哩！成群结队的人，使他们产生不安，以后我们试试用别的办法吧！”

李克农就带着警卫员小马去村庄探路，做解释工作。他那圆圆的脸膛、和蔼的态度，很容易取得对方的信赖。他叫一声“老乡”，说几句笑话，最初冷淡的农民们就和他热乎起来了。然后，在离村子不远处休息，等候大队再进村，农民就不惊慌了。

大队有时在村里住一晚，一切借物都照样奉还，吃了东西都付钱，这样和农民的关系很融洽。李克农强调必须这样做，这是八路军一大纪律。

有一次，李克农还拉上王安娜一起去，说人家看了“高鼻子”可能会客气些。

王安娜已在中国待了一段时间，会讲中国话。

“大概农民们会觉得你是个传教士吧。或者，他们从来没有见过外国妇女哩。所以你去的话，她们一定会好奇的。不管怎么样，你和我们一起去交涉，决不会有什么坏处。”李克农解释说。

李克农、小马和王安娜到了村长家里，一边喝着白开水，一边交谈——农民们穷得连茶叶也买不起。李克农并不立即提出要求，他先和村长寒暄一番，他介绍安娜太太，是为战争所迫，不得已而踏上这多灾多难旅程的贵妇。

在敞开着的门口，成群的妇女、孩子想尽量靠前一些看外国女人。这时候，李克农和他们开玩笑，像马戏团班主一样高喊着，“你们想看一看这个高鼻子妇女就别不好意思。不过要交参观费啊。每人一个铜板，碰一碰要五个铜板！”孩子们哄笑着离开，孩子们的父亲向安娜温和地微笑着，亲切地点头。

坚冰裂开了。李克农便乘机和大家聊天，很快就了解到他所需要的情况，日军的动向和当地土匪活动的规律。

李克农和几个人商量，决定放弃原先从陆路去长沙的行进计划。因为抬着伤员，队伍每天只走30里，太慢了。而且，抬担架的农民想回家。要设法找到木船走水路。

李克农带着小马先到沙河镇，去找镇长商量，要租几条木船。有几个船夫表示愿意用船送队伍到洞庭湖去，而且是走远离交通要道的狭小的水路，这样可以不被日本飞机发现。船夫们说，划小船到洞庭湖，要走十多天，从洞庭湖到长沙就不难了。

李克农还在镇上安排了午饭。随后大队到了，大家一天来只喝开水，都饿了，这时才得饱餐一顿。

李克农嘱咐大家抓紧时间吃完好赶路，要赶在长沙沦陷之前到达长沙。他们乘坐的几条木船，离开沙河镇行驶了一段路以后便扬起帆。

船队行至土匪出没的地方，小马稳坐船头观望，膝上横着一条枪，起威胁和保护的作用。

李克农让两位外国女士待在船舱里不要露面。在长途行船的困难条件下，李克农尽力安排好大家的食宿和伤员的治疗；同时，他很注意执行八路军的三大纪律、八项注意。

他们的食宿主要在船上。一般每天吃两顿饭，主食是大米饭，菜有豆腐和干的红辣椒，有时船夫钓到了鱼，大家一饱口福。李克农有时亲自掌勺，烹调他的家乡菜——辣汁豆腐，味道鲜美，大家一致称赞。

解放后，王安娜在北京的一次宴会上，碰到当上外交部副部长的李克农，谈起这一段历程，开玩笑地说，“我忘不了你，豆腐做得好吃极了。你这么高的地位，并没有你做豆腐那样使我佩服，那真是少有的杰作啊！”

也可能是当时在木船上，大家吃的饭菜感到特别香吧！

在船上，大家从不脱衣服，狭窄的船舱底只铺着竹席，每天晚上互相挤着睡，还算满意，因为现在用不着每晚向农家求宿了。就是湖北夜间的水面上寒气袭人。夜晚下雨时，情况更糟，船篷漏雨，把被子打湿，几乎把大家冻僵了。

有人建议，每天晚上大家喝一杯白酒暖暖身子，预防感冒。大家知道李克农是个爱喝酒的人，一定会同意。谁知他笑了笑回答，“主意不错啊，只是我们军队是戒酒的，战士们大概也会抵制哩！”

尤恩反驳说，“现在主要的不是军规，而是健康”。

李克农最后做了让步，规定每人每晚一小杯白干，不准多饮。实践证明，这种白干疗法对预防感冒是有作用的。

对伤员的医疗，只能采取非常原始的方法。每天诊病两次。一次是早上，在船队出发之前；另一次是晚上，在船队停泊之后。诊病时，尤恩和王安娜从一只船走到另一只船，给伤员洗伤口、换绷带，敷上手头仅有的万金油。后来，在一个镇子里，李克农让尤恩和王安娜到芬兰教会办的一个诊所里，要了敷料和一些药品，伤员包扎的情况有些改善。

这只船队沿途路过不少村庄，有些村长送点礼物给他们，其中之一是鸦片。对此，李克农一概拒收。他认为，假如八路军也收鸦片，和其他军队就一样了。由于有三个重伤员需要鸦片做药用，尤恩再三向他解释，他也不动摇。他说，鸦片确可以当药用，但船夫和农民可能误解，以为八路军也抽鸦片，所以不能有一点点鸦片在这支队伍里出现。

后来，几个人向他解释，鸦片只用于这三名重伤员，如果不治疗的话，伤情会进一步恶化，可能会影响大家行程，他才勉强同意。不过为这件事，他专门召集了几个小组长开会，讲明情况，重申用鸦片的理由和限制。

11月的天气越来越凉，伤员的伤势减轻，身体恢复很快，没有出现并发症。这真是奇迹！其他人也没有患重病，也是奇迹！

为此，李克农专门表扬两位外国女士护理有功。

行船的时间很长，大家闷得发慌，李克农就讲他在长征中亲身经历的故事给他们解闷。大家好奇地听着，同时觉得他们目前面临的困难，比起红军长征算不得什么了。

谈到共产主义信念时，有人插话提问，“共产主义世界究竟是怎么个样子呢？”

李克农回答，“我也说不清楚。但有一点是无疑的：到那时没有人会挨饿”。他这个话朴实无华，但很多人理解了。他们向往着美好的共产主义未来，增加了克服目前困难的决心。

王安娜是一位德国作家，意外地碰上所乘轮船被炸事件，参加一小队八路军的“短征”，虽然艰苦，但觉得很有兴趣。她要把她在中国的这段经历、见闻记录下来，作为将来创作的素材。若干年后，她果然在德国写了一本书《中国——我的第二故乡》，增加了德国人对中国革命的了解。

和她同船的小马，是八路军的年轻战士，经历了许多艰难险阻才找到了八路军。王安娜听他讲了富于冒险性的个人经历，就在笔记本上详细地记下来。

王安娜好奇地问，“什么原因使你相信现在你参加的部队是人民的军队呢？”

“八路军战友之间的情谊、关怀，是我没有见过的。”小马回答。

这个船队里，除了小马以外，还有六位八路军战士。王安娜对李克农说，“是否可以每天请他们来一个人到我们船上作客呢？”

李克农知道，这是王安娜要对八路军战士继续进行采访，也是如实宣传八路军的好机会，就欣然同意。

这六位八路军战士，最大的23岁，最小的才16岁，但都是参加过许多次战斗的红军老战士。多数是四川人，也有湖南人、江西人、陕西人。

他们有悲惨的身世，痛苦的童年。从小受冻挨饿，还受地主狗腿子的鞭打，过着连狗都不如的生活。红军来了，把地主的土地、财产、衣服分给穷人，他们不是狗，而是人了，就参加了这支穷人的队伍。

王安娜抽空问李克农，“红军战士大多来自四川吗？为什么？”

李克农回答，“当四川省有苏区时，有很多人参加了红军，其中多数人还参加了长征，因为他们恐怕我们离开苏区之后，会受到地主的报复。更重要的是因为他们不愿放弃新的生活”。

李克农继续说，“你已经听到许多了，孩子们为什么到我们的队伍来呢？受到人的待遇，战友之间的感情，有学习和成长的机会。为这些，他们不惜付出代价，备尝长征的各种艰难困苦，而不以为苦”。

王安娜详细了解的这几位八路军战士的经历和思想，是和许多中国人的经历休戚相关的。通过典型，可以了解一般，无怪乎王安娜把这些谈话内容当做她在这次艰险旅程中的重要收获。

船队离开沙河镇以后，航行了约一周，进入了洪湖区，景色非常优美。

李克农说，“洪湖一带曾有一个老苏区，贺龙在这里住过。他的姐姐是赤卫队里著名的指挥员，也住在这里。农民是否还会记得这些事情呢？”

王安娜建议“向我们船上两位船夫打听一下”。她说，“他们都是这地方的人，上年纪的船夫大概还会记得老区的情况吧！”

李克农告诉她，“他们不会对不认识的人讲当时老苏区的情况的。因为他们曾无意说漏了嘴，受到国民党政府严厉的惩罚。这些痛苦的教训，使他们学会了谨小慎微”。

王安娜不相信，就问老船夫，洪湖地区是否曾经是苏区。回答果然是“不知道”。年轻的船夫还反问，“红军现在怎么样了？红军现在真的和国民党一起打日本吗？”

几天来，这两位船夫一直沉默寡言。李克农讲红军长征情况，与王安娜的交谈，以及八路军战士叙述自己的经历，他俩都静静地听着，有点相信他们是八路军了，但还有很大的疑惑：这些士兵们并没有佩戴写着中文“八”的袖章，而是佩戴着外国字“8”的袖章，准是冒牌货。

李克农肯定地告诉他俩，“我们这些人确实是八路军。我们中间有的人过去参加过红军”。

“可是，八路军不是在北边和日本鬼子打仗吗，你们为什么在南边呢？”年轻的船夫又疑惑很深地问。

对这个问题，李克农作了解释，“八路军在各大城市都开设办事处，为的是取得与政府的联系。我们就是为此而来的”。李克农还谈了统一战线的建立及其带来的变化，等等。两位船夫只是默默地听着，没有其他反应。

过一天，在一个温暖的下午，李克农一边在甲板上晒日光浴，一边给同船的人讲述贺龙和洪湖岸边老苏区的故事，低声哼起一首旋律动听的歌曲。

这时候，老船夫突然高声问道，“这，这首歌叫什么？”

李克农反问道，“你知道这首歌吗？”

老船夫沉默了一下，还是说，“不知道。”

李克农看出他矛盾的心情，就直接地说，“你是知道的。这是红军唱的歌。我们几个都是红军，也就是今天的八路军。你们用不着害怕”。

这时候，年轻的船夫嚷道，“是啊！我们会唱这首歌。红军的事情我们也记得很清楚，当时我们就住在苏区”。

坚冰裂开了，情况立刻好转。沉默寡言的两位船夫，现在成了健谈的朋友。他俩还把八路军船队预定的下一个靠岸地点转告那里的村庄。

这一行人在傍晚上岸购物时，便受到村里人的热烈欢迎。食物本来已不多了，他们找出好吃的送来，还不肯收钱。李克农还是坚决地执行八路军的三大纪律、八项注意，说服农民收款。“否则，你们会认为我们是冒牌的八路军哩。”李克农笑着说。

晚上，这一行人到村子里和农民在一起。战士们挑水、洗菜、扫地，帮着农民做各种事情。然后，他们在油灯下擦枪，村里的孩子们围着观看。

年老的农民和船夫就围聚在李克农等人身边交谈。许多村民从来没有见过外国人，对这两位外国女人很好奇，也很友好。李克农对村民说，“我们八路军，不仅来自中国的南方、北方，海外的外国朋友也来和我们一道战斗哩！”

李克农还向农民解释共产党现在与国民党合作抗日的道理。

李克农说，“我们根据地，现在实行减租、减息，没有苛捐杂税，那里的农民也比你们现在的生活好”。上年纪的农民微微点头称是。

这一行人，和老百姓的关系融洽了，在船上也和船夫交谈，大家心情很愉快，忘却了旅途的艰辛。

船行至洞庭湖时，日军就在对岸。大家情绪又有点紧张。

李克农让船队赶快行驶，到了湖南北部的小县城——新市。大家被安排在一家旅馆里，分配住在走廊两边用木板隔开的小房间里。走廊上有一个油灯，便于使每个房间都能得到一点亮光。多少天来挤在船上睡觉的人们，这时非常高兴，在旅馆的凉台上、庭院里交谈着。

李克农从这个小县城里向长沙的八路军办事处发出电报，让他们派车来接。

周恩来、叶剑英已经知道“新升隆”号轮船遇难事，一直为李克农等人的安全担心，现在电报联系上了，立刻派出两辆卡车来接。

第二天，他们被接到了长沙的八路军办事处。

办事处设在一所大建筑物里，是从一个富豪家租用的。这里，有宽敞的房间，明亮的灯光，亲切的首长，友好的同志，这是革命的、温暖的家。

1938年10月23日，李克农率武汉八路军办事处和新华日报人员到达长沙八路军通讯处后留影。前排右起：王安娜、简•尤恩；后排右起：王炳南、李克农、夏之栩、李延禄等

当夜，周恩来和叶剑英在这里热烈地欢迎他们。

周恩来一向稳重、沉着，这时看到一群衣衫褴褛的人到来，竟十分激动、十分兴奋。他一把搂住李克农叫道，“克农，我们一直担心你们！”

李克农在这次旅途中，经历艰险，但指挥若定，十分沉着。这时，他抱住了周恩来，在亲人的怀抱里，也激动得流泪了。

周恩来和乘船遇难的幸存者逐个握手拥抱，有伤员、干部、战士和工人，还有两位外国女士。他们离开武汉后，长途跋涉了十几天来到这里。饱餐了一顿晚饭，就到临时安排好的床铺去睡觉，这些床、垫子都是办事处的人让出来的，周恩来和办事处人员改睡在地板上。李克农一行再三推让，甚至提出抗议，也不行，最后只好领受周恩来等人的好意。

他们在长沙能安稳地休息，感到十分舒坦。但是好景不长，到达长沙几天后，在11月12日的深夜，大家正在酣睡，忽然被嘈杂的声音吵醒，被滚滚的浓烟呛醒，听到办事处的一位战士的叫喊声：“起来！失火了！这条街烧起来了！”

还算运气好，是办事处一个哨兵及时发现有人放火的。这个哨兵夜间巡逻时，在月夜下看见一国民党士兵向近旁街角的一所房子点火。哨兵以为这个放火的人是发疯了，就高声喝问，举手制止，但放火的士兵只回答了一句话："这是命令。"又继续放火，火光立刻染红天空。

哨兵要想救火已无能为力，只好把人们叫醒，起来避难。大家惊醒后，纷纷逃到屋外，但见全城各处起火，火光冲天。

周恩来、叶剑英和李克农沉着地指挥大家，把最重要的文件和物品包捆起来，扔到货车上，然后一起登上货车，撤出长沙城，暂时到下摄司安身。

这场大火真奇特！如果是炮火引起的，但没有听见炮声。如果是日特、汉奸纵火，怎么一下子就烧成一大片？而且，日军并未逼近城市。就在这天晚上，国民党前线指挥官陈诚还在电话里告诉周恩来说，"前面打得很好，敌人三次进攻都被我们打退了"。

后来，他们才知道，这大火是国民党惊慌失措自己放的。

湖南省政府主席张治中根据蒋介石"焦土抗战"的密令，同长沙警备司令谋划，派出警备团士兵，三五人一组，共100余组，背着枪，手持汽油桶和小火炉，四处点火，烧遍全城。工厂、民房大部被烧毁，不少还在梦中的居民，来不及躲避，就被大火烧死。

日军并没有马上攻打长沙。长沙大火只是无端地烧毁了一座历史名城，烧死了数以万计的无辜百姓。

李克农他们满面烟黑，衣衫褴褛，总算逃离了火海。李克农想起离开武汉以来的旅程，遭遇的艰险，有点感慨地说，"我们可真是赴汤蹈火哩！"

在下摄司，周恩来、叶剑英和李克农三人商量决定：从武汉撤退来的人和长沙办事处的人员一起去衡阳。

到衡阳后，他们三人又开会决定：留下一些人在此设立一个通讯处；大部分人员去重庆；还有一部分人员，由李克农率领去广西桂林，成立桂林八路军办事处。

第二十一章　扩大统战

1938年11月20日，李克农一行乘两辆卡车到达桂林。正是南方初冬，气候凉爽，阳光暖人。在漓江之畔，看桂林山水，秀丽如画，的确冠甲天下。一片宁静气氛，使人心情舒畅。

但进入市区，发现桂林的规模不大，相当内地的一个中等城市。只有两条较大的街道，街道旁房屋陈旧破烂。满街是来自各方面的人，有上海口音的，有湖南口音的，有广东口音的，也有北方口音的，熙熙攘攘，却有一种战乱气氛，使人心绪不宁。

八路军驻桂林办事处就设在桂林市区桂北路138号（今中山北路96号）一幢古朴而又独特的楼房里。

李克农担任处长，领导办事处工作，并代表中共南方局领导党的组织工作。所以，这里也是中共南方局桂林办事处。

两个多月前，日寇逼近武汉，国民党军队望风而逃，仓皇败退。中共中央长江局负责人周恩来、董必武、叶剑英等同志分析了当时的形势，估计武汉即将失守，即研究准备在重庆、桂林设立八路军办事处，并报请中共中央批准。

在武汉沦陷前夕，周恩来乘一辆小汽车离开汉口，向湖南长沙撤退。第一天途中，天空落雨，地上泥泞，路滑难行，下午才到达湖北荆门。这时，白崇禧和陈诚的车子也到达了。恰巧白崇禧乘的一辆德国造吉普抛锚，白下车等待司机修理，周恩来就下车对白崇禧说，“敌人骑兵先头部队已离我们不远，你上我的车子一道去长沙吧！”白崇禧乃应邀与周恩来同车南行。

在车上，周恩来和白崇禧就目前的抗日形势进行交谈。周恩来鼓励白崇禧坚持团结、坚持持久战。白崇禧认为周恩来分析中肯，言之有理。周恩

桂林“八办”旧址（今桂林市中山路98号）

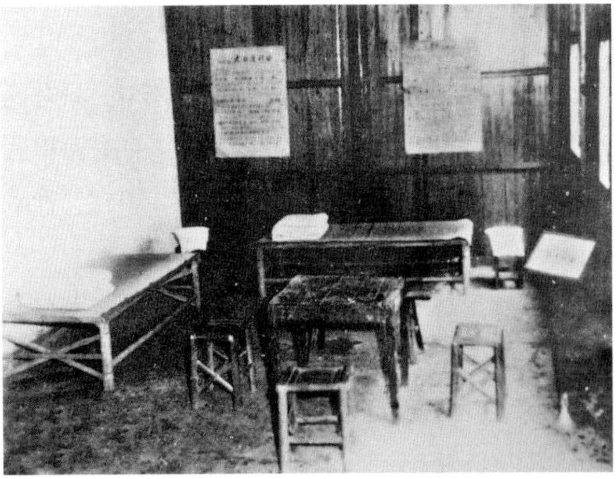

桂林“八办”工作人员宿舍

桂林“八办”电台工作人员

来接着提出，“武汉失守后，桂林是很重要的大后方，广西民团办得不错，我们打算派人去桂林建立办事处，协助你们抗战”。白崇禧当即表示“欢迎”。为解除白的顾虑，周恩来接着说，“请你放心，我们派人去，不会挖你们的墙脚”。

这样，中共领导人和国民党桂系首领就中共在桂林建立八路军办事处问题达成了口头协议。

同月27日，周恩来到达长沙后，在寿星街的八路军办事处，就武汉失守后的抗战形势、撤退途中和白崇禧谈妥可在桂林设八路军办事处、建议李克农为办事处处长等问题，通过内部电台请示中共长江局（当时尚未成立南方局）转报中共中央。中共中央同意。

12月初，以白崇禧为主任的国民政府军委会西南行营，正式批准“八路军驻桂林办事处”的建立。这样，此办事处也成为国民党统治区内的公开合法机关。

办事处共有100多名工作人员，算是一个比较大的中共派出（在国民党统治区内）机构。

办事处的牌子挂在桂北路138号，是办事处对外办公所在地。内有天井，后有一块空地，中间是一幢木结构的两层楼房。李克农带着秘书、机要人员和警卫、副官等人住在楼上，电台和会议室也设在楼上。楼下是行政、事务、采买、会计等办公地方。一进大门，右边是传达室，后面是会客室，每天接待许多来访的人。

办事处在桂北路206号还有一处房子，负责中共地下组织工作的一部分人住在那里。

为了人员来往和便于活动，办事处的大多数工作人员以及家属都住在桂林北郊路莫村的几处农民房屋里。李克农的妻子赵瑛也住在这里。这里还是招待所，并设有一个较大规模的电台，还有汽车班。在村庄的附近，还开辟了八路军在桂林的后方仓库。

李克农在桂北路138号办事处小楼的居室，也是办公室，是用木板隔成的小房间。房内陈设非常简单，但显示了主人密切注意国内外大事的革命胸怀。一进门左侧放着一张小长桌，桌上经常放着一个放大镜。墙上挂着一幅中国地图，对面墙上挂着一幅世界地图。一进门右侧有一个窗户，窗下有一个书架，上面摆着马列主义、毛泽东著作等书籍，还有一些报刊。房子中间摆了一张床，挂了一个白蚊帐。

任桂林“八办”处长的李克农

李克农一贯注意国内、国外形势的研究。他在这陋室里，也结合国内的抗日形势与桂林的实际情况进行研究，越来越看清桂林战略地位的重要。

桂林是当时广西省会，是桂系地方实力派统治势力的军事、政治和经济中心，当然有一定的重要性。但不仅如此，随着形势的发展，桂林的战略地位也提高了。

抗日战争开始以后，广西已成为我国西南抗日的大后方，而省会桂林是西南抗日大后方的动脉。它有铁路可通湖南、广东、贵州，进可以攻，退可以守。在广州、武汉相继沦陷后，桂林又成为中共与内地和海外联络的一个主要交通枢纽。在延安的中共中央和在重庆的中共南方局，同广东、江西、浙江、福建、江苏、安徽、上海一带的联系，都要通过桂林；经香港等地的联系，也以走广西这一路比较近便。从政治形势来看，桂林又是蒋介石为首的国民党同广西地方势力钩心斗角、争权夺利非常复杂的地带。

此时，李克农受中共中央之命，在此地主持办事处工作，深感革命任务是繁重的，具体工作是多头的，必须尽力做好。他主持大计，既着重抓抗日统战工作和党的组织工作，又对办事处的全面工作布置得周密妥当。

根据中共中央关于统一战线的方针和政策，李克农首先做争取桂系坚持抗战的工作。

由于蒋介石实行片面抗战，抗日的正面战场上节节败退，上海、南京、徐州、广州及武汉相继失守，抗日战争进入相持阶段。有些人别有用心，提出什么“速胜论”和“亡国论”。为此，毛泽东发表了《论持久战》的伟大著作，提出了抗战必胜的战略、战术。

一年多以前，蒋介石接受共产党提出的国共联合抗日主张，建立了抗日民族统一战线，是迫于形势。这时，在日寇军事进攻、政治诱降的压力下，阴谋反共，企图妥协投降。于是，中共中央提出“坚持抗战，反对投降；坚持团结，反对分裂；坚持进步，反对倒退”的政治主张。中共又制定“发展进步势力，争取中间势力，孤立顽固势力”的统一战线方针政策。

广西桂系势力就是要争取的中间势力。广西桂系地方势力以李宗仁、白崇禧、黄旭初三人为首，他们与蒋介石的国民党统治有矛盾。

在抗战爆发前，桂系就发生过六一运动，准备与李济深、蔡廷锴在福建成立的人民政府联合抗日。后来，蒋介石搞各个击破，把福建的人民政府击溃之后，转而打击广西。

七七事变后，桂系参加了上海八一三抗战，蒋介石调去十几万桂系军队打前锋，使桂系抗日队伍在前线牺牲了差不多一大半。蒋介石这种借日军炮火消灭异己、保存“中央军”势力的做法，使桂系首领十分寒心。

现在，桂系首领在蒋介石领导下抗日，仍是貌合神离，深怕蒋介石趁机消灭桂系，侵吞广西。

桂系与蒋介石有矛盾，能够成为中共争取的对象，这有利于巩固、扩大抗日民族统一战线，打击蒋介石反共、投降的阴谋。

桂系地方势力，也愿意接受中共团结抗日的主张，以抵御日军入侵；又可以争取群众，捞到政治资本，增强其反蒋力量，支持其在广西的统治地位。但是，桂系地方势力的领导成分多属大地主、大资产阶级，在团结抗日问题上，有时会动摇，特别对发展进步势力持有疑虑。

根据这些体会和认识，李克农亲自做桂系领导层的统战工作。在与桂系领导层的接触中，应付裕如。

在桂林办事处成立之初，李克农就在桂系国民党民主派陈此生的陪同下，主动拜会了桂系三大首领之一、广西省省主席黄旭初。这是一次礼节性访问，李克农先谈些寒暄话。

“广西有没有共产党？”黄旭初真不愧为桂系的智囊，他在与李克农简单寒暄后，就这样单刀直入地发问，企图把李克农难住，在李克农刚到桂林上任时就给他一个下马威。

李克农沉着、冷静、机智地回答说，“有是有的，但是不会找你们的麻烦。如果说没有共产党，那是骗你。我就是嘛”。

李克农接着对广西领导人坚持抗战表示赞赏和支持，明确地说共产党不干涉广西内政，不挖广西的墙脚。李的谈话进一步打消了他们的疑虑。

在这首次会见中，黄旭初和李克农谈得很融洽。黄旭初认为李克农坦诚待他，可以相交。这为黄旭初与共产党人建立比较良好的关系打下了基础。

李克农还很重视做团结广西国民党民主派人士的工作。与李克农关系密切的主要有：

李济深——1885年生于广西苍梧。国民党左派元老，曾当选为国民党一大中央委员。1927年，蒋介石发动四一二反革命政变时，他曾参与发动四一五广州大屠杀。但他与蒋介石长期有矛盾，曾在南京被蒋介石软禁过。1933年11月，他又联合蔡廷锴等人发动反蒋的福建事变。抗日战争爆发后，他响应中共一致抗日的号召，反对国民党的反共卖国政策。蒋介石迫于形势，1940年6月调他来广西任军委会桂林行营办公厅主任。他是桂系的“扶植者、恩人和朋友”。

李任仁——1885年生于广西临桂。早年参加中国同盟会，曾任广西省教育厅厅长。抗战开始后，参加了抗日救亡运动，是救国会会员，曾是白崇禧的老师。这时任广西临时参议会议长。

陈劭先——1885年生于江苏靖江。留学日本时，加入中国同盟会，追随孙中山进行反清民主革命，后曾进行反对蒋介石的活动，在上海遭蒋介石逮捕，西安事变后被释放。抗战爆发后，积极参加抗日救亡工作。这时任广西绥靖公署顾问，同李宗仁有密切关系。

陈此生——1900年生于广西贵县。1920年肄业于复旦大学，1933年加入中国左翼作家联盟。此后，在香港参加组织抗日救国会区总部。当时在广西进行抗日爱国活动，是文教界进步人士，接近共产党（1981年病逝后被追认为中共党员）。

这些人士在桂系中有较高的威望和广泛的影响，通过他们做桂系首领和上层人物的工作比较有利。李克农在桂林期间，与他们保持着经常的接触和联系。

李克农首先向他们分别通报了毛泽东《论持久战》的主要论点。他们了解了抗日战争的长期性，也看到了抗日战争的胜利前景，增强了坚持抗日战争的信心，使他们积极支持在广西开展的抗日民族救亡运动和抗日文化运动。他们有时还利用合法身份和公开社团关系与共产党合作，保护在桂林的共产党人的安全。

李克农常去“广西建设研究会”，这个研究会是李宗仁、白崇禧在抗战初期倡建的机构，他们两人还分别兼任此研究会的正、副会长。李克农主要是利用这一广西官方机构的公开活动，与李任仁、陈劭先、陈此生等广西国民党民主派人士保持经常接触，还可与广西各界人士联系，扩大统战工作。

研究会表面上着眼于研究广西地方建设，是一个学术研究机构，实际上是一个政治活动机构，逐渐成为桂系首领李、白、黄的智囊团，以及广西联系各方面政治势力的纽带。

李任仁、陈劭先、黄同仇为研究会常务委员。李济深来桂林后，被聘为名誉会长。在李、白的授意下，研究会吸收了大批省内外进步文化人、专家、学者为研究员，如陈此生、张志让、杨东莼等人。

李任仁、陈劭先、陈此生等人所代表的抗日民主派在研究会里日益活跃，组织了一些团结抗战活动。李克农积极支持，常去参加研究会的聚会活动。

李任仁与李克农的交往较多，有时还以研究会实际负责人（常委主任）的身份在研究会的八桂厅宴请李克农。

李克农还视情况与这些人单独联系。如李克农指定“国际新闻社”记者孟秋江与陈此生定期联系，每星期六晚上到陈此生家里，谈当前形势，特别是敌（日本侵略者）、伪（汪伪）动态情况。

李克农还广泛联系在广西的进步群众团体，通过这些团体团结一大批爱国民主人士，不断提高他们坚持抗战的认识。如“救国会”就是一个进步组织，成立于上海，后来迁到重庆，在桂林也有活动。救国会在桂林的聚会活动，是采取聚餐方式，经常在桂林的“天然酒楼”举行。李克农有时去参加聚会，既增进友谊，又讨论问题。有一次，他还利用聚餐会的机会，传达中共中央的指示。

李克农又支持和领导胡愈之发起“读书会”活动，团结更多的文化人。他们每周活动一次，交谈读书心得，讨论国际、国内形势，还分工为报刊写文章，宣传抗日。

李克农巧妙地开展了广西妇女界、宗教界的统战工作。广西的妇女团体，原来以广西上层妇女为主，在李克农的鼓励下，李宗仁的夫人郭德洁在1939年7月1日成立了“广西省新生活运动促进妇女工作委员会”，联合广西各界的进步妇女。一些女共产党员参加了这个委员会，有的还担任了组长，协助郭德洁工作，开展了有利于团结抗战的活动。

李克农通过从上海转移到桂林的“汉口基督教女青年会战时服务团”

（实际上是共产党领导的），推动桂林基督教青年会参加抗日救亡工作。

“广西回教救国协会”，由白崇禧担任名誉会长，是白崇禧控制广西回民的一个组织。李克农指示担任白崇禧机要秘书的秘密共产党员谢和赓借负责该会实际工作之便，指导广西回民进行抗日救国活动。这个协会在广西组织回民青年参加抗战，组织回民救护队，成立回民收容所，救济难民，还出版抗战报刊《正义》，搞得有声有色。

李克农在广西青年群众中开展统战工作也很有成绩，甚至深入到广西三青团内部。李克农在广西青年中组织读书会和联谊活动，吸引广西三青团成员参加。在一次郊游中，一些广西的三青团员声明，“我们和重庆的三青团（中央）不是一回事。我们也是要求进步，坚持抗战到底的”。

1939年9月，德军侵占波兰时，苏联出兵波兰东部，引起了人们的关注。

此事件的经过是这样的：

1939年9月1日，德国法西斯军队开始大举入侵波兰；17日包围了波兰首都华沙。

波兰政府于16日离开华沙，流亡国外。

9月17日凌晨，苏联两个方面军约60万人进入波兰东部西白俄罗斯和西乌克兰地区。当天，苏联政府向波兰驻苏大使递交了一份声明，提出出兵的理由：一是波兰国家和政府已不复存在，波兰局势已对苏联构成威胁；二是苏联应保护波兰境内的西白俄罗斯和西白乌克兰同胞。

此后一段时间里，在重庆的三青团中央跟着国民党大嚷大叫：“又一次瓜分波兰（历史上有过俄、普、奥瓜分波兰事），苏联也是侵略者。”但广西三青团讨论国际形势时表现截然不同。他们普遍认为，“苏联出兵是自卫，既可保卫它的西部边境安全，也可保护波兰东部人民”。

1939年2月，李克农派办事处的李涛到三青团广西支部举办的桂林青年干训班讲《游击战术》，受到学员们的广泛欢迎。

李克农间接地秘密派遣青年共产党员打进广西三青团、广西学生军，从中积极地发挥作用，争取他们团结抗战。

李克农利用广西地方建设干部学校，发展了一大批进步势力，为统战工作作出了杰出贡献。

1938年冬，广西当局为培养地方基层骨干，筹办广西地方建设干部学校，校长是广西省主席黄旭初，但缺少得力的教育长，李任仁就推荐刚从武汉撤退到桂林来的著名教育家杨东莼担任（李任仁和杨东莼都是救国会会员，也是多年好友）。黄旭初欣然同意。

杨东莼早在1932年和1933年间，曾任广西师专校长，办校很有成绩，在广西青年中有很高威望。黄旭初知道这些情况，就要借助杨东莼的崇高威望和办学经验，为桂系培养地方青年干部，以发展桂系势力。

杨东莼在大革命期间就参加了共产党，去日本后失掉组织联系，后来回国又恢复党籍，成为秘密的共产党员。但公开身份是救国会民主人士，以便于开展工作。

杨东莼来到桂林后，原来准备去延安的，这时发生了黄旭初要聘请他为广西地方干校教育长的新情况，就立即向李克农汇报。李克农认为这是发展与桂系统一战线关系、在广西发展进步势力的好机会，应该抓住，就同意杨东莼在桂林办广西地方干校，并请示中共中央，获得批准。

李克农还指示杨东莼，为了学校能真正地培养抗日骨干（桂系是以抗日为名办此干校的），不要马上应聘，要提出先决条件，以免受国民党中央的干扰和破坏。

于是，杨东莼在接受聘请之前，向黄旭初提出办干校的三个条件：一是干校的人事安排，由他向校长负责，不受省人事部门的牵制，同时说他平时接触的人，各方面都有，希望黄勿听信外界谗言，发生不必要的误解；二是为了简化行政手续，适应战时工作，凡干校的训练计划、课程设置以及训练方法，都由教育长负责向校长报告，经校长批准执行，免去报送省教育厅的审批环节；三是“行政院”有规定，凡省市高级干部，都要到重庆“中央训练团”受训，他因身体欠佳，行动迟钝，请准于免训。这些条件，黄旭初都同意了，杨东莼才接受干校教育长的职务。

杨东莼把干校办成延安抗大式的学校。校址设在桂林东郊的天圣山，干校领导一面组织教学队伍，一面登报招生：职工们采取因陋就简、就地取材的办法盖了一片简易平房，建设速度很快，在不到三个月的时间里，学校办成，于1939年初开学。

杨东莼特地向路过桂林、住在八路军办事处的教育家徐特立请教，吸取延安抗大的教学方法。李克农又选派了十余名共产党员，到干校去担任教学任务。

杨东莼在干校的工作受李克农的直接领导。方式是秘密的，不打电话，不通信，李克农不来干校，不到杨东莼的家。杨东莼也不去八路军办事处。需要直接会面时，通过事先安排，在某一饭馆吃饭或在某处河边碰头，李克农传达中共中央的指示，杨东莼汇报重要问题。大多数情况下，杨东莼通过调到干校工作的共产党员周钢鸣向李克农请示汇报工作。这样，别人一直不知道杨东莼与八路军办事处的联系，也不知道他是共产党员。既保证了他在国统区的安全，也保证了干校得到李克农及时的有力领导。

在干校最初的一段时间里，有些共产党员和进步教职员，看到表面的和平气氛，又看到干校教材内容进步，训练方法革新，图书资料室里进步书籍多，还没有发现反革命破坏活动，就思想麻痹，公开拿着《新华日报》，夹着《联共（布）党史》到处走，随地谈。李克农了解到这种情况，就及时要杨东莼和干校共产党支部，分头找这些人做思想工作，这种现象很快就停止了。

后来，干校内有国民党特务和托派分子进行破坏训练、破坏抗战的活动。李克农告诉杨东莼；不要使用“特务”和“托派”的词来指责他们，可以通过团结教育思想进步的学员，起来向他们的反革命言行做正面的批判斗争，使他们陷于孤立，打下他们的反动气焰。

杨东莼就对混进来的三个国民党特务（教职员）采取行政手段，把他们辞退了。对学员中几个托派分子，未作处理，把他们留在干校里当反面教员。干校又请叶剑英做政治报告，学员们弄清了“速胜论”和“亡国论”的错误思想，树立了抗战必胜的信心。校内一些破坏训练、破坏抗战的言论，没有市场了。

干校在杨东莼主持下，到1940年底，共办了三期训练班，培养了4000多名抗日骨干。干校校风民主、进步，驰名大后方，曾有“北有抗大，南有地干”之赞语。

李克农还通过共产党员，在广西的一些中学里，发展进步势力。甚至在广西一所有名的贵族学校里，也有一部分学生思想进步，要求抗日。

这些进步势力的发展，对于广西抗日救亡运动的开展起了重大的推动作用。

李克农在1939年4月致电中共中央、南方局，汇报办事处在桂林统战工作执行情况，明确提出，“为着巩固统战与提高抗战胜利的信心，必须注意公开工作与秘密工作的联系的策略”。这显示了李克农在广西开展统战工作的创造性，既保证了当时统战工作的蓬勃开展，又预防了以后国民党破坏统一战线的反共阴谋。

第二十二章　文化救亡

李克农在桂林两年多的时间里，利用当时、当地的有利条件，积极领导抗日救亡文化和宣传工作，使桂林的文化、宣传活动空前活跃，桂林因而被誉为“文化城”，不仅在国民党统治区，就是在国内外都有着广泛的影响。

李克农很有魄力，又很注意策略，根据国统区桂林的特点，抓住时机，在文化界放手发展，范围广而深，形式多而好，形成了文化热潮。

李克农很注意在新闻界建立抗日宣传阵地。争取《救亡日报》在桂林复刊，是重要的一步。

《救亡日报》原是“上海文化界救亡协会”的机关报。该会是八一三上海抗战前成立的，由共产党领导、以上海左翼革命文化工作者为中心的文化界抗日救亡的统一战线组织。《救亡日报》创刊时，郭沫若为社长，夏衍为总编辑，国共两党合作，都派人参加编辑和经营。不久，上海沦陷，《救亡日报》被迫停刊。1938年元旦在广州复刊。日机不断到广州轰炸，代表国民党方面的编辑主任汪馥泉（上海复旦大学教授）就去了香港，不再回来。共产党工作人员留在报社，坚持采访、编辑和出版发行工作，一直到广州沦陷，该报又被迫停刊。

报馆工作人员在1938年10月底从广州撤退，11月上旬到桂林，做复刊筹备工作。李克农积极支持。李克农认为，报纸复刊，首先要争取合法，让广西当局放心。

根据李克农的意见和安排，夏衍先请刘仲容陪他去拜访了李任仁，然后再由李任仁和他一起，对广西省省长黄旭初作了“礼节性”的拜访。夏衍对黄旭初坦率地表示，“我们赞赏和拥护广西当局的团结抗日的立场，对广西内部政务，保持友好态度，也请广西当局对《救亡日报》予以支持”。黄旭初表示同意。

后来，周恩来、郭沫若、李克农在桂林见李宗仁、白崇禧时，也谈到了《救亡日报》即将在桂林复刊，希望得到他们的协助。李、白表示“欢迎”，还答应补助一笔经费，作为开办费。这样，《救亡日报》在桂林有了公开合法的地位。

新中国成立后，李克农与老战友阿英（左）、夏衍（右）在北京重逢

报社工作人员到达桂林的已有十数人，赤手空拳而又人地生疏。他们要在物价飞涨的情况下办一张报纸，经费成了首要问题。八路军办事处不可能提供经费。出路何在？李克农和夏衍商量了两天，决定要“自力更生”，不向国民党和桂系伸手。

夏衍立刻经广州湾赴香港，通过廖承志，从海外华侨捐赠的经费中拨给了1500元港币。李克农又从办事处的仓库中拨给二三十令白报纸。郭沫若12月路过桂林时，也拨了一小笔款子和几十令白报纸给报社。

这样，《救亡日报》于1939年1月10日在桂林又复刊了。

李克农代表中共南方局指导报纸的工作，有关报社的重大事情，由夏衍负责向他汇报请示，他有时也到报社来找夏衍。

《救亡日报》是一张四开小型报纸，要在桂林已有的几家大报之间立足，必须制定正确的报道方针，整顿和改革版面，还要加强发行管理工作。

李克农和夏衍商量后认为，为了在国统区立足，对付国民党的阻挠和破坏，《救亡日报》必须保持文化界统一战线的标志。但必须有自己独特的风格和特点，要敢于全面反映人民抗日救国的呼声。

根据这一方针，《救亡日报》及时宣传共产党“坚持团结，反对分裂；坚持抗战，反对投降；坚持进步，反对倒退”的政治主张；宣传毛泽东《论持久战》的战略思想；揭露在汉奸汪精卫叛国之后，蒋介石反动政权对日妥协以及日寇诱降的阴谋；报道八路军、新四军坚持抗战、英勇打击敌人的战绩；介绍陕、甘、宁边区及各民主抗日根据地实现政治民主，人民群众英勇参加抗日的情况。这些宣传鼓舞了广西以至西南大后方广大人民坚持持久战、争取抗战最后胜利的信心。

夏衍亲自抓报纸的版面改革。首先是改变该报在上海、广州出版的那种既不像杂志，又不像报纸的形式。要根据办报的基本规律办事：突出国内外重要新闻，少登长文章，不发空议论。每天有一篇言之有物的短社论，内容丰富，从国际大事、国内抗战形势，一直到社会风气、人民生活。

李克农有时也为报纸撰写评论。他在1939年3月10日的《救亡日报》上发表评论：《对第三届国民参政会的希望》。评论提出加紧民族团结统一力量，抗战建国，呼吁废止书报原稿审查决议案的实施及请求明令通缉民族叛逆汪精卫。

报纸还有国内政情、地方社会消息和文化岗位，有时还出音乐、戏剧、美术方面的专刊，并刊登文化界知名人士的特稿和“本报小资料”。

报纸文风也做了一些改革，力求做到通俗易懂。

这样，《救亡日报》的发行量，从不到2000份增加到3000份、5000份，销路扩大到湖南、江西、广东、四川乃至香港和南洋一带。营业收入有了盈余，增设了印刷厂。

李克农不断为报纸充实业务人员。又先后把富有经营管理经验的翁从六和张尔华调来报社任经理。他们用有限的经费保证了报纸印刷、发行和同仁们的基本生活。

由于《救亡日报》保持着公开合法地位，设在桂林太平路12号的报馆，自然地成了各地进步文艺工作者的通讯联络、碰头和临时落脚的地方。

报社实行“原始共产主义”，外地来人没有地方住，就在“客厅”里睡地板；碰上吃饭的时间，一起吃大锅饭。这些文艺工作者给《救亡日报》写文章，有时还帮助跑跑腿，也一律不给报酬。这种情况一直维持到1941年春这家报纸被封时，大家都没有矛盾。事隔若干年后，大家也觉得这一时期的工作和心情都十分痛快。

周恩来决定，夏衍在做好《救亡日报》宣传工作时，也要做统战工作。在李克农的直接领导下，夏衍以《救亡日报》总编辑的身份开展统战工作，也非常出色。

当时的桂林，在文化方面，有两个不归桂系管辖的机构：一是中央社广西分社，社长陈纯粹；二是新闻检查所，所长姓周。它们都是由国民党特务C.C.系统控制的，对《救亡日报》负有监视任务。

在报纸方面，除桂系的《广西日报》、“中立”的《大公报》之外，还有国民政府军委会直属的以反共著名的《扫荡报》。

新闻检查所周所长是个两面派，表面上对夏衍表示友好，认同乡，实际上对《救亡日报》稿件审查很严。夏衍就采取革命的两手来对付他：一方面维持表面的友好，另一方面对他们无理删改稿件，进行必要的斗争。

夏衍和中央社的陈纯粹相处得很好。陈保证对《救亡日报》和对《广西日报》《大公报》《扫荡报》一视同仁。《救亡日报》同《广西日报》之间，维持着友好关系。

《大公报》的主持人王文彬，是一位爱国民主人士，对夏衍诚恳坦率，有时还谈些重庆的内幕消息。

甚至《扫荡报》的总编辑钟期森，也和夏衍保持着友好关系。他有一次对夏说，“您不要把我和重庆的《扫荡报》联系起来。在桂林，我们两家的处境差不多，都是‘寄人篱下’，加上现在是抗日时期，我不会在我报纸版面上发表不利于团结的言论”。夏继续对他做工作，使他言行基本上保持一致。

争取《新华日报》在桂林发行，是李克农在桂林新闻界建立抗日宣传阵地的另一个步骤。此时，新华日报社已从武汉转到重庆。它是共产党的机关报。此报宣传共产党的方针、政策，报道共产党领导的抗日根据地的情况，以激发国统区广大人民抗日爱国的热情。

1938年12月，新华日报社在桂林桂西路35号设立了分馆，开始发行桂林版。可是，国民党当局视《新华日报》为眼中钉、肉中刺。国民政府内政部在1939年1月20日下令停止发行《新华日报》桂林版。为此，《新华日报》桂林分馆负责人张尔华到八路军办事处，请示李克农，怎么办？

李克农果断地说，“内政部的勒令，只刊登在《广西日报》上，他们没有直接给我们来文，我们可以置之不理”。

李克农解释说，“桂系和蒋介石有矛盾，不一定积极支持这个勒令。我们可以利用这个矛盾。现在桂系当局没有通知我们停发，我们就可在桂林继续发行”。

国民党特务机构，又以各种卑劣手段暗中破坏《新华日报》在桂林的发行工作。“新闻检查所”借口新闻检查而诸多留难，他们查无所获，就把邮寄的《新华日报》堆在一起，泼上水踏来踏去，使邮件上收件地址看不清，投不成。邮局还把外寄的报纸积压、拖延，或颠倒日期顺序之后才分批邮送，使读者收到报纸时很迟，还残缺不全；有时他们将报纸邮件用水浸泡后才寄出，造成字迹模糊不清。他们有时大量收购零售的《新华日报》。更为恶劣的是，他们通过邮局检查，搜集《新华日报》订阅者的姓名、地址，以便对所谓赤化分子进行迫害。

为此，李克农和《新华日报》桂林分馆负责人一起研究了对策。

一方面，分馆负责人找邮局和有关部门进行正面交涉，对其恶劣行为提出抗议。他们支吾其词，不敢承认。另一方面，改变投送《新华日报》的方法。比如：采取化整为零的邮寄方法，从零寄整付邮资，改为零付邮资、分散邮发地段，计算好各邮箱取件时间和顺序，分别按时提前邮寄。

在方式上有时采取伪装，用国民党《中央日报》《扫荡报》或总裁言论之类的书刊做封包，把《新华日报》夹在其中；有时换上别家报纸的报头寄出。报纸还卷成不同形状——长的，短的，圆的，扁的——投寄，有些使用各种各样规格的信封邮寄，不容易被识破。

还要为读者保密。一般说，订阅《新华日报》的读者，是不用真名的。

有一次，新出版的《新华日报》，刊登了毛泽东一篇重要文章《论新阶段》。李克农指示桂林分馆把这期的报纸增印数千份，并让办事处全体人员出动，上街去卖报，报纸很快卖出去了。李克农还让办事处收集广西各方面重要人物的地址，把专门打印出来的这篇文章，装在信封里，邮寄给他们。

1939年1月间，李克农还决定在桂林举行一次《新华日报》义卖活动，设立义卖站26个，动员了办事处和救亡团体人员以及教员、学生和读者多人参加义卖。白崇禧以100元买报纸一份，黄旭初、郭德洁等广西省高级官员和知名人士都以高价购报，桂林各阶层人士也积极买报，搞得热火朝天。

李克农这样大张旗鼓地推销《新华日报》，有利于这个报纸在桂林公开、合法地立足，又扩大了宣传。就这样，《新华日报》桂林版继续翻印发行，直到1940年6月才停止。

在李克农的领导下，一批进步刊物陆续在桂林办起来。李克农对这些杂志的工作积极支持，又能出新点子，帮助他们解决难题。

现在，仅举《青年生活》月刊和《工作与学习·漫画与木刻》月刊的出版、发行为例谈谈。

1939年，蒋宗鲁等几位在北平、上海、南京、武汉等地搞过青年学生工作的共产党员到达了桂林，认为在桂林开展青年工作的客观条件是很好的，但必须有个比较固定的阵地。就提出出版一个定期的青年刊物，便于公开活动。

李克农同意这个意见，并赞扬他们的积极性，同时指出，“我党历来是重视青年学生的，我们要和国民党争夺青年，但在广西这种特殊而复杂的政治背景下，我们的做法必须十分慎重”。

在刊物筹备过程中，蒋宗鲁提出：商得《新华日报》桂林分馆经理同意，由报馆为刊物代印代发，自负盈亏。

李克农指出，这个方案虽有把握，但从当前的政治情况来看，这个方案不妥。李克农提出，如能请民主人士熊子民开办的桂林科学书店和印刷厂代为印刷发行最好。这样不仅在经济上有保证，而且在政治上可得到掩护。为此，李克农亲自向熊子民提出后一个方案，熊子民表示同意，当即指定科学书店负责人与月刊负责人商定。

《青年生活》月刊就在这样情况下，于1940年春创刊了。不久，桂林政治形势逐渐恶化，几家进步报刊被迫停止发行。但《青年生活》由于有科学书店的掩护，一直出版到1944年日寇逼近广西时才停刊。这显示了李克农在筹备月刊时的远见卓识。

李克农还先后指派办事处的沈毅然、龙潜经常和蒋宗鲁联系，及时解决月刊的各种问题。

月刊的内容丰富又有特点，既登载有关抗战形势及国内外发生的重大事件的分析文章和短论，也刊登一些政治、经济、历史、地理、科学等知识性文稿以及文艺随笔。有关青年切身问题，如就业、学习、人生观、恋爱观等，每期都有。月刊受到越来越多的青年的欢迎。有些地方青年们组织的读书会，把《青年生活》列为主要读物，使不少青年走上抗战和革命的道路。

《青年生活》的发行数量逐渐上升。开始二三千份，最高时达一万几千份。不仅在广西青年中很有影响，而且远销湖南、江西、广东、贵州、云南等省，成为在西南各省销量较多、影响较大的进步青年读物之一。

《工作与学习·漫画与木刻》月刊，是一种"合二为一"的奇特杂志，是李克农的创造。

开始，在桂林的生活教育社决定办一个杂志《生活与学习》。后来，桂林漫画木刻界有意出版《漫画与木刻》的刊物。两家经费又都不足，怎么办？他们请示了李克农。

李克农考虑后说，两家可以联合起来办，由新知书店印刷发行。

刊名怎么定？内容怎么办？李克农出主意说，可用正反两个封面分别标明两个刊名（即一边封面刊印《工作与学习》，另一边封面却刊印《漫画与木刻》），刊物穿插编排文字与图画。

这样办，在通常情况下不大容易协调一致，可是这两家都抱着坚持抗战的共同愿望和宣传方针，不仅没有发生什么困难，还越来越广泛地团结了更多的作家和漫画木刻工作者。由于这个刊物常常针对读者关心的重要问题发表文章，图文并茂，通俗易懂，较受群众欢迎。

月刊创刊时，周恩来在重庆作了敌我政略与战略的报告，引起轰动。李克农就把这个报告的要点特地提供给月刊，月刊在第一期第三页后半段用附记方式发表，也引起了广泛注意。

这些进步报刊很快就压倒了国民党的报刊。

李克农还在桂林领导开展了丰富多彩的抗战戏剧活动，形成桂林文化又一个大特色。

这时，许多进步剧团陆续撤退到桂林，它们是由爱国青年或少年组成的文艺团体。李克农对他们倍加爱护，派专人分别联系，帮助他们进一步扩大剧团，开展以戏剧、音乐为主的各项文化活动。

在李克农的领导和关怀下，其中的"新安旅行团"（简称"新旅"）工作得很出色。他们演出了吴晓邦导演的大型舞剧《虎爷》，以及其他一些小型话剧、活报剧，利用防空的空隙，在七星岩石洞中开展抗日宣传活动，取得了很大的宣传效果。

“新旅”是在中共领导下的抗日救亡团体，成员都是少年儿童，以江苏淮安县新安小学学生为骨干。“新旅”在1938年冬到达桂林，没有经费，团员们生活很困难。李克农就请求周恩来同意，在1939年初，设法由国民政府军委政治部三厅拨给全团45人编制的津贴费。这既解决了团员们的温饱问题，又解决了“新旅”的合法性问题。

“新旅”还把一个人的钱供两个人用，以发展和壮大团体组织。全团过着“军事共产主义”式的供给制生活，十分愉快。

李克农还派他的秘书龙潜具体指导“新旅”的工作。李克农指导“新旅”联络桂林七个少年儿童团体。统一了全市规模的少年儿童活动。

李克农根据他们的特点，请专家、学者为他们作学术报告。如请国际新闻社的张铁生讲国际形势，请青年记者学会的范长江分析战局，请语言学家周道辅上语言文化基础课，请广西音乐家吴百超讲乐理、声乐，教指挥等，都受到热烈欢迎。

“新旅”常和桂林的儿童团体举办联合公演。对表演的节目，是互通有无，互相学习。有秧歌舞《打倒日本升平舞》，有活报剧《放下你的鞭子》《卖梨膏糖》等。李克农还向他们提供新节目、新剧目，如相声《全面抗战》，以及李克农自编的活报剧。

著名的舞蹈家吴晓邦到广西后，李克农请他到“新旅”教舞蹈。吴老师每周三次到“新旅”都是步行，来回要走30里路。他耐心地教孩子们舞蹈，为他们的舞蹈活动打下了坚实的基础。他不计任何报酬，和孩子们一起喝菜粥、吃芋头饭。吴老师为“新旅”的孩子们排节目，如《春的消息》《虎爷》等，使他们从集体舞的水平上提高了一大步。

《虎爷》是四幕大型舞剧，反映团结抗日的故事，由吴晓邦编导，刘式昕作曲，1940年10月在桂林国民大戏院公演。这是中国第一个舞剧。演出盛况空前，轰动了桂林城。

“新旅”的社会影响不断扩大，国民党老想压垮它。李克农很关心团员们的安全，既支持他们的斗争，又指导他们注意策略。

1939年4月的一天，“新旅”总干事徐志贯带着两个小团员张敬茂、任干到办事处来汇报工作，李克农在办事处的卧室兼办公室里热情地接待了他们。李克农有力地和他们握手，和蔼地询问两位小团员的姓名，听他们汇报在湘西工作时遭到国民党迫害的情况。

1938年深秋，上级共产党组织要求“新旅”派人协助湖南儿童保育院护送200多名难童，从长沙撤退到石门。团里就派了任干、张敬茂、徐畹华三人，组成一个工作组，承担这个任务。他们护送难童到石门后，就发生了“长沙大火”惨案。他们应院方要求，又把难童转移到大庸。难童保育院住在大庸城南天门山下的大悲庵内，冬天严寒，大雪纷飞，难童们只有一件棉背心御寒，伙食极差，缺盐少油，营养不良。许多孩子病了，无衣无药，眼看着两个孩子相继死去，院方还无动于衷。

“新旅”工作组就出面和院方交涉，提出改善难童生活、为病童治病等要求，院方不理。工作组就发动年岁大的难童，推出代表，一起向院长说理请愿。

院长大怒，说工作组三人是共产党，并把他们软禁起来，不让回“新旅”。

院长是一个专横的女人。父亲是国民党中央监察院的委员，丈夫是湘西地区的督察专员，当地县长也让她三分。她还和山里土匪头子有联系。

工作组三人冷静考虑，决定去县政府，和院方展开合法斗争。

最后，难童每人终于拿到20多元法币，做了套棉衣御寒。在1939年春节前，工作组三人突破院方软禁，离开大庸，几经周折，找到在桂林的“新旅”。

任干和张敬茂抢着向李克农倾诉院长种种恶行，并详述他们在困境中的斗争情况，还情绪激昂地说准备写文章揭露。

李克农听得很专心，很仔细，时而惊异，时而愤怒，时而显露笑容。对他们在“亲人”面前陈述一切的心情和内容完全理解。李克农对他们的机智斗争十分赞扬，勉励他们以后继续努力。

而后，李克农像是随便地问一问：你们是不是知道中国难童保育院的院长是谁？

任干抢着回答：我们知道，总院长是宋美龄，我们正打算找她告状，为湘系难童请命哩。

李克农说，宋美龄很重视她的这个头衔，还亲自到难童保育院去探视过难童，报纸都发了新闻，登了大幅照片。如果你们写文章登在报纸上，说她手下难童保育院是如何的黑暗，那里的难童生活是如何的悲惨，有些人会不会认为这是公开出她的丑、拆她的台呢？李克农还讲解了当前的抗日形势，说：有些人正在搞分裂、想投降，我们就是要加强团结，反对投降。

任干、张敬茂完全被说服了，改变了原先的打算。李克农亲切的谈话，驱散了他们因为受了挫折、委屈而绕在心头的怨愤，使他们明白了抗日的形势和潜在的危机，其他的事先搁在一边，要努力发动群众，组织群众参加抗战，反对投降分裂，把抗战进行到底。

1940年元旦，李克农安排“新旅”20多个小团员，到李济深家里演出，李济深特别喜爱这些孩子。这既做了李济深的统战工作，又取得了桂系当局对“新旅”的进一步支持。

李克农还领导和组织八路军办事处工作人员演戏、宣传。1939年1月，办事处全体人员听了关于毛泽东在中共六届六中全会上所作的政治报告的传达，精神为之振奋。李克农立即指示办事处组织一个宣传队，到街头讲演、演戏，把毛主席思想迅速传开。

李克农亲自编写了一个《坚持到底决不妥协》的活报剧。剧中主要人物有三个：一个是悲观论者，一个是速胜论者，再一个是共产党人。李克农还担任导演，虽然其他工作很忙，但每次排戏，他都到得很早。演戏队、讲演组一出办事处大门，便齐声高歌。市民们扶老携幼走上街头，从四面八方奔来。活报剧的演出，取得了预定的效果。人们斥责悲观论者，也嘲笑速胜论者，只有坚持持久战的共产党人受到群众拥护。

李克农编导了一个活报剧《反左右倾》，讲的是抗日民族统一战线中的“左”、右倾错误。在办事处演出时，很受欢迎，大家在娱乐中受到教育。

李克农还写了《日寇暴行》的独幕报剧。剧情是反映当时日寇飞机对我国进行狂轰滥炸，搞得人们流离失所、无家可归的情景。剧中成年人由办事处人员扮演，剧中孤儿由房东家的小儿子扮演。在街头演出时，十分逼真。遭受日本飞机不断轰炸的桂林群众，产生了强烈的共鸣。他们心情激愤，跟着高呼口号“坚决抗战到底！打倒日本帝国主义！”

桂林的抗日文化，颇为繁荣。这是李克农代表共产党领导的革命的、进步的文化活动与国民党中央推行的反动的、倒退的文化活动进行斗争所取得的成就。

第二十三章　抢运、建党

在桂林，李克农还肩负为八路军和新四军抢运军需物资，以及在南方几省建立和整顿共产党组织的重任。

1939年，日本侵略军在中国战场上继续进攻，正面战场上国民党军队节节败退，共产党直接领导的八路军、新四军，分别坚持在华北、江南的敌后战场上开展游击战争，英勇抗击装备优良的日军，但武器不足，弹药奇缺，军需特少。八路军缺乏汽车、汽油等，新四军连冬天盖的被毯也没有，亟待补充。

国民党又处心积虑地想消灭这两支坚决抗日的部队，蓄意克扣、刁难。国民政府军政部竟命令停发八路军和新四军的所有军需用品，不发一枪一弹。

八路军、新四军处境特别艰难!

中共中央来电，要办事处运用各种方式，通过各种关系，把能够弄到的军用品弄到手，抢运到有关地区。

李克农立即召集办事处有关人员，研究部署这一紧急任务。

这时，日本侵略军占领了大半个中国，控制着我国沿海和内陆很多城市。国际交通运输线，只有从越南海防入口，经镇南关（今友谊关）进入广西这条通道，桂林成为抗日大后方的一个重要交通枢纽。

为八路军、新四军筹运军需物资，就是办事处一项重要任务。李克农在建立办事处时，就专门设立了交通运输科，并在桂林郊区路莫村设有转运站。

李克农在部署运输任务时指出，“我党我军在大后方人民心中及国民党下层人员中有很高的威望，这是克服困难，完成任务的积极因素。虽然国民党多方限制，但只要我们充分运用统一战线的法宝，中央给我们的任务是能够完成的”。

1939年春，八路军向国民政府申请补充弹药，国民政府置之不理。经再三交涉，仅批给15吨可装子弹的火药，还要八路军自己派车到贵州黄坪县山区军火库去取。

李克农就派办事处交通科的吴宗汉、陈子秋先到湖南长溪县一个“中央军”汽车兵团交涉，要到7辆卡车。然后，吴、陈押车到黄坪军火库启运。在山区公路上往返1000余公里，先运到八路军的贵阳交通站，再辗转运到延安，交给八路军兵工厂制造枪弹。

1939年5月，中共中央命令八路军驻桂林办事处派人到越南去，把一大批军需物资接运到延安。

这是繁重而艰险的一次运输任务。

这批物资量大，有500多桶汽油和华侨捐赠的10部汽车，有为延安广播电台提供的全套设备（可以放两间房子），有通讯器材以及医疗器械和各种药品等，而且物资运输难。这一路山多、沟深、渡口多、河流多、桥梁少，所经地区语言不通，国民党又重重设卡，日本飞机还每日在广西公路线上空盘旋、轰炸，既困难，又危险。

1939年1月28日，李克农（锦旗后戴军帽者）代表八路军、新四军在桂林接收南洋华侨捐献的汽车和物资

李克农把这项任务交给办事处的运输科长邱南章、龙飞虎，会计科科长殷承祯和6位押运副官。要求他们想方设法，一定要赶在日寇可能切断这条唯一可行的国际通道之前完成这项抢运任务。

参加这次运输任务的还有20多位司机，他们大部分是为支援祖国抗战而回国的华侨司机。他们就以华侨捐赠的10部运输汽车，通过国民党后方机关的关系弄来牌照，分程设站，往返接运，昼夜行驶。时值盛夏，气候炎热，加之过度疲劳，许多人生了病。他们在广西凭祥住了几天后，病稍愈，就继续开车前进。车队打着“国民革命军第十八集团军”的旗号，还有通行护照，但国民党宪兵所设的许多关卡检查站竟百般刁难，有时还要扣车。邱南章等就出面交涉，说这是接运华侨捐献的救济物资，责问他们为何阻挠。他们既凶恶又愚蠢，查不出“违禁”物品（广播器材是拆卸分散装运的），只好放行。

有一次，在南宁附近的公路线上，车队遭到日机轰炸、扫射，车上有几桶汽油被打漏了，幸而没人受伤，车子也没有起火，车队顽强地继续前进。

他们历时四月余，行程数万里，从越南同登、海防，经广西河池、贵阳、重庆、西安，最后胜利地到达延安。

后来，延安的广播电台安装起来了，广播了共产党坚持抗日的主张。八路军和新四军的小电台通讯联络也多起来了，为战斗提供了方便。国民党知道了，追究他们下面设在运输线上各种检查关卡的责任，但为时已晚。

1939年秋，李克农了解到国民党柳州军需仓库运到大批军毯，就派办事处的龙潜与李中柏到柳州去交涉，为新四军领军毯。开始，仓库人员不承认有军毯。龙潜、李中柏就和他们交朋友、谈心，获知确有军毯。但国民政府军政部已下过密令，不准发给八路军和新四军使用。龙潜又多方交涉争取，终于从这个仓库里领到2万条美制军用毛毯。50条军毯一大包，共400包，运到桂林时，国民党军需司却不准开车，要把毛毯运到他们的仓库去。

龙潜立即回办事处报告情况。李克农笑着说，“不用急，统战法宝现在要同武装力量结合起来运用了”。

他一面派办事处警卫人员武装把守汽车，不准移动，一面到军需司去交涉。通过由下而上的统战工作，经过两天的婉转交涉，终于把军毯运到新四军去。

1939年冬，日寇逼近越南海防、河内，镇南关通道有可能被阻断。李克农筹划如何处理海外侨胞捐赠的一笔款项，考虑这时在海外购买物资，难以运来，最好把这笔款子通过银行从香港设法汇到桂林。

此时，正值秘密共产党员施振由福建调到桂林交通银行工作，李克农就将此任务交给他，并派办事处总务科长陆铨协助联系。施振设法将廖承志、连贯等从香港募捐筹集的款项汇入上海交通银行，然后利用桂林交通银行与上海交通银行的业务往来关系，沟通了汇款渠道，办事处再派人到银行取汇款。

此外，李克农还派邱南章到临桂二塘的国民党军需库，领取一批电讯器材和几吨重的铅丝，运给八路军、新四军做通讯和架电话线路用。

李克农还派殷承祯到广东的肇庆购运汽油。当时汽油很难买到，殷承祯通过梧州专员公署一位官员的关系，从香港、广州买到小桶汽油几百桶。为了防备日军检查，殷承祯与商人们商量，把许多汽油桶捆绑在一起，固定在船底，浸入水中，从敌占区偷运出来，在肇庆交货。殷承祯等用了两个多月的时间，把这批汽油从肇庆经梧州、柳州、重庆运到延安。

当时延安有一个汽车队，新华广播电台也需要用汽油发电，都是用办事处运去的汽油。

在李克农的直接指挥下，办事处先后转运的物资约有百余辆车次，有力地支援了抗战。

随着运送物资的汽车，办事处还接待和护送过往人员800多人次到延安。许多是进步青年、爱国华侨，他们有的到抗大、女大、陕北公学，有的上前线。还有共产党的领导干部，开会的、调动的、在国统区待不下去回延安的等。为了保证他们的人身安全，办事处帮助他们改名换姓，伪装运输人员或用其他身份，将他们安全送到目的地。

李克农在桂林建立办事处时，作为中共中央南方局派出机构的负责人，联络和掩护中国南方几省的党的工作，工作的核心是共产党组织的建立和整顿。

共产党既然主张建立抗日民族统一战线，为什么还特别注意建立和发展共产党组织？是否如某些人所说，统战主张因而是“阴谋”，是假的？

不是的。面对日寇的大举侵略，抗日民族统一战线是拯救中国、解放中华民族唯一正确的路线。因此，共产党和国民党合作抗日是出于至诚的，不是暂时的、敷衍的，更不是阴谋。而国民党却抗日不坚决，还有对日本妥协、投降的倾向，共产党只有在政治上、组织上保持独立性，并继续发展，才能制约国民党的妥协、投降倾向，扩大和巩固抗日民族统一战线。

共产党组织的活动方式是秘密工作的方式。

有人说，共产党已是合法政党，可以不必进行秘密活动。这如果不是别有用心，就是天真、幼稚。共产党组织在沦陷区进行抗日救亡工作，日寇视为眼中钉，能够公开活动吗？就是在国民党统治的大后方，也是特务横行，共产党的组织及其活动不处于秘密状态，行吗？

为了联系南方各省和香港、海外共产党组织的秘密工作，李克农把建立地下电讯网当作一项重要任务。他以前就很注意建立电台工作。

李克农在桂林建立的电台，成为中共在南方的中心电台，为了安全，桂林设有公开的和秘密的两套电台。联络的对象有：

——延安中共中央。

——重庆南方局。

——八路军前敌指挥部。

——新四军军部。

——广东韶关八路军通讯处。

——贵阳八路军通讯处。

——海南岛琼崖纵队。

——中共南方工作委员会（简称“南委”）。

——广西省工委。

——湖南省委。

——江西省委。

——香港、东南亚、南洋一带的共产党地下组织。

李克农从桂林办事处先后派出许多报务人员到湖南、江西、广东省委、中共南委、琼崖纵队及香港等处建秘密电台，还装配了一批电台设备供秘密电台使用。

李克农与南方几省共产党组织的联系，除了通过电台，另一个方法是通过秘密交通员。他选配了几位精干的交通员，经常来往于香港、重庆、华东、华南各地，传递党内文件和情报。

他们当年的交通线是：

桂林—梧州—台山—澳门—香港。

香港—汕头—潮安—丰顺—兴宁—韶关—衡阳—桂林。

桂林—镇南关—河内—海防—香港等。

桂林是这几条路线的中转站，例如把上海、香港共产党组织汇报给中共南方局的机密件带到桂林，然后由桂林办事处送南方局和延安中共中央；又把中共中央和南方局的指示带到香港并转上海共产党市委。

桂林城北灵川县八里街设了一个秘密交通站，对外是个仓库，王凯当站长。

办事处的石磊（现名曹瑛，是大革命时期的共产党干部）等协助李克农做共产党的秘密工作，都不住在办事处办公楼里，住在一般的民房里。

在国民党统治区的特殊环境里，李克农把办事处的公开活动与共产党的秘密工作结合得很巧妙，既推动了工作，又保证了安全。

李克农很注意加强沦陷区的共产党地下工作。1939年冬，第二次世界大战爆发，汪精卫又公开叛国，打算在日军占领区建立傀儡政府。被称为孤岛的上海，抗日救亡工作更加困难和复杂。李克农就从救亡日报社、国际新闻社调翁从六等五位得力干部，到上海去加强那里共产党的地下工作。

对国统区内共产党组织的工作，李克农坚决照周恩来的指示办，执行“隐蔽精干”的政策。他整顿了南方几省的共产党组织，建立了短小精悍的领导机关。在广西，共产党组织工作的做法，基本上也是如此，只是更慎重，工作放在下层，不忙发展党员。

在广西的许多团体和地方，为了推动工作，李克农重视保证共产党的领导。在办事处的直接领导下，桂林地区的许多团体建立了共产党支部或共产党小组。在柳州、宜山、全县、灵川等地，也有共产党的活动据点。

1939年6月，李克农特地把撤退到桂林的战地服务团的共产党员唐勋派到国际新闻社工作。唐勋有点胆怯，说，“我过去没有干过新闻工作”。李克农解释说，“不是要你去写文章，你先把支部建立起来”。李克农向他说明中共中央提出的总的抗日政治方针后，让他和办事处的龙潜保持联系，“有事也可以来找我”。

在桂林的某些团体中，建立了两个共产党支部。一个是外来党员支部，受办事处直接领导。一个是地方党员支部，受广西省委领导。两个党支部不准发生横的联系，李克农对这方面有严格规定。后来，共产党地方党组织遭到严重破坏，外来共产党员支部未受牵连，表明了李克农的预见性。

还有特别秘密的共产党员，则与李克农个别联系，不参加其所在单位的共产党基层组织活动。这些是广西各界的知名人士。例如：

——国际新闻社负责人胡愈之、范长江。

——广西地方建设干校教务长杨东莼。

——工商界重要人士张云乔。

——广西绥靖公署政治部任职的侯甸。

——三青团广西支团部任职的周可传。

——第四战区司令部任职的左洪涛。

——文化界的陈翰笙、姜君辰、孟超等。

为了他们的安全和工作需要，李克农对这项纪律也规定得很严格。约在1940年，中共广西省工委书记苏曼和中共南方局失掉联络，在桂林找到侯甸，让他向八路军桂林办事处反映。

侯甸和苏曼在日本东京时是同学，又在同一个共产党支部，是相互了解的，所以就答应了苏曼的要求，去找李克农。李克农狠狠地批评了他，说他不该管。侯甸认识到自己违反了党的秘密工作的纪律，确是不妥。

侯甸是在1939年9月由李克农派遣到桂系重要部门工作的。李克农根据他的实际情况，要他凭借留日同学的关系，打进桂系，接近核心。李克农告诉他可以开明面目出现，但不要红。侯甸开始在广西绥靖公署政治部任中校科员时，公署政治部主任程思远说做科员的都要参加国民党，侯甸请示李克农，李回答，可以参加。

后来，广西省政府属下的所有政治工作人员，包括民团、干校的都要参加集训，受训时宣布一律要重新参加国民党，黄旭初、李宗仁是介绍人。侯甸参加了集训也就算参加了国民党。李克农听了这个情况的汇报后，就说，集体参加国民党那更好。

李克农还指定办事处的林其英和他单独联系，叫他不要来办事处了，来多了不好。侯甸在广西国民党阵营里，注意做什么像什么。他当县长到桂林开县长会议时就打麻将，平时他是不打的。

在近十年的时间里，侯甸在广西的地下工作很有成绩，真实身份没有暴露。国民党特务的内部报告，也只称他为“开明”县长。侯甸认为，这是由于“李克农掌握我的身份掌握得好”。

周可传是在1939年夏由李克农派遣打入新成立的广西三青团的。周可传利用与三青团广西支团部书记程思远相识的关系，担任三青团广西支团部组训组组长之职，负责人事工作。

周可传在李克农和石磊的直接领导下，利用桂系势力与蒋介石的矛盾，做了大量的工作，使三青团广西支团及全省各市县20个分团的实权都掌握在共产党地下组织的手中，从支团到各分团，基本骨干大都是中共党员和进步青年，在广西各市县蓬勃开展抗日救国的宣传工作。

在桂林的进步文化社团里，李克农既保证共产党的领导，又坚决贯彻执行共产党的统一战线政策。

如1939年10月2日，桂林成立了“中华全国文艺界抗敌协会桂林分会”（简称“桂林文协”），这是共产党领导下的文化艺术界的抗日民族统一战线的群众组织，有广泛影响。

文协选出了第一届理事会和常务理事会。1940年10月13日，文协改选了第二届理事会和常务理事会。

李克农对“桂林文协”工作很重视，从筹备到成立，从选举第一届理事会到改选第二届理事会，他经常通过夏衍和文化艺术界进行充分的酝酿和协商，十分强调巩固和扩大桂林文化艺术界的抗日民族统一战线工作，并提出在理事会的名单里应体现出来。

这样，在第一届、第二届理事会和常务理事会里，共产党员只占三分之一左右，非共产党的知名人士占大多数。其中还有一些是国民党人士，如桂林《扫荡报》负责人钟期森、《阵中画报》负责人梁中铭等。

李克农坚持这样做，不仅对当时桂林文化工作的发展起了决定性的作用，而且对以后国民党统治的进步文化工作也有深远的影响。

李克农在广西建立共产党地下组织时，信守不挖广西当局墙脚的诺言，没有进行反对广西地方当局的活动。

李克农坚决执行中共中央对广西地下党的工作方针，在广西收到了很好的效果。这方针是，“发展进步势力，发动群众参军，团结地方势力，帮助他们抵制蒋”。

但“防人之心不可无”。后来，广西桂系被国民党收买拉拢，跟着反共。这从反面证明中共中央和李克农保持高度警惕性、保持共产党工作的秘密性是完全正确的。

第二十四章　应变反控

1939年6月，桂林进入夏季，天空晴朗，但遥望远处，几片乌云，那里可能有雷阵雨。真是天有不测风云。

一天，以吴自立为首的一批人，突然来到了八路军办事处。他们衣履不整，精神疲惫。原来他们是平江惨案的幸存者，从湖南长途跋涉来到这里的。

李克农立即接见了他们，把他们安顿下来。他们见到李克农时十分激动，向亲人控诉国民党军队制造"平江惨案"的罪行。

6月12日的白天，湖南平江新四军通讯处里，新四军人员正在正常办公，国民党军杨森部，奉蒋介石密令，突然包围了通讯处，缴了警卫班的械，还当场杀了新四军参谋涂正坤、通讯处军需吴贺众。当天深夜，国民党军队又将八路军少校副官罗梓铭、通讯处秘书吴渊、新四军司令部少校秘书曾金生及傅秋涛家属赵禄英等六人活埋于平江的黄金洞。李克农悲愤交集，让办事处积极准备公开悼念平江的死难烈士，强烈抗议国民党顽固派破坏团结抗战的反动暴行。

1939年，中日战争转入战略相持阶段。国民党中央的蒋介石集团，虽然还主张继续抗战，但十分动摇。由于日本的诱降和英、美对日本的侵略采取绥靖主义政策，蒋介石集团对日妥协和反共的倾向明显增长。

1939年1月召开的国民党五届五中全会，竟制定了"溶共""防共""限共""反共"的反动方针，加强对人民抗日运动的限制。

1939年上半年，国民党军队奉蒋介石密令，多次袭击共产党领导的人民抗日力量。"平江惨案"只是国民党顽固派杀害抗日军民的罪行之一。

几天后，李克农在办事处主持召开了一个追悼大会。

他在大会上讲了话，指出国民党领导集团对抗日的态度日趋消极，而对推行反共、反人民的政策则日趋积极，并列举国民党顽固派反共、杀害抗日军民的事实。李克农在讲话中还着重谈了共产党员的气节问题，要办事处全体人员提高警惕。

李克农又指导办事处人员编辑了一本悼念死难烈士的小册子，指出当前的复杂形势，要准备应付可能发生的突然事变。这给办事处的全体工作人员以及大后方的共产党员和进步人士都敲了警钟，使大家更加积极隐蔽地工作。

会后，李克农对办事处采取了一些应变措施，特别加强电台的保密工作。他在城里桂北路办事处楼上，早安装了一部秘密电台，是交流电的，不用摇马达，电线安在木板墙缝里。电台工作时，一个人操作，一个人在门口望风。城里这部电台受到干扰、收不到延安台时，就用路莫村电台收发。

李克农还让女服务员王励生装作他的侄女，并让其了解他的家史，万一她被国民党逮捕时好应付。

李克农规定，机要人员一般不准单独外出。国民党警察查户口时，只给户口簿看，不让看人，以防国民党特务策划绑架。

不久，办事处有个姓王的新战士外出时，被暗藏在附近的国民党特务抓去了。特务威胁他，要他说出：办事处是谁负责？有多少人？多少枪？经常与哪些人来往？小王回答说，“不知道，我是才来的勤务兵！”一个女特务说，“你以后把这些情况了解清楚告诉我们，要钱有钱，要老婆有老婆”。为了表示他们说的话是真的，她要小王当晚就去找她。

小王回到办事处，立即向李克农汇报。李克农安慰他，并指出：八路军战士是坚定的，国民党特务的威胁手段压服不了，他们使用金钱美女的卑鄙手段也腐蚀不了。李克农接着说，“你敢不敢去？他们要摸我们的底，我们可不可以摸他们的底呢？”

小王鼓起斗争的勇气，愿意服从组织的安排。其后，小王了解到国民党特务的主要目的，是要了解共产党地下组织。特务还给了小王钱，企图进一步引诱他上钩。小王再不能在桂林待下去，就奉命调离桂林，到重庆八路军办事处工作去了。

就在6月的一天，上午倾盆大雨，几个国民党特务乘一辆大卡车，在桂北路上，由北往南行驶，故意将八路军办事处大门撞倒，墙壁因之倒塌，幸而未造成人员伤亡。这实际上是特务对办事处进行的一次恫吓。

房东黄旷达，以房屋主人的身份，立即跳上卡车讲理，要求他们赔偿肇事损失。李克农平时就对房东一家极为关怀，相处很好。这一家人常参加办事处的学习和唱歌活动，听革命道理。老房东黄旷达也从心眼里赞扬八路军真是人民的子弟兵，处处爱护人民，与国民党军队欺压老百姓大不相同。

李克农安慰黄旷达，支持他以合法的方式，要求肇事者赔偿房屋损失。

这时，广西当局还没有反共，国民党特务对桂林八路军办事处的破坏活动只能暗中进行，办事处可以用合适的方式揭露他们，进行斗争。

1939年下半年，蒋介石在大后方积极推行反共、反人民的政策，广西也受到一些影响。这年夏，国民党要加强对广西的进步文化团体的控制，就强迫国民政府军委会的桂林行营政治部三科及其所领导的演剧队和宣传队人员都参加国民党。

李克农立即就此问题在办事处专门组织了一次讨论，办事处的王磊和行营三科共产党小组长刘季平都参加了。李克农根据中共在国统区工作的方针，把会上讨论的意见归纳为三条基本原则：1.在文艺界比较有影响的人（指秘密共产党员）不能参加，如果硬要强迫参加就离开。2.非共产党人士是否参加，请他们自己决定。3.为了坚持工作，演剧队等要做到集体参加，由这些团体的共产党小组长负责具体掌握。

刘季平和三科科长张志让就辞职，离开了三科，以其他的名义，参加桂林文化界活动。一些进步文人、学者、艺术家也纷纷离去。三科只留下了一个共产党员廖体仁。

李克农告诉刘季平向有关文艺团体传达这三项决定时，要解释其积极意义。

不久，抗敌演剧第九队接到行营政治部一纸命令，要全队集体加入国民党，队员们纷纷表示抗拒，有的再寻去路，有的开始整理行装。

正在全队像一锅沸水的时候，刘季平来到队里，希望大家先稳定下来，并传达了李克农代表中共中央南方局确定的对策，就是“为了保存这个重要革命文艺队伍，同意集体加入国民党”。但是，队员们对此决定从道理上、感情上都不能接受。怎么办？不能硬性执行，必须在思想上弄通。于是召开全队大会，张志让、刘季平以领导人身份参加，分析目前的时局，详谈保存这支革命文艺队伍的深刻意义及发展前途，并让大家各抒己见，进行讨论。会议通宵达旦，队员终于能理解李克农代表南方局作出的决策，精神振奋起来。

1939年夏秋之间，抗敌演剧第二队正在西南前线为士兵和农民演出，宣传抗日，遭到战区政治部（国民党军队）的各种刁难、限制与迫害。首先是强迫集体参加国民党，否则就强令解散，不让在这个地区活动。接着又采取“政治测验”“甄别谈话”，直到派进特务“队员”，要在演剧队找出“异党分子”。作为这支演剧队队长兼共产党秘密支部书记的吕复就来桂林，到《桂林日报》找夏衍，汇报情况。夏衍就把他带到八路军办事处，一起见了李克农。

吕复走进办事处木板墙的过道，到了李克农的屋子里，像是出了嫁的姑娘在外面受到虐待以后，回到充满温暖气氛的娘家，立即向李克农倾诉种种委屈。

李克农仔细听了汇报，赞扬他们坚守阵地、进行斗争的精神。关于如何对付国民党强迫集体参加国民党的问题，李克农讲了为坚持在这个地区工作，可以参加等几条原则意见。他又讲了如何利用国民党内部矛盾，既要善于对付国民党顽固派的刁难、限制和迫害，进行有理、有利、有节的斗争，又要善于团结进步势力，争取中间势力，保全进步力量，广交朋友，扩大抗日民族统一战线的几点原则意见。

他还告诉吕复，一定要坚持这个地区的工作，一定要搞好队里的工作。对个别队员，在不妨碍继续坚持战地工作的原则下，可以让他们离队。

后来实践证明，让一些人转移工作岗位，一方面可以支援其他地方的抗日戏剧活动，另一方面还可以吸收和培养一些新人。这样，一支支成熟的、经得起严峻考验的抗敌演剧队，肩挑重担顶风险，坚持在国统区继续斗争。

蒋介石制造平江惨案后，国民党顽固派的反共活动日益猖獗，一些藏在抗战阵营里的汉奸分子便趁机活动，抗日民族统一战线受到公开的破坏。抗敌演剧第二队就演出《黑暗的笑声》一剧，用辛辣的表演，揭露暗藏在人民内部的民族败类的罪恶行径，主题有强烈的现实意义，演出有较高的艺术水平，受到观众的热烈欢迎，国民党当局无可奈何。

1939年11月，国民党五届六中全会，确定以“军事限共为主、政治限共为辅”的方针，进一步反共。从这年冬到1940年春，国民党顽固派掀起第一次反共高潮，派军队进攻陕甘宁边区和其他几块抗日根据地。

这时，广西原来的团结、抗日大好形势开始逆转。李克农立即布置工作：从公开和秘密途径了解桂系首领的政治动向。

一天，白崇禧在桂林市广场演讲中，公然污蔑八路军“违抗统帅部的命令”“在华北袭击友军”等，而实际上是国民党的几支军队奉蒋介石密令在河北、山东等地不断袭击八路军。

办事处的石磊和沈毅然挤进了会场，听到这个桂系头目大放厥词后，向李克农汇报，研究了桂林形势。

李克农根据中共中央的指示，对全国和广西的政治情况进行分析、研究，指出要准备蒋介石全面反共，也要准备桂系首领反共，要随时准备应付突然事变。

李克农立即对办事处工作人员和在桂林各团体中工作的秘密共产党员，分析当前的形势，要他们提高警惕。

李克农向他们指出：在精神上要随时准备桂系军、警、特务公开封门、抓人，或装成土匪劫杀办事处和进步团体的工作人员，要采取应急措施。

同时，李克农开始让桂林各团体中一些已暴露的共产党员准备撤退或转移到其他团体工作，以便隐蔽。李克农还分别向华南数省的共产党省委，传达中共中央的新指示：“隐蔽精干，长期埋伏，积蓄力量，等待时机。”

白崇禧虽在蒋介石第一次反共高潮中，公开发表反共言论，以图讨好蒋介石，但蒋介石对桂系还是不满。1940年5月，蒋介石借口广西军队在昆仑关抗日之战的失利，撤销了以白崇禧为主任的桂林行营，把广西军队划归驻在柳州的第四战区司令长官张发奎指挥。

同时，蒋介石对桂系首领采取又打又拉的手段，把白崇禧调到重庆当了副参谋总长，并任命李济深为军委会桂林办公厅主任。桂系在蒋介石分化瓦解、威逼利诱之下，逐渐投靠蒋而走向反动。广西政治形势进一步逆转。

李克农决定，办事处在抓紧应变准备的同时，要继续做广西军政当局的工作，尽可能地保持团结抗日的局面。

张发奎和郭沫若在北伐时期就是“老友”。李克农就要夏衍以《救亡日报》社长郭沫若、总编辑夏衍的名义，向张发奎发了一个贺电。张发奎很高兴，对《救亡日报》和桂林的文化团体不愿故意为难。

对李济深、黄旭初等人，李克农继续亲自做他们的工作，使他们对共产党保持一定的友好关系。

但是，1940年下半年，国民党特务机关插进广西的势力逐渐加强了。办事处处在国民党的监视、包围之中，有时特务竟在办事处门口盯梢。李克农知道了，有时就故意把办事处大门敞开，站在门口，对着特务怒目注视。邪不胜正，这些特务好像小鬼见了钟馗，吓得溜走了。

办事处门外还有特务化装的人力车车夫。有一天，李克农走出门口坐上人力车，让这个“车夫”拉着车满街跑。李的身体又胖、又重，把这个假车夫累坏了。以后，就再没有假装人力车车夫的特务在办事处门口盯梢了。

国民党特务在办事处前的电线杆上，装了一个高音喇叭，扰乱办事处的工作。很多特务还一天到晚地装成听广播的人，在办事处周围窜来窜去，只要办事处工作人员一出门，他们就盯上梢。

李克农向办事处提出：照样执行送信等紧急任务，但要设法甩掉尾巴。办事处通讯员，有时把自行车准备好，大门一开就冲出去，在大街小巷转圈子，看看后面没有特务了，才去完成任务。

过了一阵子，国民党特务发现这个规律，也随时做好准备，骑自行车紧紧跟上，咬住不放。办事处就让几个通讯员同时骑自行车冲出大门，东、南、西、北四面出去，在特务们不知跟谁走的情况下，谁甩掉了尾巴，谁就去完成任务，这个办法很有效。

为了摆脱国民党特务对办事处的监视，在李克农安排下，办事处内外人员往来联系时，有的从办事处隔壁“万祥糟坊”大门出入（这也是房东的房子，与办事处小楼相通），混同来酒店做生意的商人、顾客一起，使特务无法分辨。

为防突发事件，李克农将人员分散，让赵瑛、夏之栩、曾宪植等三位女同志转移到桂林东郊六和路的“李公馆”住，作为办事处秘密活动的地方。

曾宪植1909年生于湖南湘乡，1928年参加中国共产党。她1927年考入中央军事政治学校武汉分校，参加了北伐战争，是我国新民主主义革命时期第一批女兵中的一员。

“李公馆”主要是李克农等人与华南数省共产党地下组织负责人联系交谈的地方，办事处人员要写秘密材料时也到这里住。这座房子原名“四和别墅”，是国民党将领蒋也城和黄琪翔先后住过的公馆。

国民党特务企图破坏“李公馆”并盗窃机密。但黄家居住时养了一条很好的军犬，留下守门，很厉害，什么生人都不能随便进来。国民党特务对这个军犬恨得要命，有一天，趁“李公馆”的人到附近七星岩躲空袭的时机，从门外丢进两个大肉包子。哪知道这条军犬是受过严格训练的，不是主人叫它吃的东西，它不吃。办事处人员回来一化验，发现包子里放有毒药。国民党特务的阴谋又失败了。李克农诙谐地说：国民党豢养的一群特务，斗不过我们养的一条军犬！

李克农和办事处人员一起生活，十分艰苦，但准备了一辆高级轿车，挂的是国民党航空司令部的牌照。这时，桂林局势恶化、环境困难，这部车给他的工作和活动带来许多方便。他多次出去办事，国民党军、警、宪、特见到这种车，都不敢刁难。有时，李克农乘这辆车到桂林城外躲避日机空袭，警卫员随身携带装着护照和办事处公章、关防等的公文箱也乘这辆车，遇到国民党军警，容易顺利通过。

1940年夏秋之间，分散在西南各省的抗敌演剧队，受到国民党的刁难、迫害，处境更加困难。李克农就派办事处的何启君，到广西柳州，住在抗敌演剧九队里，加强对几个演剧队地下共产党支部的领导。

何启君化名胡家瑞，公开身份是一般队员，内部则任抗剧一队、九队党支部书记。他根据李克农的指示，经过党支部和联队会议决定，竭力帮助演剧队谋生存。他在四战区长官司令部的中、上层军官里广交朋友，争取他们对演剧队的理解和支持，尽可能争取到军队和农村去演出，还以四战区政治部主办为名，举办义卖演出和募捐演出。演出剧目围绕一个主题：歌颂团结抗战。

在何启君的领导下，抗剧一、九队又与抗剧二、八队到长沙举行大会师，各队拿出最好的剧目互相观摩，好戏一台接着一台，受到观众的热烈欢迎。演剧队在不自由中争得了自由，在限制中进行反限制，在乌云满天的国统区射出一束束阳光。

第二十五章　撤出桂林

1940年夏秋，国民党顽固派在华北进行的第一次反共高潮被打退后，蒋介石并不死心，继续策划反共活动，把反共的武装进攻中心逐渐转向华中，在大后方各地区加剧反共活动，甚至公开捕杀共产党员。团结抗战的局面遭到严重破坏，政治气氛日趋紧张。

桂系首领白崇禧进一步与蒋介石妥协，正在跟着蒋介石的反共步伐走。广西的政治气氛也显得紧张。四周乌云，逼近桂林上空，几股北风.吹向桂林楼阁，接踵而来的将是阵阵山雨。

10月的一天，李克农深感情况日趋严重，在办事处与夏衍研究形势，提醒在桂林的进步文化界要急谋对策。李克农指出，“第二次反共高潮就要到来，必须放弃和平观念，做好应变准备”。

李克农的意见是有针对性的。近来，桂林文化界虽然也受到了几次暗流的冲击，但表面上还是很平静的。文化界中许多人，包括一部分共产党员，就有和平麻痹思想，对就要来临的严重形势估计不足。

夏衍根据李克农的指示，向他联系的文化界共产党员打招呼，要他们提高警惕性。

果然，同年11月，国民党政府军政部桂林办事处派人，催桂林八路军办事处“务必于本月19日前结束”。军政部官员还要八路军办事处“自动呈请撤销公事”，说这样“双方都做得好看些”。国民党视八路军办事处为眼中钉，必欲除去，但又不想承担封闭的责任。

李克农就采取拖延策略，当即表示，“我要请示八路军总部”。当月12日，李克农致电中共中央和南方局，汇报情况，并请示：“自动撤销公事”是否呈递，抑或等警备司令部奉军政部命令强迫撤销？

13日，中共中央、毛泽东即电复李克农并南方局，指示：

（甲）向军政部办事处申明，皖南部队准备遵令北移，正商具体事项，在执行北移前（最后两个月）有事要办，暂难结束，一俟部队移动，即可结束。

（乙）如彼方定要马上结束，则请军政部来一正式公文，以便报告总部，并办理结束事宜，若不给公文自动结束，朱、彭总副司令要处罚我的，故不能遵办。

（丙）作上述表示后，彼方如仍不答应，则让其封闭为有利，但我内部必须准备安全撤退，以防万一。

12月1日，中共中央致电周恩来、叶剑英，告以同国民党谈判的12个条件，其中第八条是：桂林八路军办事处不能撤销。

李克农在桂林配合中共中央的斗争进行活动。他根据中共中央11月13日电示精神，以朱德、彭德怀和周恩来、叶剑英的名义，到军政部桂林办事处要求缓撤。

同时，李克农与桂林行营办公厅李济深主任疏通，结果是再准延长一个月。李济深还告，结束前如尚有未运毕之资财，暂准酌留少数人员办理转运，限于明年1月内运完。

办事处撤退的限期已逼近，李克农在12月间抓紧做撤退的准备工作。

首先，把桂林的中心电台转移到香港，以便在桂林办事处撤销后，中共中央能继续保持与南方共产党组织以及抗日根据地的电讯联系，加强对他们的领导。

为此，申光离开桂林办事处赴香港建立了转报站，与延安的中共中央、福建的“南委”、海南岛琼崖纵队以及广东、湖南、江西等地的共产党省委进行联络。

接着，李克农对在桂林文化界活动的共产党员和进步人士的安全、去留作了周密安排。对少数可能遭受迫害的人，先通知他们离开桂林。

1939年12月在桂林正式成立的“文化供应社”，是个有影响的出版兼发行机构，是由救国会与广西建设研究会合办的。胡愈之作为救国会代表，任供应社总编辑，集合了一大批进步文化人，一年来已出版了不少好书，特别是一些通俗读物、农村抗日读本，都是小册子，销路很广，撒下了红色的文化种子。但是，胡愈之开展的抗日文化活动引起国民党特务的仇视，企图加害于他。

李克农获悉此事，就在供应社新建一幢两层楼房落成的第二天晚上约见他。给他一张飞机票，让他第二天就去香港，并嘱他临走前要保密。至于供应社，是桂系显要出面办的，可以继续坚持下去。

胡愈之回去后只提了一个箱子，借口说家中有事要回去看看，过几天就回来，实际上去了香港。

刘季平在1939年夏因拒绝参加国民党、离开桂林行营政治部第三科后，转到了桂林的生活教育社任常务理事，一面在桂林参加文化界活动，一面继续联系三科所属的一些单位里的共产党员。生活教育社是1939年春在周恩来和陶行知关怀下在桂林成立的，成为共产党在桂林开展统战工作和文化工作的重要阵地，引起国民党特务的注意。刘季平的一系列进步活动，当然也就引起国民党特务的注意，他的身份已经暴露。

12月下旬的一天，李克农通知他撤退，秘密离去。刘季平通过共产党地下组织的关系，搞了一张第四战区司令部的差假证作为掩护，身穿国民党军官的军服，从后门一个老百姓开的店里出去，先坐火车去韶关，接着去了苏北新四军处。

在极其紧张繁忙的情况中，李克农还亲自约见了湖南等地情报组织负责人，详细安排今后的工作和联系办法。他们知道办事处将撤离，李克农处境危险，很为担忧。李克农却坦然一笑说："没关系，不成功则成仁嘛。"

1941年1月上半月，震惊中外的皖南事变发生了。

两年来，新四军十万之众，在华中数省地区坚持抗战，日寇视为眼中钉，不断扫荡；而合作抗日的蒋介石竟然也忌恨新四军，几次派国民党军队制造摩擦，甚至武装进攻。三个月来，蒋介石又利用最高统帅的地位，连发三道"金牌"，令皖南新四军限期北移。

1941年1月初，新四军军部及主力部队9000余人开始北移，6日行至皖南茂林地区时，国民党第三战区司令长官顾祝同和国民党第三十二集团军总司令上官云相预先布置好7个师8万余人，把他们重重包围于穷山大壑之中，全力袭击之。

新四军被迫还击，奋战七昼夜，终因寡不敌众，弹尽粮绝，除2000余人突围外，大部被俘、失散或牺牲。军长叶挺在同国民党谈判时被扣，副军长项英突围时被叛徒杀害。

1月17日，蒋介石反诬新四军“叛变”，说什么蓄意消灭皖南新四军是“整饬纲纪、贯彻命令”，还借此宣布取消新四军番号，并要将叶挺交军法审判。

这是国民党第二次反共高潮的最高峰！

这段时间里，桂林的形势也十分凶险。蒋介石通过他的亲信林蔚再次下令封闭桂林八路军办事处。林蔚早在1940年5月已被蒋任命为桂林行营办公厅副主任，既把蒋家势力深入广西，又借以监视主任李济深。

李济深深明大义，对蒋介石一贯排斥异己的做法不满，加之桂系开明人士刘昌群等人极力劝李，“应慎重，要给自己留后路”，所以李济深对林蔚的谗言置之不理。可是林蔚仍不罢休，除继续向李济深唠叨外，又派一批特务在八路军办事处周围监视、扰乱，制造紧张局势，企图迫使办事处自动撤走。

1月上旬，自称是“广西省政府”士兵的二人，冲进办事处房东家，手持短枪蛮横无理地指着房东黄旷达骂，“你为什么把房子租给八路军？你要叫他们走！”还威胁他，不把房收回就抓他去坐牢。

黄软顶他们说，“我租房子不犯法。八路军是抗日军队，没有理由叫他们走。要叫他们走，你们自己去”。

国民党士兵灰溜溜地跑了。

李克农在楼上听到后，立即下来，感谢房东对八路军的理解和支持。还安慰他说，“你放心，不要害怕。我们有办法对付。我们走，要听上级指示，也要得到李济深主任发给的通行证”。

1月13日，中共中央发出通电，抗议国民党反动派调集大批军队围攻新四军的罪行，强烈要求国民党撤退包围皖南新四军的军队，让开新四军北上之路。

同日，中共中央电示重庆、桂林办事处，即刻准备好对付蒋介石集团的可能袭击。

李克农加紧进行应变准备工作。

李克农向办事处人员沉痛地讲述皖南事变的详细情况，传达中央指示，布置应付国民党突然袭击的措施。他最后鼓励大家，“我们擦干眼泪，继续战斗吧！”

1月17日，中共南方局董必武、叶剑英又电示李克农，并报中央书记处：“桂白反共日益开展，白崇禧令桂林警备司令执行其反共三办法，并告桂林特务加紧在桂林办事处周围的活动，准备给桂办以打击，白对桂林文化界极不满，恐不久会发生镇压事情。”李克农立即组织疏散桂林文化界共产党员和进步人士的工作。

本月早些时候，他已致电南方局建议：党在桂林的同志，凡有公开职业，可以得到广西方面保护者（如在广西地方建设干校工作的），照旧坚持岗位；一些名声较大的文艺界人士，色彩不大明显者，也可以暂时留在桂林；《救亡日报》的骨干，报社被封后，一律撤往香港。

李克农特别提到《救亡日报》，因为他预计到这家积极宣传抗日的报纸，当蒋介石掀起第二次反共高潮时，在桂林舆论界里，将首当其冲。果不其然。皖南事变后，《救亡日报》因拒绝帮助国民党顽固派欺骗遭到国民党的迫害。

1月12日，《救亡日报》总编辑夏衍就得到李克农通知，知道了皖南事变的简要消息，李克农要他立即告知报社全体共产党员，作好应变准备。

几天后的一个中午，夏衍接到“新闻检查所”周所长的电话，依旧用非常委婉的口气说，“本来想到贵社来面谈，怕别人碰到不便，所以请你原谅。今天发的中央社通讯稿，务请全文照登”。

这位周所长用一种似乎很为难的口吻说，“这是（国民党）中央党部的命令，全国报刊一律照办。我知道你们为难，但兄弟实在没有办法”。

夏衍立刻给李克农打电话，说，“方才我的同乡周老板送来一份很重的礼物，我们打算不收，你看怎样？”李只回答了一个“好”，然后补充了一句，“但要十分细心，能做得不伤情面最好”。

所谓“礼物”，指的就是中央社统发的污蔑新四军“叛变”的文稿。怎样才能做到“不伤情面”呢？夏衍和一些人仔细研究后，决定把中央社发来的电稿全文付排，并把它放在头版头条地位，然后和往常一样，不动声色地连同其他稿件一起“送审”，得到检查所在清样上盖上“审讫”的红色图章之后，在晚上打纸型时，再将这篇电稿抽出，另登他稿。

事情办得很周密，连社内许多人也不知道。但是第二天出版后一定会出问题，这是可以预料到的。

果然，第二天清晨在桂林所有报摊和零售店都看不到《救亡日报》，原来国民党发现此报拒绝刊登这条消息后，就下令扣压了当天的全部《救亡日报》，“新检所”还用书面正式给该报社一个严重警告。

这一天，报社附近除几个鬼鬼祟祟的人来往徘徊之外，没有什么动静。晚饭后，夏衍在客厅里看编辑部的几位青年人打乒乓球时，忽然，一个穿着棉大衣、把帽子压得很低的人走进来，在暗淡的灯光下还来不及认清是谁，他讲话了，“好悠闲啊，看打球！”一听声音，夏衍知道这是李克农。

两人进了夏衍的卧室，李克农说，“南方局来了急电，说国民党中统就要在桂林下手，你要尽快离开桂林，到香港去建立一个对外宣传据点”。

夏衍虽然在几天前就得到应变准备的通知，这时还是怔住了。他走，其他人怎么办？报纸能否出下去？

李克农说，“分几步走。第一步你先走，留下的事由林林、张尔华负责。只要国民党一天不来封门，我们就继续出版”。

李克农说，“《救亡日报》的骨干（印刷厂工人、南方出版社职员除外），等到报社被封后，一律撤往香港”。

李克农最后嘱咐，“明天，你得去找黄旭初，坦率地告诉他《救亡日报》当前的处境，并向他表示，为了‘好来好去’，希望得到他的帮助，准许你买一张去香港的飞机票”。

夏说，“假如他避而不见，怎么办？”

李说，“这可放心。我已和李任仁先生谈妥，他已经和黄旭初通过电话。我此刻来报社，还是任老用他的汽车送我来的”。

第二天一早，夏衍去省政府看黄旭初，照李克农嘱咐的话说了，黄叫副官“给夏先生定一张到香港的飞机票，明天或者后天的”。

黄最后对夏衍说，“时局是会好转的，那时候，欢迎你再来”。

李克农在离开桂林之前，又交代林林，“报纸何时停刊，可问杨东莼同志，他能掌握政治气候”。

2月间，杨东莼约见林林商谈《救亡日报》停刊事。杨说，“看来《救亡日报》到了停刊的时候了，否则情况会更不妙”。林林问他终刊号骂不骂人？杨答，“不骂也罢，留点余地”。

于是，《救亡日报》在28日出版停刊号，翌日停刊。

在桂林的“国际新闻社”，虽是以无党派“救亡协会”名义办的，但实际上受共产党领导，专门对国外报刊发通讯稿，宣传团结抗日，政治立场鲜明，因而和《救亡日报》一样受到重庆国民党的忌恨。

李克农已在皖南事变前安排国新社负责人兼文化供应社总编辑胡愈之离开桂林。皖南事变发生后，李克农又通知国新社的负责人范长江、张铁生尽快离开桂林到香港。

李克农交代张铁生在行前找广西当局谈谈。张先找广西建设研究会的陈劭先疏通，向陈说明朋友们要离开广西，蒋介石可能要在桂林借刀杀人，希望广西当局不要上当。当陈听说发生皖南事变后大吃一惊，答应先找黄旭初谈一谈。

张铁生又到广西省府找黄旭初面谈，当时黄对张的一席话未置可否，但实际上答应处理好与左翼文化人的关系，做到善始善终，以前请来，现在放行。

张铁生还根据李克农的指示，通过与文化界、救国会朋友们的聚餐会，讨论、布置先后撤退的工作。

在大批左翼文化人撤离桂林前，李克农让秘密共产党员司马文森设法在桂林留下，继续坚持，并嘱咐他要注意方式方法，尽可能地隐蔽下来，“保存革命实力就是胜利，能干多少就干多少”。这样，司马文森担负着联系和领导桂林文化系统地下共产党员的工作。

皖南事变发生后，办事处已被国民党军、警、特务包围，来往人员断绝，白色气氛更加严重。李克农亲自同一些重要秘密共产党员联系、布置撤退事宜，是在巧妙地突破包围后顺利完成的。

李克农还鼓励办事处的有关人员也冲破包围，分头做好疏散党内外同志与安置烈属、抗属的工作，不使一个人遭到损失，不遗留任何漏洞。

李克农把他的秘书龙潜从外面电台叫回来，让他抓紧处理与地下党的联系，做好地下工作布置，准备在办事处撤销后仍有进行抗日救亡活动的立足点。同时提醒他要极端小心谨慎，因为国民党宪兵十一团的特务到处在找一个龙秘书。

龙潜不畏艰险，四处联系，完成了任务，如他到共产党桂林市党委委员凌建平住处，讲了当前的形势，告知办事处撤离桂林转到重庆的决定，及今后党的联系办法等。

到了1941年1月，李克农率领八路军驻桂林办事处人员撤离桂林时，中共中央南方局要龙潜留在桂林，转入地下工作。

李克农坚决不同意，因为龙潜是办事处的秘书，共产党员的身份已经暴露，国民党特务正在到处找他，让龙留下，等于向敌人“送礼”。为此，李克农几次打电报给南方局，说明龙不能留下的理由，终于取得了南方局的同意。龙潜随同办事处全体人员一起安全撤离桂林。

办事处的建立是通过合法手续的，现在要撤销也要争取合法手续，而且要暗示是被迫撤销的。来去公开，光明正大。所以李克农在1月15日的《广西日报》和《救亡日报》上分别刊登了第十八集团军办事处撤销启事：

“本处奉令撤销，即日办理结束。所有各方来往账目统希于一月二十日以前来本处结算清楚。如有函件请寄重庆红岩嘴13号本军重庆办事处可也。恐未周知，特此登报声明。”

李克农了解到桂系首领白崇禧等虽然已与蒋介石妥协，屈从于蒋的反共阴谋，但他们与蒋仍有矛盾。所以李克农直接、间接地对桂系首领们做工作，劝他们不要被蒋利用当枪使，最后孤立了自己。

李济深因此也特地向李宗仁、白崇禧、黄旭初进言，“广西协助反蒋分子安全离开桂林对广西有利无弊”。李、白、黄从自身的利益考虑，采纳了这些劝告和建议，同意对办事处人员和左翼文化人士安全离开桂林给予方便。

同时，李克农抓紧时机做桂系党、政、军上层一些民主人士的工作，争取他们的同情和支持。

由于蒋介石倒行逆施，国共两党合作抗日的局面遭到严重破坏，濒临破裂。桂系上层中民主人士，担心抗战前途危险，纷纷到办事处打听共产党对蒋介石反共破坏的态度。李克农一面向他们揭露国民党反动派的反共阴谋，一面解释共产党从大局出发仍坚持团结抗日的方针，决心把抗日战争进行到底。

李克农说，针对蒋介石的反革命政策，共产党必须进行针锋相对的斗争，才能保卫人民抗日力量，才能制止蒋介石分裂、投降和发动内战的阴谋活动，才能坚持抗日民族统一战线。

他们感谢李克农坦诚相待，更加相信皖南事变的发生，错在蒋介石，而不在共产党。共产党是为国家、民族利益着想的。

1月20日，中共中央电示南方局，八路军各地办事处已失去存在的意义与可能，应迅速撤销，保存重要干部。

桂林办事处工作人员开始分批撤退，资料、文件、电稿作最后处理。一些电台、机器运到广东新宁，供那里地下电台使用，暂时留下一部收发报机和发电机。

这时，办事处收到中共中央拍来的两份加急电报，并指示一定要在桂林散发出去。

这两份电报非常重要：

一份是1月20日，中共中央军委发布重建新四军军部的命令。九万余新四军，继续坚持长江南北的敌后抗战。

另一份是同日，毛泽东以中共中央军委发言人名义对新华社记者发表的谈话，揭露国民党当局的反共阴谋，抗议其反革命暴行。他严正宣告，“我们中国共产党和中国人民，不但有责任，而且自问有能力，挺身出来收拾时局，决不让日寇和亲日派横行到底”。他要求国民党当局以大局为重，悬崖勒马，并且提出取消1月17日反动命令、惩办祸首、释放叶挺、废止国民党一党专政、实行民主政治等12条解决皖南事变的办法。

李克农立即在办事处组织力量，分别打印这两份电报。为了突破国民党特务的检查、阻挠，李克农想出用航空信纸把它印成信笺式的宣传品，用航空信向各地散发。撤退途中，又在沿途利用邮筒一批批寄出。事后知道收到很大宣传效果。

国民党特务在桂林加紧迫害活动，李济深派人送来亲笔书写的纸条，“清洗桂林，克农快走”。

1月22日黎明，李克农率领办事处最后一批人从容离开桂林。临走时，李克农又把每个房间都查看一遍，看看有没有留下什么痕迹。

办事处人员与房东全家朝夕相处，感情很深，分别之时，难舍难分。临别时，李克农把心爱的景德镇白瓷小茶壶送给房东黄旷达留念，一支“真善美”口琴和一匹灰布送给孩子们，还把办事处人员锻炼身体用的石锁、学习文化用的小黑板和搪瓷记事牌以及一些《新华日报》和书籍，都留给房东家。

李克农率领十几个工作人员及一个警卫班，分乘一辆小汽车和一辆大卡车，和房东全家挥手告别。

卡车上有一部功率50瓦的无线电台和简单行李。每个人都轻装，笔记本、照片等都不准带，已就地烧毁，还用水浇过。

离桂林赴重庆途中，处处表现了李克农的机智过人之处。

车过贵阳时，贵阳（国民党）警备司令部已派军警包围并封闭了八路军贵阳交通站，抓走全部工作人员。国民党特务还想把路过的这批桂林办事处人员都软禁于贵阳，李克农就佯称住在贵阳，趁特务们稍有疏忽时，立即迅速离开了。

车辆连夜前行，过一座大桥时，要办十几道手续才能通过。他们持着桂林行营李济深发的通行护照办手续，开始还算顺利。当办到最后一道手续时，该站的特务发现，这批人就是贵阳警备司令部要扣留软禁的人，就不让他们走。这时，李克农从车上下来，穿着少将军服，神态威严，大声责骂特务，为什么阻军车，妨碍公务？那个特务张皇失措，理屈词穷，赶紧让车辆离开。

但特务立即用电话向他的上司报告，接着就通知下一站，设法阻拦这辆八路军车辆通过，李克农又采取强硬态度，经过一番斗争才通过。

车在一品场（该处是到重庆的最后也是最重要的一站）时，经过多时才把手续办好。最后，该处人员对龙潜说，军委交通运输检查局的一位上校处长要搭车到海棠溪去开会。龙潜即向李克农请示。李回答说，“好嘛，既然他们的上校特务要搭车，就利用他送我们回重庆。你去叫他来，车上由我来对付”。

于是，龙潜让那家伙上了车，一路上由他打招呼，才免去了许多检查的麻烦。车到海棠溪，也是由他出面交涉才得通过，从而顺利地直开红岩嘴重庆办事处。

国民党特务上校下车时，还以为搭的是他们十八军的军车哩！

李克农率领这批20多人，离开桂林，通过国民党10多关卡，安全地到达了重庆八路军办事处，受到周恩来、董必武等人的热烈欢迎和亲切慰问。

李克农见到亲人们分外高兴，自豪地说，“林蔚（在广西的蒋介石亲信）难不住我们，是李济深‘礼送出境’的”。

蒋介石迫害他们的阴谋宣告失败了。

第二十六章　战略转变

1941年3月，李克农率领桂林办事处部分人员，从重庆回到延安。他奉命在国统区工作四年后，又回来了，回到了革命圣地，回到了自己的家。

这时的延安，寒冬刚过，新春伊始，虽仍有寒意，但阳光明媚。李克农漫步田野，自由呼吸，豪情满怀，特别兴奋。

李克农回到延安一周后的一个下午，毛泽东主席在住所杨家岭窑洞里，请李克农及其家人（妻赵瑛、女李冰、子李伦）一起吃饭，朱德总司令也应邀作陪。

李克农全家在延安合影。自右至左：李力、李克农、李冰、李伦、李宁、赵瑛、李治

饭菜很简单，是用搪瓷饭盒从杨家岭干部食堂打来的，加了几个菜，但气氛十分亲热。

毛泽东对李克农安全归来很高兴。他说，“我们以为你回不来了，你们是冤家路窄”。这是指李克农等人从重庆来延安途经陕西潼关胡宗南军队防区时又遇到的险情。

就在这个3月里，经毛泽东亲自点名，中共中央任命李克农担任中央社会部副部长。

1942年延安整风后，部长康生大部分力量用于中央整风学习委员会的副主任（毛泽东任主任）工作，中央社会部的常务工作实际上由李克农主持。

中社部建立于1939年2月，是直属中共中央的一个部，主要负责根据地的锄奸、肃特任务，并环绕这一中心任务，进一步发展日寇占领区和国民党统治区的保卫、情报工作。

抗日战争进入相持阶段后，日、伪集中主要力量对付共产党和革命抗日军队，国民党顽固派实行消极抗日、积极反共的政策。他们派遣大批奸细、特务，混入革命根据地，进行暗害和间谍活动，情况比较严重。

国民党利用国共合作协议，在中共首要的抗日后方根据地——陕甘宁边区许多县里，设立了公开的县（国民党）党部、县政府和保安团队，在延安等地还设置了邮政局、电报局和军邮视察办事处，使边区存在着双重政权的局面，他们还借此利用公开合法地位，派遣特务侦探，千方百计在边区民主政府机构内部发展内奸，甚至在边区内组织地下武装土匪，暗杀共产党负责干部，并进行其他破坏活动，企图颠覆边区民主政权。

对靠近北平、天津等地的敌后抗日根据地——晋察冀边区，日军除多次“扫荡”外，还派遣大批汉奸、特务打入根据地，伪装抗日，进行破坏活动。国民党特务、叛徒也趁机从北平、天津等地向边区渗透。他们企图使边区内外交困，从而被取消。

中社部成立后，立即组织人力，在陕甘宁边区里的国民党县党部、县政府和保安团队内建立了一批内线，取得了国民党特务潜伏边区的大量情报和确切证据，配合边区致府及时揭发了他们的劣迹和罪行。这期间还逮捕汉奸20余人。到1941年春，已把国民党设在边区的党部、政府和保安团队全部搞垮挤走，从而结束了边区存在的双重政权局面，巩固了边区的民主抗日政权。

晋察冀边区的除奸工作，在开始阶段比较薄弱。后来，中社部派人去配合地方和军队，慎重审理了一大批重大特务案件，保护自己同志不受冤屈，逮捕了日探、汉奸，赶走了国民党特务，基本上稳定了边区的内部局势。

李克农参与领导后的中社部，在1941年4月10日和8月2日，两次发出《关于清理审查反革命嫌疑分子的指示》；1941年5月31日，发出《关于反对日本特务机关的通知》。在1940年、1941年，中社部还针对各个根据地的不同情况，分别发出了《关于保卫工作的指示》，又给陕甘宁边区专门发了《关于国民党公开机关在我区进行特务工作的处理办法》等。

这些指示、通知和处理办法，非常明确具体，充分体现了共产党抗日民族统一战线指导下的锄奸、肃特政策，进一步推动各个根据地除奸、肃特工作的顺利进行，对巩固各根据地的政权起了重要作用。

1941年下半年，国际、国内形势发生了重大变化，中共中央对情报工作的主要要求也发生了重大变化。

德国法西斯在侵占了欧洲大部分地区之后，于1941年6月22日突然对苏联发动大规模的侵略战争，苏联奋起自卫，爆发了苏德战争。

在中国战场上，中共领导的八路军和新四军坚持抗战的敌后战场，吸引了大量的日本兵力，承受着巨大压力。

面对国际、国内形势的重大变化，中共中央需要考虑和处理带有全国性和国际性的重大战略问题，因而急需国际、国内政治和军事的战略情报作为重要参考和依据，以保证共产党继续制定正确的路线、方针和政策，争取抗日战争的胜利。

因此，中共的情报工作，需要由获取警报性、保卫性情报为主转到以获取军政战略情报为主。这将是中共情报工作一次重大的战略转变。

1941年9月，中共中央决定成立中央情报部，作为中共中央和中央军委统一的军政战略情报机关，担负新的情报任务。

中共中央任命中社部副部长李克农兼任中情部副部长，部长由康生兼。副部长还有王稼祥（未到任）和叶剑英。不久，军事情报划出，叶剑英不再兼

1941年，傅连暲、陈云、李克农、李冰、王稼祥（自右至左）等在延安合影

任中情部副部长。中情部副部长只剩下李克农一人。这时，中共的情报和保卫工作实为一套机构，挂两个牌子——中情部和中社部。

李克农参与领导了这个情报工作的重大战略转变。

首先认真学习并坚决贯彻执行中共中央在同年七八月间先后发布的《关于增强党性的决定》和《关于调查研究的决定》。以这两个《决定》当作情报工作的理论武器，即以毛泽东关于增强党性和加强调查研究的思想作为指导思想来组织和开展情报工作。因为情报工作是调查研究工作的重要组成部分，是一种特殊形式的调查研究工作，是一种高度科学的斗争艺术。

9月下旬，中情部成立后举行第一次部务会议，重点是贯彻中共中央两个《决定》的精神。会议请八路军总司令朱德出席并讲话。他说，材料很多，问题在于研究不够，过去同志中的主观主义来自于自称是马克思主义的人。部务会议以后，包括李克农在内的部领导把开展情报工作与执行两个《决定》结合起来，在全部树立调查研究和情报工作密切相关的正确观点，掀起一个热烈了解情况、注重实际的风气，把情报工作提高到理论上、政治上和思想上的原则高度，把中共的情报工作与党的整个路线、战略和策略紧密联系起来。

这对中共情报工作的建设有重大意义。

在中情部成立前几个月，随着形势发展的需要，中共情报工作已经在深入发展。如香港、上海以及重庆（由周恩来、董必武等直接领导）、西安等系统已经有一些反映日、伪和国民党政治动向的情报，情报的质量也很好。但是，总的说，军政情报较少，尚未引起广大情报干部的重视，更缺乏系统的调查研究。

新成立的中情部，就以中央两个《决定》为武器，提出进一步改进情报工作的方针和做法。

重要的一点是：以政治、军事情报为中心，以获取有关中央决定战略的情报为目的。具体地说，以日伪、国民党、欧美三方面为主要对象，调查研究其政治、军事、党派、人物、特务、社会情况等主要动向和各种具体材料。

不仅要获取机密的战略情报，而且要周密系统地进行调查研究工作，把一般的周密系统的调查研究工作与秘密的情报工作结合起来。

要注意广泛利用广大社会人士，加强上层情报联络工作，把上层情报联络工作与内线工作结合起来。

根据情报工作的新的指导方针和新的工作方向，李克农参与领导了情报组织和业务工作的全面建设，推动情报工作在宽广的领域和深厚的统战基础上迅速发展，开创情报工作的崭新局面，逐步形成中共情报工作的独特风格。

组织建设工作进展很快。在部机关建立系统组织机构的同时，部署各地以最大的人力、物力建立情报组织。两年内，各重要地区基本上建立起比较完备的情报工作专门机构，如：

——陕甘宁地区，

——晋察冀地区，

——香港、上海地区，

——晋绥地区，

——华中地区，

——重庆地区，

——西安地区，等。

总的说，情报工作以根据地为据点，在日寇占领区和国民党统治区的大、中城市和香港建立秘密情报组织，派遣情报工作人员深入到日、伪、蒋的党、政、军、特机构中。

各地还相应地建立起情报电台、情报交通站、交通线等联络指挥系统。

在抗日战争期间，中情部与绝大多数情报系统都保持着电台联络，并保持陆上交通线的畅通。

这些组织建设的发展，为中共在抗战期间获取和及时传递重大战略情报创造了必要的条件。

抗战期间，国际、国内形势非常复杂。国民党是中国的执政党，拥有较大的军事力量和经济力量，与共产党合作抗战，但又不断进行反共、反人民的活动，并且表现出向敌人妥协投降的倾向，如果听任这些活动和倾向发展下去，会导致抗战的失败。

英、美与德、意、日法西斯有矛盾，但又惯于执行绥靖主义政策。英、美在西方纵容德国法西斯攻打苏联，牺牲了东欧国家，他们在东方也有与日本妥协的倾向，企图让日本攻打苏联而牺牲中国。如果这种倾向变成事实，中国会被出卖。

如果日本接受英、美的推动，把进攻的矛头指向苏联，苏联东、西两线受到德、日军队的进攻，形势会十分危险。万一苏联战败，中国抗战会处于十分孤立的境地。中国共产党虽然只掌握部分抗日根据地的政权，但坚决抗日。为了民族的利益，必须肩负起政治上领导抗战的责任。

针对这种复杂的国际、国内形势，中共为了把抗日战争引向胜利，需要考虑和处理几个重大战略问题，主要是：

1.是否能克服国民党妥协投降危险，坚持抗战到底？是否能粉碎国民党反共阴谋，保持国共合作局面，免于分裂？

2.日本军、政动向怎样？日军侵占中国大部地区后，要南进东南亚，向英、美挑战，还是北攻苏联？

3.英、美对华、对日政策如何？是牺牲中国对日妥协，还是支持中国抗击日本侵略者？

4.德、意法西斯在欧洲对苏联是真守中立还是有发动侵略战争的危险？

根据这些重大战略问题，随着每个阶段时局的演变，李克农参与领导的中社部、中情部及时搜集到大量情报，供中共中央参考，对中央正确决策，赢得抗日战争胜利，起了重要配合作用。

李克农后来在《二十二年（1927—1949）我党情报工作的初步总结》中，提到抗战期间中共在军事、政治和国际方面获得了重大的战略情报，并分别举例说明。

《初步总结》还指出，这些情报对中共中央揭穿远东慕尼黑阴谋、反对蒋介石投降危险以及预先侦知法西斯德国进攻苏联的时间等方面，均起了有益的作用。

在发展秘密情报人员的同时，李克农很重视广泛利用广大社会人士，并利用敌人内部一切能利用的人的做法，他还亲自参与这方面的工作。

1943年，李克农在延安秘密接见了国民党中统特务缪庄林。

缪庄林原来是中共党员，大革命失败后与共产党失去联系，参加了国民党，先被国民党委任为晋西北党务办事处主任，后任山西省调查统计室主任，为国民党中统特务机关工作。后有悔意，在1939年与八路军驻山西秋林办事处主任王世英建立了联系。

1943年，缪庄林路过延安，李克农特地同他进行了会晤，谈到大革命失败后的革命低潮，谈到当前国共两党合作抗日的局面，也谈到革命的光明前途和革命大义，并赞扬他“浪子回头金不换”。

李克农的坦率言谈和亲切态度，表明中共领导对他的信任和关切，他很激动，决心主动补过。后来，他提供了“中统局”给他的密码，还提供了许多机密情报，使中情部及时掌握山西军阀头目阎锡山与蒋介石勾结反共的阴谋活动。

1945年，李克农在延安又秘密接见了陕西省中统特务头子李茂堂。

李茂堂，原名李自靖，原来也是中共党员，在1935年7月上海共产党组织遭到大破坏时被捕，而后自首参加了国民党中统特务组织。几年里，他目睹国民党种种腐败现象，深感悔悟，愿意帮助共产党做点事。1940年，中共西安的一个情报处负责人王超北和他联系，并请示毛泽东批准可以使用他。李茂堂在1941年调到西安任中统陕西省调统室二科科长。1944年升任中统驻陕西专员。1945年1月，又升任国民党陕西省调查统计室主任，成了陕西省中统特务头子。他在中统内的地位不断提高，为搜集国民党内部情报提供了有利条件。

同年11月，李茂堂从西安秘密到延安，要求见到中共高级领导人。李克农接见了他。他汇报了自己的思想和工作情况，并要求重新加入中国共产党。李克农立即报告毛泽东主席，特别批准他重新入党，由罗青长、汪东兴奉命介绍。李克农笑说，"两个主任介绍一个主任"。李克农又和他一起分析西安的工作条件，具体指示他如何进一步开展情报工作。

李茂堂认识到，这表明他重新得到了共产党的最大信任，非常激动，决心戴罪立功，将陕西省调统室的密码本和陕西省（国民党）党、政、军、警、宪、特多次联席会议记录，全部交给组织。这样，中统陕西特务机关与所属机构来往密电和策划的重大的反共阴谋活动，全部为中情部掌握。

中情部很注意抓情报业务建设，并根据中央的精神，强调要加强系统的调研，引起中共情报工作的深刻变化。

实践证明，周密系统的调查研究工作与重要的机密情报有密切关系，二者缺一不可。没有重要的机密情报，就不能了解各方的军政动向，主动地应付时局；没有系统的调查材料，就不能全面地了解情况，正确地决定政策。

李克农认为，就中情部领导的情报工作的整体来说是这样；就各地情报组织来说，系统调查研究与机密情报也是关系密切、相辅相成的。

李克农还认为，在秘密情报系统中展开系统的调查研究，才会开拓和深化秘密情报工作。他们身处第一线，直接了解内幕情况，对事物有感性认识，结合这些情况再进行调查、研究后，对事物有比较全面、具体的认识，也会提高对机密情报的分析和判断能力，确定其真实性和重要性如何，因而会提高获取机密情报的质量。

在加强系统调查研究的思想指导下，李克农不仅重视秘密情报工作的开展及机密情报的研究，同时也非常重视公开情报工作，组织对公开材料的系统研究，以获取有价值的公开情报，使秘密情报和公开情报互相印证。当一时得不到秘密情报时，还可以从公开报刊中获取情报，两者是相辅相成的。

在根据地受到各方封锁的情况下，系统收集日、伪、国民党区的报刊书籍的工作是很不容易的，运送到延安更是困难。

有些地区情报组织长期收购大量报刊书籍，做出突出成绩。西安情报组织长期采购国民党区书报运送延安，是主要来源之一。

晋绥边区情报组织，通过日寇占领区学校的教师或其他内线人员，系统地订购日文报纸13种、中文报纸10种，以及大量日、中文的书刊、杂志和年鉴，有助于部机关系统地研究日本的情况。为了向延安及时转送敌伪书报，专门建立了两条书报交通线。

华北区情报组织积极收集日、伪公开、半公开的书报、杂志等资料。他们把日本特务机关出版的《建设》刊物以及伪蒙疆政府编辑的《蒙疆年鉴》和伪满洲国出版的《满洲年鉴》等资料，利用晋绥边区情报组织的书报交通线送到延安，对中情部研究日、满、蒙政治社会情况有一定参考价值。

中情部印发的《书报简讯》所提供的资料，不是日、伪、国民党报刊材料的一般摘录或简单综合，而是经过资料的积累和系统的研究、分析后，把某一重要事件的动向、某一重要问题的各方反映、某些重要人物或组织的系统情报等，提供给中央领导人参考。这些资料，内容充实，主题鲜明，针对性强，有助于中央领导人了解日、伪、国民党区的情况。

抗战期间，中共中央所公布的国民党中央委员和少将以上军官投降日寇的名单（从1941年到1943年8月，投降日寇的国民党中委20人、高级将领58人）就是根据中情部书报简讯社平时积累的人物资料提供给中央的，起到了揭露蒋介石投降政策、制约他投降日寇的作用。

中央领导人普遍爱读《书报简讯》。毛泽东在1944年为《书报简讯》题词：《书报简讯》办得很好，希望继续努力，为党即是为人民服务。

中共的情报工作，具有自己的特点，并不神秘，但很有作用。中共领导人毛泽东、周恩来等直接领导和具体过问，是主要原因。李克农参与领导的中情部坚决地、创造性地执行中央有关决定，起了重要作用。

第二十七章　延安审干

1942年，抗日战争处在最困难的阶段，中国共产党在全党范围内展开一次整风运动，内容是反对主观主义、宗派主义、党八股，以树立马克思主义的正确作风。它破除了党内把马克思主义教条化、把共产国际决议和苏联经验神圣化的错误倾向，以便实现党内在思想上、政治上的统一和行动上的一致，同心同德地战胜困难，夺取抗日战争的最后胜利。

在开展整风运动期间，中共中央各部委和延安的一些机关、学校于1943年春开始了审查干部的工作。

中央决定，延安中央机关部分受审查的人，集中到西北公学（简称“西公”）进行审查。

西公是中社部办的一所新型的革命学校，专门培养情报保卫干部，由李克农兼任校长。因之，他直接负责领导送到西公的干部的审查工作。

李克农负责的这方面审查工作，又直接受康生领导。因为康生是中社部部长，又是整风总学习委员会副主任，是中央领导审干工作的实际领导人。

李克农对审干工作是很重视的。这是中共中央的决定，要求在整顿党的作风的同时，对全党干部进行一次认真的组织审查。这些年来，共产党的队伍迅速扩大，在国民党加紧特务活动的条件下，组织审干也是必要的。

但康生在代表中央领导审干工作中犯了“左”的错误。他夸大敌情，批评审干人员在对敌斗争中的自由主义态度，特别是掀起所谓“抢救失足者运动”，大搞“逼、供、信”的过火斗争，造成了大批冤假错案，出现严重的偏差。

李克农在开始审干时，是比较谨慎的，步骤也比较稳妥，强调多调查研究，多了解情况。

康生发动“抢救运动”后，李克农受到康生的“左”的错误的影响，在西北公学内召开抢救运动大会，作了报告，号召学员坦白，对被审查干部施加了一些压力，把一些干部思想上、工作上的缺点和错误或历史上未弄清的问题，怀疑成政治问题以至反革命问题。随着“抢救运动”的逐步升级，大批干部被打成“特务”“叛徒”“反革命”，他对康生的一套主张和做法逐渐产生怀疑。

这时，运动大轰大嗡，搞得人人自危，闹出一些荒唐事。有的领导干部半夜三更吹紧急集合号哨，让大家起床一起抓“特务”，第二天人们精神不振，闹得正常工作近于停顿。还有一个人半夜跑到李克农家里敲门，硬说他新婚妻子行为反常，是“特务”。仔细一问，原来他开会回来晚了，妻子坐在灯下一直等他，他疑心妻子心中有鬼，拉她到李克农这里来交代问题。李克农披衣起床，看到哭哭啼啼的新娘和半痴半呆的新郎，真是哭笑不得。

李克农把这对夫妻劝走后，再也无法平静下来了。他意识到许多人在这场运动中头脑发昏发热，再这样干下去，不用特务来破坏，自己就会把自己折腾得半死。

运动后期，李克农的调门降下来了。当时，他与刚从苏联养病回延安的中社部干部李士英谈延安审干工作时说，“我们无论做什么工作，第一，要教育提高党员的政治觉悟和思想觉悟。第二，我们党是代表和率领无产阶级前进的。第三，现在我们是处在一个领导全国人民打日本的时期”。

李士英后来回忆时认为：这些是很普通的话，强调“我们党要团结一致，要一致对敌”，与康生强调特务如麻的调子不一样，是含蓄地针对康生搞“抢救运动”而说的。

解放后，约在1954年，李克农对秘书提起康生，说：在社会部，康生一人说了算，开会时就他说话，是家长作风。又谈到“抢救运动”，李克农说，“他说他的，我做我的”。

至于发现“抢救运动”错误并进行纠正的是毛泽东。他针对这一错误提出审查干部的九条方针：（1）首长负责；（2）自己动手；（3）领导骨干与广大群众相结合；（4）一般号召与个别指导相结合；（5）调查研究；（6）分清是非轻重；(7) 争取失足者；(8) 培养干部；(9) 教育群众。

1943年8月15日，中共中央鉴于“抢救运动”所发生的偏差和恶果，正式作出《关于审查干部的决定》，申述了毛泽东关于审查干部的九条方针，并逐条做了具体说明，主要强调要调查研究，分清是非，重真凭实据，不搞“逼、供、信”，尖锐地批评了“逼、供、信”的错误做法。后来，中央又制定“一个不杀，大部不抓”的原则，并发出一系列关于甄别工作的指示，要纠正所有错案，使审干工作稳妥进行。

中央的这些指示，如雷鸣电闪，使李克农看清了“抢救运动”的错误，也看清了自己在执行中的错误，决心要改正。李克农在西北公学大会上公开承认错误，并诚恳地进行自我批评。他在讲话中说，“我是眇一目，有些事看不准”。“眇一目”是指他自己一只眼睛看不清。他还说，“我们是黑房子里捉老鼠，伤了不少好人”。

他积极领导和组织对被审查对象的甄别定案工作，还直接找这些对象进行个别谈话。他在这些个别谈话中，既认真地询问，又亲切地关怀，要弄清事实真相。

对青年干部黄钢的个别谈话，是个典型的例子。

黄钢，1917年生于武汉市，是中共建党初期的革命烈士黄负生的遗孤，幼年时受到中共领导人恽代英、陈潭秋、任弼时的关怀。1938年离开武汉到延安，进入鲁迅艺术学院学习，后到《解放日报》任记者。

这是一个纯洁的青年。但是，他有一段历史，遭到怀疑和误解。

原来，黄钢到延安之前的三年，曾在南京和重庆国民党中央宣传部所属的“中央电影场”担任助理编辑和新闻电影组代理组长。这还算是一般的简历。严重的问题是：他进入该场开始做见习生是由国民党文化巨头张道藩向场长张冲介绍的，张冲又是国民党中统特务机关的一个头子。

于是，黄钢到延安的来历受到怀疑，1943年3月被送到西北公学学习，接受审查。7月13日，国民党中宣部部长张道藩在重庆发表了极为凶狠的反共谈话，黄钢在延安又擅自组织电影（学习）小组。他来延安是否有什么特殊目的？黄钢在《解放日报》任记者时，曾采访国民党派到延安谈判的一个代表团，未向组织请示，就应允国民党代表团的要求，准备赠送一批延安印行的文艺刊物给他们，被报社有关人员发现阻止，才未送成。这些刊物虽是公开的，也不能随便送给国民党人员啊！

不久，“抢救运动”开始了，黄钢就成了“抢救”对象。黄钢在运动的冲击面前，以为反正是党内审查，不必硬顶，先避过当前的风头再说，就“承认”自己是国民党特务，由张道藩派到延安来的，还说了张道藩派他来的“过程”。

李克农向毛泽东汇报了，毛泽东不相信。

李克农要亲自询问。

黄钢是由学习班的班主任王涛江带到李克农的办公窑洞里的。沿路上，王涛江对他在“抢救运动”中哗众取宠的表现给予了严肃的批评。

在办公窑洞里，李克农一开头就说，“我们昨天还向主席汇报，说你‘回来了’，共产党的亲骨肉呀，掉进了敌人的泥坑，又重新回到了党的怀抱！”

这头一句话，黄钢没有听清，便问，“向谁汇报？”

“向毛主席，”李克农大声地说。

李克农接着问，“怎么？前两天，你刚刚承认是张道藩派你到延安的，你昨天又把自己的交代推翻了！”

“那我是在困难面前说谎。李副部长，我到延安来是我父亲留给我的路，博古和夏之栩同志在汉口八路军办事处给我开的介绍信，我的来历是清楚的。”黄钢决心现在要如实地说明问题。

“清楚？既然清楚为什么要说谎？要编造？有就有，没有就没有嘛（指是否有特嫌而言）！”李克农接着说，“小资产阶级的思想方法就是不老实。你就是不实事求是嘛！好比说这把茶壶，工人阶级说它是圆的，你说它是方的，因为工人是生产它的。你哩，你要如实地反映客观的事物嘛！你就没有学会这一条！”

“黄钢，在南京，你认识徐恩曾么？”李克农单刀直入地询问实质问题。

“副部长，你把我估计太高了。1935年进中央电影场，我还是一个18岁的学生啊！”

“陈果夫、陈立夫，你认识么？”

“我跟C.C.派没有组织上的关联。”

“那袁牧之，你总有联系吧？”

“袁牧之，我当然是认识的。1938年秋，我离开重庆‘中电’，就是沿着他的踪迹到延安来的。”

“袁牧之现在在苏联，也在受审查。”李克农告诉黄钢。接着，李克农质问他为什么在延安擅自组织电影（学习）小组。

“这是袁牧之1940年去苏联学习以前和我说过的，他叫我等他回来，一起搞电影。”黄钢对袁牧之在苏联的意外遭遇，颇为震动。

“他叫你组织电影小组？”

“没有这样说，这是我整风以前的错误。”

“你是根本不知道党的纪律为何物哇！”

在谈话中，李克农的态度是和蔼的，但目光是锐利的。他看出黄钢身上有自由主义和组织纪律性不强的缺点，但总的说，是一个革命的好青年。缺点嘛，可以在以后的革命锻炼中改正。至于个人的历史问题，一时无法调查，可以在以后的革命工作中来观察、来检验。

黄钢后来成为杰出的新闻工作者、著名的报告文学家和剧作家。

李克农领导的平反甄别运动积极而稳妥地进行着，平反了几百名干部，大多数留在中社部工作，后来成为情报、保卫战线上的骨干。只有四个人，有充分的材料证明确是特务、叛徒，在查清问题、本人悔过后，实行给出路的政策。

甄别平反的结果表明，“抢救运动”中所说的失足者，百分之九十九都是好人。李克农向这些受冤屈的同志一再赔礼道歉，并说：为了党的事业向前看，希望同志们谅解。

李克农对他执行的“抢救”偏差，一直抱着歉然心情。若干年后，他回忆这段往事时说：当时有人向毛主席汇报“抢救运动”的情况，毛主席问道，“你们打算要抢救的百分比吗？”有人回答说，“是的，估计是百分之五。”然后，又降到百分之二三。毛主席坚持地反驳说，“怎么能够是这样？不可能！（特务）都开了花了！”

李克农还回忆说，“延安审干时，毛主席经常派人来听汇报。等到向他本人汇报，他开头也没有说好也没有说坏，一直没有表态，只说了一句，‘青年人的灾难啦'！当时我体会，以为毛主席说的是青年人在国民党统治区遭受的灾难，现在，我的体会就更深了”（意指在审干中搞“逼、供、信”，是青年人的灾难）。

这表明，李克农对自己错误的检讨是深刻的，对自己的责备是真诚的，对自己的要求是严格的。

在审查工作中，李克农还采取了“四边政策”，表明他对干部的深切爱护和执行中央政策的创造性。

当时，他也不知道这些干部受审查要多久，这些都是有知识的专业人才啊，一天到晚地接受审查，是专业的荒废，人才的浪费，多可惜啊！当然，这些干部政治上、历史上有疑点，不审查也不行啊！

于是，他就决定，让这些被审查的对象边工作，边学习，边生产，边审查。主要措施有三：

一、把报务、机要人员组织起来，在西北公学内成立一个通讯联络科。

二、把文化艺术人才组织起来，在西北公学内成立一个文化娱乐科。

三、其他被审查的重点对象，也让他们根据自己的专长，临时参加工作。

通讯联络科科长刘志汉，是李克农亲自委派的。刘志汉是中社部机要科科长，1936年，曾在莫斯科学习军事作战和无线电。

李克农请军委二局帮助这些被审查的报务和机要人员，建立起以破译敌人密码为主要任务的工作。在刘志汉的率领下，他们劲头十足，艰苦创业。没有地方办公，就自己动手挖窑洞。器材质量差，在山沟里抄收不到电报，就跑到山顶工作，不管天气有多冷，硬是把报抄下来。回到窑洞里，靠手工操作，凭脑子思索，硬是把电报破译出来。他们收听破译阎锡山部队的密码，成功地配合了八路军上党反击自卫战役，成绩突出，得到毛泽东亲自嘉奖。

1945年8月，抗日战争刚胜利，蒋介石密令国民党军第二战区司令长官阎锡山部，进攻晋冀鲁豫解区控制的长治地区（古称上党郡）。企图是：一方面想控制晋东南地区，在战略上造成晋冀鲁豫解放区腹背受敌的局面；另一方面想配合重庆谈判，在谈判桌上向中共施加压力。

以刘伯承为司令员、邓小平为政治委员的晋冀鲁豫军区，根据中共中央军委坚决彻底消灭来犯之敌的指示，在九十月间，集中兵力，在上党地区反击国民党军阎锡山部的进攻。

事前，通讯联络科就把阎锡山部的军事部署、行军路线等一字不漏地抄收破译出来，报告了中央。前线就按通讯联络科提供的情报布置了“口袋”，共歼灭国民党军3.5万余人，俘获十九军军长史泽波。

这次战役给蒋介石的军事密谋以沉重打击，巩固了晋冀鲁豫解放区的后方，使中共在政治上、军事上取得一定的主动地位，直接配合了共产党同国民党在重庆的谈判，促进了《双十协定》的签订。

毛泽东从重庆谈判回到延安后很高兴，专门表扬说，“过去对阎的电报，搞了很久没有搞开。现在联络科搞的很有成绩，应该奖励他们”。毛泽东还说，“他们能将人名、地名及代字均加以注释，这方法也是很好的”。

后来，这个科撤销，这些人员在解放战争中和新中国成立后都发挥了重大作用，成为有关部门的骨干力量。

在“抢救运动”后期，机关干部存在一种紧张、消极、不安的情绪。李克农为了缓和机关学校的空气，便亲自抓机关文娱活动，成立了文化娱乐科。文化娱乐科科长是汪东兴，也是李克农亲自委派的。汪东兴是中社部干部，后任该部第二室主任。

1943年冬，汪东兴按照李克农的意见，把受审查的30余名男、女文艺工作者集中到这个科。实际上是一个文工团，其中分设编写组、音乐组、总务组、演员组。

李克农为该团确立了方针。他向全团人员讲话，要大家以毛泽东不久前发表的《在延安文艺座谈会上的讲话》作为文艺方向，和工农兵结合，和实际结合。

1944年元旦，刚成立的这个文工团组成一支秧歌队，欢快地扭着秧歌走进延安枣园村的广场上，唱着“军民同欢枣园会，共庆胜利贺新春”，同群众一起扭秧歌，掀起了全场的欢乐高潮。坐在广场上的毛泽东很高兴，给这个秧歌队起名为“枣园秧歌队”。事后，李克农让西公买了几丈红布，做了一面门旗，写着“枣园文工团秧歌队”几个大字。全团为能代表枣园而自豪。枣园是毛泽东等中央领导人居住的地方。

在李克农的过问下，文工团创作、演出了一些优秀节目。首先，团员们深入农村后创作了大型秧歌剧《动员起来》。此剧反映农村组织起来，开展生产运动，又展示解放区人民的风情，语言有地方特色。音乐是在陕北民歌基础上提高的，唱得响，舞得美。在1944年的多次演出中，获得了中央领导和延安军、民、干部普遍的好评。

毛泽东特地为枣园文工团题词：拿起锄头生产劳动，用文艺宣传群众，能文能武，是中国革命文艺战士的典范。

在一次演出后，周恩来走上台与每个演员握手，赞扬这是好戏，并说，“这是你们在李克农同志领导下实现毛主席讲话的重大成果”。

在《动员起来》创作演出成功后，李克农又在1944年夏秋，组织枣园文工团排演苏联话剧《前线》，先于延安鲁艺专业团体排出的同名话剧，在延安轮流演出很多场次，轰动一时。

这是苏联乌克兰作家考尔纳楚克的三幕五场话剧，反映苏联反法西斯战争时，红军前线总指挥戈尔洛夫不学习，又骄傲自满，统帅部未能把他教育过来，只好撤换，重用有能力的年轻将领，以保证战争的胜利。这个演出，对于配合中国抗战全局，在思想上准备反攻起了有益的作用。

杨家岭中央大礼堂今址

在杨家岭大礼堂演出时，毛泽东观看后对李克农说，“好，演得好！”

李克农请求指示，毛泽东挥着右臂大声说，“到——处——演！”周恩来、朱德、彭真等中央领导人，先后看了演出，也都给予很高的评价。

李克农亲自筹划、动员、鼓励，还给予具体指导和物质支持（当时延安财力很困难），保证了《前线》演出的成功。

1945年1月13日，陕甘宁边区群众大会举行授奖典礼，大会评判委员会评定枣园文工团获团体奖。文工团几位团员获一等模范工作者称号。枣园文工团的团员们，像通讯联络科人员一样，处于审干后期，要甄别历史是非与敌我的过程中，许多人还没有得出最后的历史结论，但都以优异的工作成就，表明他们对革命的忠诚。

这也显示了李克农敢于和善于使用青年干部的政治胆略，当时，李克农曾为文工团拍了两张照片：一张是枣园秧歌队全体合影，一张是《动员起来》四位人物的剧照。这两帧照片现在仍存在延安历史博物馆，是珍贵的历史记录。

这个文化娱乐科（枣园文工团）存在两年后撤销，许多人到文艺界、新闻界工作，成为骨干力量。

这些受审查、经甄别受重用的干部，后来说起李克农，常赞扬他热情爱护干部、善于使用干部的可贵品德。

西北公学的干部，在日本投降后，陆续被派到各解放区，新中国成立后又分批派到全国各地，绝大部分成为公安和情报系统的领导和骨干。在这方面，李克农作出了重大贡献。

第二十八章　转变对象

抗日战争胜利后，中国获得了一个进行和平建设的有利时机。但是国民党在美国的支持下，不愿意中国享有真正的和平、民主，处心积虑地要通过发动大规模内战来消灭人民革命力量。

国民党统治集团代表中国大资产阶级、大地主的利益，同广大的中国人民的利益是根本对立的。抗战胜利后，它们为了维护其经济上的垄断地位和政治上的独裁统治，决心要“解决中共问题”。

国民党头子蒋介石在同中共进行和平谈判的同时，积极准备内战。国民党统治集团，凭借他有一支在抗日战争中保存下来的和战后收编的伪军共400多万人的庞大军队，又收缴了100多万日军的武装，还得到了美国的大批军援，军队力量占绝对优势，企图通过“放手动员作战”的办法来消灭中共武装。

美国则执行“扶蒋反共”政策，以便控制中国，使中国沦为美国的附庸国。

因此，随着抗日战争的胜利结束，中国国内的阶级关系发生重大变化：以美国支持的国民党为代表的大资产阶级、大地主阶级同以中国共产党为代表的人民大众之间的矛盾，取代了日本帝国主义同中华民族之间的矛盾，而成为中国社会的主要矛盾。

中共中央，对抗战胜利后的这种基本形势深入分析后，决定了正确的革命对策。中共中央明确指出：独裁、内战、卖国三位一体是蒋介石方针的基本点，我们一方面要尽力争取和平、民主，把内战限制在局部范围内，或推迟内战爆发的时间；另一方面，必须清醒地看到，内战危险是极其严重的，我们对蒋介石发动内战的阴谋必须有充分的认识，对帝国主义和反动派不抱幻想。

中共中央制定的方针是：针锋相对，以爱国的正义的革命战争，打败美国支持的国民党反动派，建立新民主主义的新中国。

在这种情况下，中共中央决定要进一步加强情报工作，其首要任务是：全力以赴地配合党准备的自卫战争，击败蒋介石的内战阴谋。

因此，这一时期中共情报工作的主要侦察对象要有改变，要从主要侦察日本帝国主义转变到主要侦察国民党反动派。

就在1945年8月15日日本宣布无条件投降的当天，李克农参与领导的中情部，根据中共中央的指示精神，向各级情报组织发出紧急指示，明确提出当前情报工作要以搜集蒋帮发动内战的阴谋活动作为重要任务。

指示还具体要求：1.配合部队收缴敌伪武装，壮大自己。2.利用当前的混乱状态夺取敌占城市，并抓住有利时机，有计划地向国民党统治区开辟情报工作，获取敌人策划内战阴谋的情报，以准备即将到来的内战。

李克农很注意研究形势发展的重大变化，对中共中央在新形势下确定情报工作的任务、方针有深刻的体会。日本投降时，晋绥地区情报负责人陈养山要离开延安回晋绥，走前向李克农告别。李在百忙中告诉他：情报对象起了变化，你们要将各种关系设法转到国民党当中去，要加强这方面的工作。

1945年10月16日，晋绥公安总局召开情报侦察工作会议，李克农到会，专门阐述了情报侦察工作方向的转变问题。他强调指出，目前内战危险极大，为了有力配合自卫战争，晋绥的情报侦察工作要以蒋介石、阎锡山集团为主要侦察对象，加强城市敌人的内线工作，配合我军反击敌人的内战阴谋。

为加强情报工作、适应新形势的需要，中共中央还决定加强中央情报部的组织机构，并健全和组建各级情报组织。中情部部长仍为康生。1946年12月康生去参加土改后，中情部由李克农负责。其他副部长先后有刘少文、谭政文、陈刚等。

根据情报工作的新任务，中情部抓紧情报工作的具体部署，千方百计地向国民党统治集团内部和大、中城市里派遣和发展情报工作人员。首先，为了有力地配合中共中央对东北的战略部署，决定加强东北的情报工作。

东北是个极为重要的战略地区，是抗战胜利后国民党和共产党争夺的重要地区。

国民党企图独占东北，南北夹击关内解放区。

共产党力图控制东北，保卫华北、华中。

国民党要利用《中苏友好同盟条约》的规定，尽快接收东北行政权，并加紧向东北调兵遣将。但东北地区自九一八事变被蒋介石丢失后，国民党在那里没有一兵一卒，他要很快控制东北比较困难。

共产党领导东北人民和东北抗日联军同日本侵略者进行过长期的艰苦卓绝的斗争，在那里有一定的群众基础。苏联军队出兵东北，也是人民军队进入东北的有利时机。

东北地区地域辽阔，资源丰富，工业和交通发达，余粮较多，如能建成巩固的革命根据地，使华北同东北的根据地连成一片，对人民革命极为有利。所以，苏联刚刚宣布对日本作战，中共中央就决定向东北进军。1945年9月间，中共中央决定建立以彭真为书记的中共中央东北局，立即奔赴东北，又先后派出2万名干部和11万大军挺进东北。

苏军不同意中共武装以八路军名义进入东北。经交涉，同意八路军以“东北人民自治军”名义接管行政权和开展活动，后来称为“东北民主联军”。意为东北地方武装，便于苏联对国民党政府交代。

在东北局建立的同一月里，中情部先后派潘汉年、邹大鹏带领情报工作人员进入东北，组建东北局社会部，以加强东北地区的情报工作。邹大鹏带电台随部队从山东渡海到达辽南后，立即开展工作，将搜集到的情报电告中情部。

当时，彭真无法与中共中央联系，就用邹的电台向中央报告工作。中央领导人对中情部安排人员先机进入东北并开展工作表示满意。他们高兴地说，“情报部门在东北起了先遣队的作用”。

中情部的东北情报组织，配合进入东北的苏联军队做了大量的工作。苏军进入东北后，潜伏在东北的国民党人员从地下冒了出来，打着国民党的招牌，招降纳叛，还企图指使他们控制的伪满部队制造骚乱。中情部的东北情报组织获悉国民党地下组织的活动，及时通知苏军司令部，苏军下令取缔了国民党地下组织，并将企图骚动的伪满部队缴械，制止了混乱。

国民党特务还在哈尔滨策划暗杀活动，受到中情部东北情报组织的注意。东北抗日名将李兆麟被害案就是一例。

李兆麟，1910年生于辽宁辽阳，1931年九一八事变后，到北平与共产党地下组织取得联系。年底，回辽阳组织抗日义勇军，后一直在东北坚持抗日武装斗争。1945年8月，苏联对日宣战，他根据中共东北区党委决定（他在1932年参加了共产党），率部挺进哈尔滨，组织人民自卫武装，建立人民政权。1946年1月，国民党“接收”大员到哈尔滨后，横行无忌，他进行了针锋相对的斗争。

国民党视之为眼中钉，由国民党特务滨江组负责暗杀他（滨江省今已并入黑龙江省）。

东北情报组织有人已打入国民党特务滨江组.完全掌握了该组策划暗杀李兆麟将军的阴谋计划，及时提供了详细情报。可惜有关方面未引起警惕，李兆麟在同年3月9日终遭暗算。李被害后，东北情报组织人员又提供了破案线索，协助有关方面与国民党特务凶手进行斗争。

1946年3月12日，苏联军队开始从沈阳北撤回国，国民党军队进占沈阳。

3月27日，“三人会议”达成关于派遣执行小组调处东北内战的协议。“三人会议”是1946年1月初国共双方初步达成全国停战协议后于1月7日组成的，由国民党政府代表张群、共产党代表周恩来、美国政府代表马歇尔组成，任务是会商解决国共军事冲突及有关事项。

但国民党方面，却违反协议，在沈阳集中5个军11个师的兵力，南向本溪、北向四平街（今四平市）发动猛烈进攻，企图由南向北夺取交通要道和城市，歼灭东北民主联军。

中共中央一面坚持主张用和平的方式解决东北问题，力争达成东北停战协定，一面指示东北民主联军坚决阻止国民党军的进攻。为打击进犯的国民党军，东北民主联军在顽强地进行四平保卫战的同时，决定在苏联军队撤出长春之后立即发起进攻，解放长春。

为弄清敌情，配合解放长春战斗，东北局社会部指示打入国民党第二保安纵队（由收编伪满洲国军队组成）的几位情报工作人员查清敌人城防情况。

他们以国民党军军官的身份做掩护，对长春的城防工事、兵力部署做了周密调查，掌握了全部情况，最后绘制成《长春城防要图》，又加了文字说明。这时，邹大鹏正深入虎穴，在长春检查工作，他亲自将此图带走。

邹大鹏，1907年生于辽宁辽阳，1925年积极参加学生爱国运动，1926年加入中国共产党，后长期从事地下斗争。抗战期间，为开辟平津和东北地区的情报联络工作作出了成绩。抗战胜利后，任中共中央东北局社会部第二部长。

1946年4月14日，苏军撤出长春。当晚，民主联军发起攻城战斗。他们从邹大鹏带来的长春城防图中，得知国民党收编的保安队在长春四周设防，看来很严密；但主力部署在东、北和东南三面，而城西南方面的兵力是薄弱的，可在此处突破。于是，联军首先占领长春机场，切断国民党军空中联系，旋即从西南方面迅速攻入长春城内。

守敌如瓮中之鳖，惊慌失措。在联军内外夹攻下，除第二保安纵队刘德溥带领少数亲信化装潜逃外，守敌全部被歼。

这次战斗中，联军毙伤敌2000余人，俘敌1.1万多人，生俘长春城防司令陈家祯、东北行辕少将高参赖秉权等国民党军将领。

这是在自卫战争阶段，联军在东北打的第一个胜仗，东北局社会部的情报工作起了重要的配合作用，有关情报工作人员受到嘉奖。

后来，蒋介石在美国帮助下，加紧向东北运兵，凭借其军事优势，在苏军撤出东北后，就占领东北各大城市和铁路沿线，东北民主联军撤出长春、四平。

中共中央制定了“让开大路，占领两厢”的方针，要求东北局和民主联军总部把工作重心放在距离国民党军占领中心较远的城市和广大农村，发动群众，建立巩固的根据地。

到1947年上半年，民主联军已在东满、西满、南满、北满建立了根据地，兵力也得到了较大的发展。但是，南满、北满两个根据地被分开，作战态势不利。根据中共中央指示，东北民主联军在1947年5月13日至6月30日，发起了东北夏季攻势，以打通东北解放区的南北联系。

李克农指挥东北情报组织起了重要配合作用。

李克农在北平执行部工作时，批准发展的赵炜是主要内线情报人员。

赵炜是山东人，毕业于国民党陆军军官学校十六期。1946年春在国民党“东北保安司令长官部”参谋处任少校参谋，主管“机密室”，掌握全东北国民党军重要机密。

1946年上半年，已打入北平国民党第十一战区长官部任少校参谋的朱建国，向李克农汇报赵的情况，经同意后与其进行联系。朱和赵是故友，见面后交谈了当前形势。朱指出前景光明，希望赵“不要做中国革命的旁观者”。赵已有一定的思想基础，也猜到朱就是共产党人，欣然接受在敌人内部为革命工作的任务。以后不久，赵炜就把在司令部掌握的有价值的材料，及时送交在沈阳与他联系的人，由此人用密台向中情部通报，并以最迅速的方法送东北民主联军总部。

赵经常送出的情报有：全东北国民党军每月团以上兵力驻地表，内容包括战斗序列、团以上指挥官的姓名、驻地等。还有临时的国民党军兵力调动、作战计划和兵力部署等。这些情报详细、准确，对配合民主联军在东北作战起了重要作用，特别是有力地配合了民主联军的东北夏季攻势。

在历时50天的夏季攻势中，东北民主联军共歼灭国民党军正规、非正规部队8万余人，攻克中、小城市36座，迫使国民党军队收缩于一狭长地带。

这时，东北国民党军队虽进行整编补充，但“重点进攻”的力量不足，只好处于守势，企图以机动防御战略，争取在东北战场上的局部主动。

但是，国民党军队的《东北防御作战计划》刚拟定好，就为中情部掌握，使东北民主联军随后在东北发起的秋季攻势和冬季攻势一直处于主动地位，国民党只有被动挨打。原来，这个《东北防御作战计划》，就是赵炜亲自为国民党拟定，并送给中情部和东北民主联军总部的。

1947年10月，沈阳、北平情报组织遭国民党特务破坏，赵炜的身份也暴露了。国民党东北行辕主任陈诚在10月14日下令沈阳市戒严三天三夜，捉拿赵炜，沈阳警备司令楚溪春命令国民党军警持赵的相片挨户搜查，但毫无所获。

赵已在戒严前几小时走出沈阳城，17日到了辽南解放区。辽南军区发电给中央社会部，告赵已逃出，安抵安东。李克农正在各处派人找赵，收到电报后很高兴，立即回电，要辽南军区将赵经图们、通化，送至哈尔滨东北社会部。

1948年1月5日，李克农签发一份中情部电报说，"……情报均很有价值，且多系赵所供给者，曾得民联总部嘉许，对东北作战起了很大作用"。

中情部的第二个重要部署，是加强南京、上海的情报工作。

南京、上海是国民党两个最重要的战略城市，前者是它们的老巢，后者是它们的金融中心。抗战胜利了，国民党统治集团必将很快从大后方迁回南京和上海。特别是南京，又会成为国民党统治区的政治中心和军事指挥中心。

中情部认为在这一地区必须加紧部署情报工作，以便获取国民党统治集团的战略性军、政情报。其关键是要在国民党领导机构内部派遣和发展情报力量。已经打入国民党政府的一些中共情报人员，随国民党政府机构一起迁到南京，是一个既方便又妥善的办法。

早就打入国民党领导机构的沈安娜，就是一例。

沈安娜，1915年出生于江苏泰兴一个封建世家。1935年1月参加革命，1939年秋加入中国共产党。

1934年底，她进入国民党浙江省政府做速记。1938年，她根据中共领导人周恩来、董必武的指示，打入国民党中央党部秘书处任机要速记员。1946年5月，她随国民党中央党部从重庆迁到南京，成为吴克坚情报系统的成员。

吴克坚情报系统是1946年中共在南京、上海建立的一个情报组织，由中情部直接领导。在1945年抗战胜利后，李克农就根据周恩来的指示，找在延安参加中共第七次全国

1938年，吴克坚（右一）在重庆虎头岩的新华日报社内办公

代表大会的吴克坚谈话，要他到国民党统治区的心脏地带，继续做党的地下情报组织、领导工作。李克农说，“我管的这摊事，货架上现在是空空的，全靠你们去拿东西来。国民党那儿，有许多空子可钻，你是很有经验的”。

李克农还为吴克坚配备了电台和译电人员。

吴于1945年10月随周恩来到重庆，1946年径赴上海。

吴克坚，1900年生于湖南平江。读中学时就参加学生爱国运动。1924年加入中国共产党。1927年参加秋收起义。大革命失败后，在中央特科工作，曾任中央特科秘书长，多次机智地完成保卫、情报任务。1932年，他被派往苏联学习。1936年，他被派赴法国巴黎，任《救国时报》（巴黎版）总经理。1937年抗日战争爆发后回国，先后任中共中央长江局秘书长、中共中央南方局常务委员、《新华日报》总编辑。1946年下半年起，直到1949年夏上海解放，吴克坚情报系统在隐蔽的对敌斗争中，成绩卓著，曾受到中共中央的表彰。

吴克坚当时坐镇上海。他的助手何以端作为南京地区的负责人，从事情报领导工作。

何以端也是一个老共产党员。他1898年生于四川营山，早年曾在北京参加五四运动。1920年赴法国勤工俭学。1923年加入中国社会主义青年团。1924年加入中国共产党。回国后，在重庆等地从事抗日统一战线工作，后参加情报工作。

在解放战争期间，吴克坚情报系统从国民党中常会、中央政治会议上，搜集了国民党头目蒋介石、何应钦、白崇禧、陈诚、顾祝同等人的反共报告、“剿共”计划等重要情报，使中情部和中共中央及时掌握蒋帮策划进攻解放区的阴谋计划和军事部署。

在解放战争的三年中，南京、上海地区（包括杭州等地）的情报工作卓有成效。队伍不断发展，到后期空前壮大，获取了不少关于国民党统治集团的重要情报，通过电台及时报告了中情部。而且，这一系统的所有组织人员，严格执行隐蔽精干、单线联系、注意保密等方针、政策、策略，一直坚持到上海解放。

这表明吴克坚和何以端具体领导有方。李克农的重视和亲自领导，也起了重要作用。

中情部的第三个重要部署，是加强华北地区的情报工作。

华北地区是国民党要摘取抗日胜利果实的重要地区，其中心城市是北平、天津，战略地位颇为重要。中情部决定，要加强华北地区、特别是北平、天津的情报工作。

抗战胜利后，情况发生了变化，中共在该地区原有的情报人员已失去作用，需要重新调整和发展新的情报人员。

为此，中情部在1945年12月就致电晋察冀中央局社会部，派有经验和有能力的重要干部到北平和天津等地区领导情报工作。

这些干部去了以后，迅速与已打入国民党要害部门的中共情报人员取得联系，并指导他们获取情报。另一些情报工作人员还利用各种条件，打入当地国民党的党、政、军、警、特机构。

李克农1946年在北平军事调处执行部工作期间，还亲自指导和发展了华北地区的情报工作，本书后面将详细叙述。

这样，北平、天津等地的情报工作，逐渐打开局面。蒋介石于抗战胜利后在北平成立第十一战区长官司令部，作为他在华北发动内战的大本营。但该司令部的重要作战命令和军事计划等，都为已打入司令部的中共情报人员获悉，提供给人民军队的领导机关使用。

根据中共中央在新时期的战略决策，李克农参与领导的中情部，在抗战胜利后对情报工作进行的这些新的部署，为在解放战争期间，配合人民军队粉碎蒋介石全面内战的阴谋，夺取自卫战争的胜利，打下了坚实的基础。

李克农在延安窑洞前

第二十九章　配合谈判

1945年8月15日，日本宣布无条件投降，抗日战争终于胜利了。全中国人民欢欣鼓舞，以为从此天下太平，前途光明，大家将在和平的环境里，把中国建设成为独立、民主、富强的新国家，人民过着安定、幸福的生活。

这表明，全中国人民对于和平建国的愿望非常强烈。

同时，随着国民党政府与苏联政府之间签订《中苏友好同盟条约》，苏、美间在中国问题上达成了某种妥协。他们虽有不同的想法，但都表示希望国共两党举行和平谈判、停止内战。

以蒋介石为首的国民党统治集团，坚决要抢夺抗战胜利果实，并消灭人民革命力量，从而使中国恢复到抗战前的旧秩序，但他要立即发动大规模内战面临着种种困难，需要一段时间进行政治的、军事的准备。

政治上要欺骗人民，说国民党要和平、共产党不要和平，为他发动内战找借口。军事上，要把在抗战期间退到西南和西北地区的国民党精锐部队运到华东、华北和东北地区，以备一举消灭共产党领导的解放区和人民军队，消灭共产党。

在这种情况下，蒋介石于8月14日、20日、23日接连发出三封电报，邀请中共中央主席毛泽东到重庆进行和平谈判，共同商讨“国际国内各种重要问题”。

对抗战后中国的政治形势和国际的基本形势，中共进行深刻分析后，已提出了正确的指导方针和斗争策略，决定：中共在不放松武装自卫的条件下，力争通过和平的途径实现建设新中国。

至于如何处理蒋介石的和谈邀请问题，还需要具体研究。正在这时，陕

1945年8月，毛泽东赴重庆谈判，李克农（左一）等人在延安机场送行

甘宁边区保安处（即中共中央西北局社会部）获取了国民党驻延安联络参谋使用的密码，从截获他们与重庆来往的密电中，了解到蒋介石估计毛泽东不会应邀的情况，报告了中情部。

李克农立即将这一重要情况报告中央。

8月23日、25日，中共中央政治局召开扩大会议，讨论同国民党进行谈判问题，特别是毛泽东是否去重庆问题。

会议认为，蒋介石邀请是假，我就弄假成真，以顺应全国人民渴望和平的愿望。谈出成果更好，谈不出成果也将揭穿蒋介石假和平、嫁祸于人的阴谋，可起到教育人民的作用。

政治局决定：派毛泽东、周恩来、王若飞为代表，立即赴重庆同国民党进行谈判。

8月28日，毛泽东偕周恩来、王若飞在国民党政府代表张治中、美国驻华大使赫尔利陪同下，从延安乘专机抵达重庆，打破了蒋介石的如意算盘。

蒋介石自叹在重庆谈判开始前，就在政治上打了一个败仗。由于蒋介石事先估计毛泽东不会应邀、重庆和谈不会举行，所以对谈判毫无准备，连代表团都没有组成，以致谈判一开始就非常被动。

在重庆谈判期间，中情部从几个方面获悉：蒋对谈判毫无诚意，想借谈判赢得时间准备内战；蒋还进行一些军事部署。

中情部把这些情报向中央报告，同时指示各地情报组织，密切注视国民党军队动向，配合人民军队对进犯之敌进行自卫反击。

在重庆谈判中，为了揭穿蒋介石的和谈骗局并表示中共谋求和平的诚意，中共代表先是主动提出关于两党商谈的主要问题11项提要，后又在不伤害人民根本利益的原则下，作出多次让步。中共的积极态度，得到各民主党派和各界人士普遍的同情和支持，使国民党处于被动地位。

这期间，解放区军民对国民党军队的军事进犯进行了胜利的反击，对谈判起了有力的配合作用。

终于在10月10日，国共双方代表签订了《政府与中共代表会谈纪要》（即《双十协定》）并予以发表。

毛泽东很高兴。他指出，"谈判的结果，国民党承认了和平团结的方针。这样很好。国民党再发动内战，他们就在全国和全世界面前输了理，我们就更有理由采取自卫战争，粉碎他们的进攻"。

蒋介石慨叹在政治上又打了一个败仗。

这时，共产党与国民党继续进行着以政治斗争为主的复杂的斗争，美国又插手进来。11月底，美国政府在对国际和中国形势分析之后，决定对国民党施加某种影响，尽可能通过"和平"的手段，消灭共产党领导的人民革命力量，实现中国在国民党领导下的"统一"。12月，美国政府调回驻华大使赫尔利，派美国前陆军参谋长马歇尔上将以杜鲁门总统特使身份，来华"调处"国共争端。

在这种情况下，蒋介石同意按照《双十协定》的规定，召开政治协商会议，企图以政治手段遏制以至消灭共产党所领导的人民革命力量，同时争取充分的时间来部署内战兵力。

中共中央决定接受马歇尔的"调处"。因为美国政策的这些变动，对中国人民要求和平民主的当前斗争是有利的，虽然美国政策在基本上仍然是援助蒋介石的。

1946年1月，参加政治协商会议的中共代表团成员：吴玉章、陆定一、周恩来、邓颖超、董必武、王若飞、秦邦宪（自左至右）1946

12月16日，以周恩来为首的中共代表团抵达重庆，准备参加政协会议。

政治协商会议于1946年1月10日在重庆开幕，1月31日闭幕。会议通过了五项决议，在当时条件下，基本上符合全国人民的和平民主愿望，是中国人民的政治胜利。

会议的这个成就，是中国共产党代表同各民主党派代表、无党派民主人士代表亲密合作，与国民党顽固派代表进行适当斗争的结果。中共南方局的情报工作起了有力的配合作用。内线情报人员打入国民党中央党部，能及时获取其重要会议记录，使中共代表团对有关情况了如指掌。

政协会议的中心议题，是关于政治民主化和军队国家化的问题，在十次大会和许多次小组会上，代表们争论激烈。

会议期间，国民党代表团常在晚上开"党团会"（由国民党的政协代表和有关头目参加），讨论如何在政协大会或小组会上具体贯彻蒋介石的意图。

如在政治民主化方面，"党团会"认为可提出设立政府委员会的方案来应付。该方案表示可以增加若干政府委员名额，由其他党派或无党派人士担任，但坚持国民党的政府委员要占特定的多数，而且政府委员会只是个政治指导机关，没有用人权，而（蒋介石）主席则拥有紧急处置权，即可借口情况紧急，实行个人独裁。

又如在军队国家化问题上，“党团会”认为可提出先军队国家化才能政治民主化的方案，要共产党首先交出军队，然后国民党才能开放民主。

“党团会”还确定在第二天的政协会议（特别是小组会）上，如何提出方案，由谁提出，哪些问题一定要坚持，如何讨价还价，最后如何折中，等等。

国民党代表们扬扬得意，自以为筹划周密，在政协会议上将稳操胜券。

但是，周恩来等中共代表在当夜即获悉国民党“党团会”讨论的详情，了解到国民党的底牌和阴谋，就根据中共中央已为会议制定的正确方针商定对策。中共中央的方针是：配合军事自卫，开展政治攻势，同时准备寻求可以接受的妥协方案。

到第二天和以后的政协大会和小组会上，周恩来等中共代表以杰出的斗争艺术，有针对性地驳斥国民党代表的无理主张，并提出中共的合理而又可行的方案。

如在政治民主化方面，周恩来指出国民党方案不是要废止而是要坚持国民党的一党专政。周恩来还说，改组政府，首先要有一个共同纲领，不是仅仅增加几个政府委员所能解决的。接着，经过多次的争论、谈判，会议通过了《和平建国纲领》作为政府的施政纲领。

又如在军队问题上，周恩来指出，离开政治民主化来谈军队国家化，只能是军队的军阀化、党阀化；把人民军队交给国民党一党专政的国家，将从根本上断送政治民主化的事业。为了推动谈判的进行，周恩来提出，政治民主化和军队国家化这两方面可以“平行前进，归于一途”。会议经过多次讨论，确定了军党分立、军民分治的整军原则和实行以政治军的办法。

中共代表的主张赢得了民主党派代表的支持，使得国民党代表乱了套，狼狈不堪。

在政治协商会议前，为了给协商创造条件，中共代表首先提出停止内战的建议，经多次呼吁和多方奔走，于1946年1月5日同国民党当局达成关于停止国内军事冲突的协定。

1月10日，中共代表同国民党政府正式签订停战协定。同日，双方下达于13日午夜生效的停战令。

根据停战协定，在北平设立由国民党政府、共产党和美国政府各派代表所组成的“军事调处执行部”（简称执行部，或军调部），负责监督执行停战协定。初期，执行部下设八个军事调处执行小组，分赴各冲突地点进行调处。

叶剑英任执行部中共代表团团长，李克农任代表团秘书长。

前些时候重庆谈判时，李克农在延安布置搜集有关情报，配合中共与国民党的斗争。这时，李克农来北平，协助叶剑英与国民党代表进行谈判，直接与国民党斗争了。

对外，李克农和叶剑英委员（执行部内代表中共的委员）一道出席三方联席会议，主持交涉，交际和新闻发布活动。

对内，李克农统管代表团的党务、政治思想、人事、秘书、财务、机要、电台、行政、接待、通讯、交通、警卫以至组织追悼会、办喜事，等等。还有一点鲜为人知，就是他还主管代表团的情报工作。

执行部里的斗争是复杂的。国民党代表不学无术，又常常蛮横无理，自我暴露国民党对停战的虚伪态度。美方代表希望通过和平调处，使共产党同意参加“国民政府”，同意整编军队，达到最后“溶共”的目的，美方对国民党代表的粗暴做法不满意。

中共代表要争取停战协定真正实施，以限制国民党军队的调动和向解放

北平军事调处期间，李克农（左）与叶剑英、马海德（中）在一起

区的进攻。这样对人民有利。

1946年1月10日，根据停战协定发布的停战令，规定国共双方以13日午夜的部队位置为停战线，就地停火，互不前进。这个《和字第一号命令》，对双方都是公允的。接着有《和字第二号命令》。这个命令讲的也是停火，要双方后撤60公里，让包围的部队都后退，使被包围的部队有活路。当时，人民军队包围的国民党军队不多，但包围的伪军很多，国民党想把伪军也算在内，说伪军已改编为“国军”了。这样就对人民军队不利，对人民不利。

李克农发现这个情况后，就报告叶剑英。中共代表团立即召开会议，做工作，想办法，并报告中央，要求立即取消这个决定。经过一个多月的斗争，《和字第二号命令》废除了。

李克农指导军事调处执行组中共代表的斗争，也卓有成效。执行部先后派出36个军事调处执行小组，赴各地执行停战。派往各地的执行小组，也由三方的代表组成。

中共方面的代表是由全国各革命根据地抽调来的优秀的军事干部组成的，这些干部都具有多年武装斗争的经验，也有较高的政治文化修养，但参与这种军事调处的政治斗争还是首次，应该怎么做心里没有底。

他们陆续来到北平报到后，叶剑英亲自会见，并热情地表示欢迎，然后就由李克农分别和他们谈，详细地布置具体工作

李克农和济南小组中共代表陈叔亮面谈，就是一例。

他们以前相互闻名，现在见面还是第一次。李克农见到他很高兴，立即站起身来伸手相握，并说，“欢迎你！”带着安徽口音，吐字有力，态度亲切，给人以亲近之感。

李克农简单地询问了他来前的思想准备，然后概括地讲了当前形势。李克农强调，“蒋介石这一时期下了不知多少命令，指示他的将领极力收编各地伪军，抢占地盘，使通过和谈取得的和平局势遭到破坏，出现全面内战的危险”。

李克农说，“当前执行停战的任务十分艰巨，执行部成立以来连日开会，三方协议对一些重点地区尽快派出执行停战小组。你来了，看来要先参加执行小组工作去了。到哪里去，等明天三方开会定”。

第二天，李克农告诉他，“已决定派你任济南小组中共代表，前往山东执行停战。因人员紧张，只派一名警卫员以副官名义随你前往”。

李克农还说，“执行停战，总会有斗争、有团结，要以斗争求团结。小组的决定和向总部作报告都必须三方协议，不能一致的问题和情况，各自打各自的报告”。

李克农又告诉他，“目前代表团同山东的八路军、新四军还没有电讯联系，你设法同他们联系上，要他们迅速派人来”。

李克农交代的任务、政策、策略明确，指出应注意的问题也很清楚。陈叔亮愉快地接受了任务。第二天，陈叔亮带着副官，抱着充分的信心和勇气，和国民党代表、美方代表及其随行人员见面，一同飞往济南。

诚如李克农所预见，执行停战本身就是一场斗争。

开始两三个月里，各执行小组内的气氛比较平静。三方人员见面时还互道寒暄，保持一般的礼貌。三方代表在发言中都表示“为了和平”，有时国民党军队违反停战协定，中共代表当然提出来；国民党代表就反咬一口，说是共产党军队先开枪的。美方代表假装公正，说什么既然双方互有指责，可进行调查，以了解事情真相；于是三方一致同意。

在调查过程中，国民党代表常采取掩盖罪行、拖延时间的办法，但一般不进行激烈的争论。

到5月，国民党一批军队已调运到华北、东北，要向解放区进攻，撕毁停战协定也在所不惜。这种情况反映在执行部和许多执行小组内，国共双方代表的斗争加剧了。

奉蒋介石密令，国民党军第十三军要在5月中旬向热河解放区发动进攻。5月上旬，执行部内，国民党方面参谋长蔡文治特别下令国民党人员，“对热河要一天发一个备忘录，说共方破坏停战协定，以引起美方重视，牵制热河共军，掩护东北国军的进攻”。

李克农对此有所警觉，知道这是国民党军队行动的先兆。

5月中旬，国民党军第十三军在石觉军长指挥下，真的向热河发动全面进攻。中共代表当然提出严重抗议。国民党代表也提出严重抗议，反说“共军以17个旅之兵力向西起平泉、东达北票之600里国军防线发动全面进攻”。

于是执行部派三方代表（中共派出了陈伯钧）立即飞热河，配合承德小组进行调处。他们共同列席了承德执行小组的会议。会上，执行小组里的中共代表段苏权（冀热辽军区的）列举国民党军发动进攻的事实，国民党代表岳昌瀛上校无法抵赖，竟然态度蛮横地说，就是“共军”违反停战令。连美方代表也对岳的态度感到“为难”。

岳在会后竟说，“同共产党有什么可谈的，只有武装消灭它”。原来他反映了蒋介石的“灭共”政策。

幸亏，共产党采取针锋相对的办法。人民军队打败了国民党军第十三军对热河解放区的进攻，粉碎了他们要夺取承德的企图。承德执行小组三方就同意：由小组国共双方，各自通知本方部队，立即就地停火，在局势稳定时再由小组商定，选择主要地点进行调查、调处。

6月15日，执行部在北平举行一次三方会议，由三方参谋长出席：共方参谋长罗瑞卿将军；美方参谋长海克斯海军上校；国民党方面参谋长蔡文治中将不在北平，由副参谋长钮先铭少将代表。

会上，共方代表指责国民党军队多次不遵守停战令，向解放区进攻。钮先铭理屈词穷，竟然蛮横地说，“这样，执行部就只好关门，废除停战令”。共方代表立即指出，“这表明，国民党方面要公开撕毁停战协定”。美方代表听之愕然，难以为国民党代表的讲话开脱，甚为尴尬。

李克农抓住这一“战机”，与叶剑英商量，决定把这次会议内容公开。于是，共方发言人黄华立即举行记者招待会，向中外记者宣布钮先铭在会上声称，执行部只好关门和废除停战令等内容。记者们哗然，纷纷报道国（民党）方要废除停战令，内战快要爆发了。

美国总统杜鲁门见报大惊，电询蒋介石，为何计划尚未完成就要关闭执行部？

蒋介石也感到意外，命令速查明情况。他得知确系钮先铭“失言”后，不得不撤去钮在执行部的职务。国民党的《中央日报》在6月20日奉蒋介石之命报道，军调部（即执行部）发表声明，谓停战令并未取消，共产党捏造事实，为其行为（找）借口，美方已将事实真相向马歇尔报告。

真是，钮先铭泄露天机，蒋介石欲盖弥彰！

在执行部内，主要是国共双方进行斗争，美方实际上偏袒国方，但表面上装着处于中间的调停人。安平镇事件的发生，使共方与美方也进行了斗争。

安平镇事件是这样的：1946年7月29日，美国海军陆战队给北平执行部的美国人运送物资。这个车队开经冀东解放区安平镇时，与驻在当地的八路军发生冲突。结果，美军死2人，伤4人。美方为此向共方提出抗议，要共方为此后果承担一切责任。

李克农和叶剑英等人一起商定了斗争方案：1.要明确提出，美国参与了国民党打内战，美方代表没有资格当执行部和执行小组会议主席。应由三方代表轮流当主席（原来三方开调处会议时，均以美方为主席。主席虽没有仲裁权，但主持会议时有所偏袒）。2.现在是交战三方，不是双方。我们要求成立特别小组，现场调查，公布事实真相，不能让美国单方面搞宣传、欺骗舆论。

中共代表团任命雷英夫为此特别小组我方代表，参与调查安平镇事件。行前，李克农向他作了具体交代。

现场调查十数天，了解到：7月29日那天，驻天津的美国海军陆战队一部，要强行通过安平镇，引起了与冀东八路军的武装冲突。

我方又了解到：美国以协助国民党政府受降为名，派军队进驻北平、天津、唐山、秦皇岛、上海、南京和青岛等地区，在大量帮助国民党政府运兵到内战前线的同时，还不断向解放区频繁地进行侦察、挑衅活动，严重干涉中国内政。

我方代表就在执行部内列举美方参与内战的事实，向美方提出严正抗议。这样，我方由“被告”转为“原告”，粉碎了美方“恶人先告状”的阴谋。

美方和国民党代表气急败坏，迁怒于我方代表雷英夫，说他诡计多端。事后，以他的军衔低、不对等为借口，不要他当代表。

叶剑英、李克农严词反驳说：雷英夫是我方的代表，我们愿意让谁当代表就让谁当，这是我们的权利。后来，叶剑英、李克农把这事向毛泽东报告。毛泽东说，美国、国民党不欢迎雷英夫，我们欢迎；他们嫌雷的军衔低，我们就给他升。结果，雷英夫的军衔由中校升为上校。在执行部内，雷是唯一“升了官”的人。这也是我方与美方和国民党方面进行的一场政治斗争。共方又得了一分！

第三十章　会外斗争

会外，执行部的中共代表团与国民党特务也进行着激烈的斗争。

蒋介石从来不是一个光明磊落的政治家。他授意军统特务头子郑介民搞些捣乱的小动作。

郑介民是军统特务头子戴笠的副手，任国民党军令部第二厅厅长，被蒋介石派来任执行部国（民党）方委员，作为共（产党）方委员叶剑英的对手。

郑介民要给中共代表团一个“下马威”，就在执行部开始工作后不久的1946年2月22日，布置特务们通过行政命令的办法，诱骗、煽动北平的部分青年学生，举行了“反苏、反共”的示威游行。同时，纠集暴徒，以“东北还乡团”的名义，企图捣毁“叶公馆”和中共代表团部分人员驻地翠明庄。翠明庄在北京饭店附近，位于南河沿北口，是原日本军官宿舍。

前一天，李克农就获悉了军统特务的阴谋，立即采取了预防措施。请叶剑英暂时离开“公馆”，以保安全，并邀请一位英国记者到“公馆”，看看国民党特务的把戏。

在翠明庄，李克农对住在这里的代表团人员做了动员和布置，重点是保卫南楼，以确保机密安全。因为南楼是代表团机要科和电台设置的地方。电台和机要科人员，做好一切准备，有的把门放哨，有的武装巡逻，有的守卫电台，有的保卫密码和机密文电，并准备好在非常情况下可以立即销毁密件的一切应急措施。

22日晚8时，翠明庄突然停电，楼内一片漆黑。果然，一群暴徒闯入叶公馆，砸破一些玻璃窗。见到英国记者在场，吃惊不小。他们的阴谋败露，就狼狈逃窜了。楼内人员镇定地坚守岗位，严阵以待。暴徒们捣毁“叶公馆”的阴谋失败后，没有敢再来夜袭翠明庄。

是日夜，李克农和叶剑英、罗瑞卿开会研究，决定借此揭露国民党破坏和平的罪行，分化瓦解“还乡团”，向郑介民提出抗议，要他公开赔礼道歉，并保证今后不再发生类似事件。

第二天，即23日，在执行部三方会议上，共方代表向国民党方面提出严重抗议。叶剑英声色俱厉地质问郑介民：“你们以‘还乡团’之名，制造事端，进行捣乱，这是明目张胆地破坏协议，我们决不能容忍。”

郑介民狼狈不堪，只好推卸责任并道歉说：“本人实在不知，怎么竟会有这样的事！我一定调查，严加惩办。”

美方委员罗伯逊也认为国民党的做法太过分了，破坏了调处的气氛，无言可发。事后，李克农又得到情报，郑介民大骂特务们说，“这样机密的事，怎么共方事先就知道了？你们都是些饭桶！”

斗争并没有结束。军统特务为了便于破译中共代表团的密码电报，在翠明庄楼内地下室，暗中架设了一部小型电台，专门偷抄中共代表团的密码电报。

1946年春，北平军调处执行部中共方面代表叶剑英（前排中）与美方代表罗伯逊（前左五）及官员们合影。前排左二为李克农，右一为黄华，后排右四为徐冰

代表团电台在联络时，经常发现附近有可疑的电波出现，当即向李克农汇报。李克农布置缜密的侦察，很快就发现了这部电台的确切架设地点及其工作规律。在执行部三方会议上，共方代表以确凿的证据，又向国民党方面提出了严重抗议。国民党代表理屈词穷，又以不了解下情为借口，答应查办。以后，可疑的电波就销声匿迹了。

接着又有营救中共报社记者的斗争。

抗战胜利后，1946年2月22日，中共在北平创刊了机关报《解放》，由参加执行部的中共代表团领导，并以中共代表团名义向北平地方当局办了登记手续。

《解放》报大力介绍中国共产党的方针政策，报道国内发生的重大事件，深受群众的欢迎。但国民党恨之入骨，在1946年4月3日，派出大批军警逮捕了《解放》报社人员30多人，借口是他们“漏报户口”（实际上已报户口）。

李克农立即配合叶剑英，在执行部三方会议上，义正词严地质问国民党代表为何随便抓人。李克农在会后又协助叶剑英做了很多工作。

《解放》报社全体被捕人员，则在狱中与国民党展开了面对面的斗争。

经过狱内外的斗争，国民党遂后不得不放人。在出狱途中，报社的全体被捕人员，坐着大卡车，敲锣打鼓放鞭炮，祝贺斗争的胜利。当卡车在翠明庄门前停下来时，执行部中共代表团全体人员列队迎接。

一个多月后，5月29日，《解放》报又被国民党找借口封闭，但该报在平、津人民中已播下了真理火花，影响深远。

在伙食问题上也有斗争。

中共代表团在翠明庄的伙食，开始不错，早晨是牛奶、点心或豆浆、油条，午餐和晚餐是四菜一汤，饭后有水果。但随着国、共代表在执行部谈判斗争的激烈和复杂化，伙食也随着直线下降，越来越糟了。这不单纯是个伙食问题，而是通过生活反映出政治斗争问题，因为执行部三方代表团的生活费用都是用庚子赔款的钱，由国民党特务机构“励志社”附属的“战地服务团”统一安排的。

李克农知道国民党故意克扣中共代表团伙食费很气愤。一天就餐时，李克农来到餐厅，把负责翠明庄伙食的国民党军官叫来，当众严肃地质问他：

“代表团工作人员的伙食标准，一天是多少钱？”

他作了回答。

李克农进一步追问他：“那么，你看看，他们现在吃的实际伙食标准是多少？”

紧接着，李又厉声问道：“与规定的伙食标准相差多少？”

在事实面前，他胆怯了，哆哆嗦嗦地说：“大概，唉，大概相差无几吧！”

李严厉地喝问道：“到底相差多少？”

他无言以对，低头哈腰，支支吾吾。

李克农指着他，提出了严重抗议：“你们这样做是有蓄谋的。这是严重地违反了停战协议，违反了三方规定的伙食标准，是贪污！是克扣军饷！”他无可奈何地垂着头，毕恭毕敬地赔礼道歉，连声说：“是，是，请将军息怒！我一定追查此事。我保证今后一定按着伙食标准办好膳食！”接着，他又面对着正在餐厅就餐的代表团人员说：“请各位长官海涵，请各位长官海涵！”在餐厅就餐的几十人，看到国民党特务军官这副狼狈样，不禁哄堂大笑了。果然，餐厅从第二天起，又恢复了开始时的伙食标准，不敢再在伙食上卡代表团了。

但中共代表团与国民党特务的斗争持续不断。

翠明庄对面的左右两侧楼房都住着国民党的特务机关，翠明庄内的服务人员大都是国民党特务，他们严密包围和监视代表团工作人员的行动。

李克农警惕性很高，对代表团人员工作上严格要求，时常提醒大家警惕国民党特务的破坏活动。他常告诫大家如何在白色恐怖下保持崇高的革命气节。

他关切地说，“我们代表团的每一个人，特别是机要人员，在国民党特务机关那里都登记造册了，有相片，有职务，甚至有履历表，而且这里的生活条件比在解放区优越得多了。但是，我们是共产党员，要有‘富贵不能淫，威武不能屈’的崇高革命气节。为革命献身，乐在其中，死得其所”。他接着说，“当然，我们也要具有机智的头脑，善于对敌斗争，特别要提高警惕，具有随时应付突然事变的能力”。

楼下服务台监视人员出入，对来访代表团的客人有专人“照顾”。服务人员对打扫房间、取送换洗衣服、倒字纸篓都非常勤快。因为从换洗衣服口袋和字纸篓里都可以找到片纸只字，如果写有人名、地址、电话号码等，就可以发现某些线索。

李克农告诉代表团人员，不妨做些试验，例如用小纸头随便写个数字或像是人名的字样放在衬衣口袋里，准被他们搜去。李克农自己也时常用毛笔、铅笔在一些纸头上写写画画，然后把纸撕成小块扔到字纸篓里。他说国民党的特工人员对这方面有兴趣，反正他们待着也没事干，让他们拿了去慢慢地拼到一起辨认去。

代表团的机要和电台人员，对保密更为注意。他们根据李克农的要求，一切生活自理，自己打扫卫生、打开水，为值班人员和病号送水、送饭等，不允许服务人员进入南楼。但这些服务员，想方设法制造各种借口闯入南楼。今天说，检修门窗；明天说，清查家具；后天又说，检修电话；实在无话可讲了，就说是统一换洗床单等，十分露骨。

代表团的机要人员就设法对付：工作完毕，立即把密码、电报妥善保管；工作人员之间不随意交谈有关保密事项，一般也不打电话；如果服务人员来到办公室，机要员立即停止工作，并派专人跟随，使他们无机可乘。

国民党特务还在餐厅和走廊里搞阴谋活动。一些服务员围着代表团的餐桌来回转，在走廊里跟着走，特别是女服务员，用狐媚的眼光向代表团的年轻工作人员挑逗，无话找话地交谈。代表团工作人员以不变应万变，光明磊落，一本正经，一尘不染，对于他们的种种挑逗一概置之不理。这些国民党特务又失败了，只好灰溜溜地收场，不再多纠缠。

李克农表扬了代表团工作人员：身在北平，心在延安，保持了革命者的气节。

李克农还抓住军统特务头子戴笠之死的机会，公开谴责他们的罪行。

1946年3月下旬的一天下午，李克农把代表团的冯铉和陈叔亮找去，高兴地说，“好消息！大特务头子戴笠死了！”

冯铉是代表团秘书处处长，陈叔亮刚从济南小组调查停战情况回来任代表团秘书处副处长。他们和李克农都住在翠明庄二楼上。

他们问，“哪里的消息？”“怎么死的？”李克农回答，“电台收听到的。

他最近和一些特务自北平飞往上海，在南京附近飞机失事，摔死了”。

抗战胜利后，戴笠很神气，到各地飞来飞去，不是航空委员会派的专机，便是中美合作所特务机构四个发动机的巨型运输机。1946年3月16日，他由北平乘航委会拨他使用的一架C—47型222号专机，当天到天津住了一夜，第二天由天津起飞，准备经上海再转重庆。在天津时已接到上海方面气候不好的通知，但他仍专横地决定起飞，并叫多带汽油，以便上海不能降落便飞南京。飞机师知道他的个性，不敢劝阻，便在上午9时左右由天津起飞。专机飞近上海时，正值大雨滂沱，上海机场不同意降落，便按预定计划飞南京。当时南京也下大雨，机场勉强同意降落。在穿云下降时，飞机越过机场，撞在江宁县板桥镇南面的戴山山腰上。一声巨响之后，便是一片大火，因为带的汽油很多，一直在雨中燃烧了两小时左右才停息。这个凶狠残暴的刽子手，便这样结束了生命。由于大雨三天不曾停息，他的尸体在暴雨中淋了三天三夜后才被发现。

李克农当时不知这些详情，但知道戴笠已摔死的消息是确切无疑的。

李克农大声说：“赶快买酒庆贺！”

陈叔亮自告奋勇，从翠明庄出来拐到东安门大街，在一家酒店里买了两瓶竹叶青，又在街对面买了几样下酒菜。

李克农把住在翠明庄二楼上的代表团人员都请到他的房间去，又把服务员找来，要他通知厨房弄几个冷盘，并请他告诉大师傅，就说有一个好消息、大新闻，那个作恶多端的大特务头子戴笠死了，为这个消息我们要好好地庆贺一番。

当时，那个服务员的表情很尴尬，笑也不是，绷着脸也觉得不合适。最后他还是从厨房里端来四个冷盘.拿来十几个酒杯。

李克农请大家坐好，斟上酒，请大家举杯，大声叫道：“为国民党大特务头子戴笠的摔死干杯！”大家都高兴地干了。

李克农说：“我们这不是幸灾乐祸，我们是为中国少了一个坏蛋而高兴！戴笠这个坏蛋做的坏事太多了！”

戴笠特别阴险凶残，他迫害共产党人和进步人士的罪行数不胜数。他这次来北平，就是策划在华北、东北接收一批有反共经验的汉奸、特务，转变为军统特务，在华北、东北发展军统特务组织。他还勾结和利用日本战犯反共。他这次从北平要去重庆，是要向蒋介石献计：仿照德国法西斯组织，成立全国警察总监部，由他兼任警察总监，以加强全国警察的反共活动。

李克农当然知道，戴笠只是蒋介石反动派的一个帮凶。他摔死了，还有其他帮凶。但是，在国统区北平，借庆贺戴笠摔死，可以公开揭露国民党特务的反革命罪行。

李克农带着大家开怀畅饮，高谈阔论，兴高采烈，直到晚饭才结束。而翠明楼的那些国民党特务们，垂头丧气，别有一番滋味。

李克农爱憎分明，对敌人恨，对战友亲。

4月8日，中国“政协”代表王若飞、秦邦宪因国民党推翻“政协决议”，冒恶劣天气坐美机由重庆飞回延安，向党中央报告和请示，飞机在山西省兴县黑茶山不幸失事。叶挺、邓发等人也同机遇难。噩耗传来，大家十分震惊，李克农也陷入极度悲痛之中。

4月18日，李克农神情严肃，默默地在翠明庄小礼堂布置了一场“四•八”烈士追悼会，全代表团参加。会上，叶剑英沉痛地致悼词，李克农讲了话。他说，“正如毛主席说的，人总是要死的。共产党员不怕死。但是，这次的灾祸太突然了。牺牲的这些同志，在我们党内，都是身经百战的杰出领导。当前，我们的国家、人民还处在水深火热之中。这些同志的牺牲，对革命事业来说，损失实在太大了”。他最后鼓励大家，“我们活着的，应当把他们放下的担子挑起来”。

李克农连干部的婚事也关心，也借此扩大共产党的政治影响。

5月中旬，陈叔亮和他的女朋友康岱沙向组织提出结婚请求。

康岱沙出身于四川富有的知名的家庭，抗战期间奔赴延安参加革命，与陈叔亮相识、相爱。因工作调动，他们于1939年3月在延安分手。周恩来和夫人邓颖超知道这个情况，于1946年3月把康岱沙也送到北平执行部工作。

李克农与叶剑英商量后告诉陈、康说，组织上准备给他们举行一个适当规模的共产党式的婚礼。

陈叔亮说：在这样的环境和紧张的工作中，我们买些糖果，悄悄地请大家吃吃喜糖就可以了吧！

李克农说：不。正因为今天是在北平执行部，你们在这里、在重庆都有些上层关系，使人们知道共产党在婚姻问题上是郑重严肃的，会有好的社会影响。

那时，正好康岱沙的父亲康心之带来一笔钱作为女儿的嫁礼。

这对即将结婚的新郎、新娘，与李克农商量好，将嫁礼的半数捐赠给被国民党军队围困在湖北的新四军第五师。虽然杯水车薪，可是表达了他们的心意，有着一定的影响。

5月25日，李克农主持，在北京饭店楼上礼堂内举行了几乎全体代表团参加的座谈会形式的婚礼。叶剑英为主婚人，李克农代表新郎家长，罗瑞卿代表新娘家长。

李克农在婚礼上讲话，有意强调新郎35岁、新娘27岁，他们为了革命事业，把个人的恋爱放下，推迟了结婚。

新郎、新娘又在王府井广东酒家请了代表团的领导和相熟的同志，也请了与他们相熟的社会知名朋友。这桩婚事就传出了，在北平、重庆等地产生一定影响。报纸上也有所反应，一家重庆报纸说，“康心之左右为难。因为康岱沙的姐夫张平群是国民党的发言人”。

1946年上半年，国内政治局势十分微妙。像7月的天气，表面上比较沉寂，但天空阴云越来越密，预示暴风骤雨即将来临。

李克农利用执行部的桥梁作用，在北平、天津和东北地区建立了情报组织，为侦察蒋介石集团发动内战动向，配合解放军在东北、平津的自卫反击战打下了良好基础。这是他在隐蔽战线上，与国民党反动派进行的另一场卓有成效的较量。

李克农深知华北战略地位重要，将是国、共激烈争夺之地，他就利用身在北平的有利情况和合法条件，在华北国民党军政机构内部建立情报组织。

他采用“打进去”“拉出来”的办法，在不长的时间里，就在国民党军第十一战区长官司令部等要害部位，发展情报人员，建立起情报组织。发展的重要情报人员有：

——第十一战区长官司令部一处少将作战处长谢士炎。

——军法处少将副处长丁行之。

——二处少校参谋石淳。

——代理作战科长朱建国。

——北平第二空军司令部参谋赵良璋。

他们先后成为中共的优秀党员。掌握国民党的重要军事机密，及时向组织提供了国民党军队进犯华北解放区的作战计划，尤其是国民党军进攻张家口的作战计划，起了很好的作用。

1946年8月初，国民党军第十一战区长官司令部司令孙连仲，就指示作战处长谢士炎拟定进攻张家口的计划。谢将作战计划拟好后呈送孙连仲核批。不久，孙连仲批准了他拟定的作战计划。

在这一计划尚未下达作战部队之前，谢士炎已将它交给联系人彭华，由彭送给叶剑英和李克农。他还写了一个反击国民党进攻的作战计划，供华北解放区军队参考。

李克农立即上报中央，周恩来十分重视，即转发给晋察冀军区聂荣臻司令员作应战准备。

周恩来称赞谢是对党忠心耿耿的好同志，并嘱咐他，今后只提供情报即可，不必写反击计划，以利保密和安全。

李克农指挥的华北情报系统还粉碎了军统特务头子郑介民布置的“探明张家口共军情况”的计划，因而拖延了国民党军队进攻张家口的时间。

这时，郑介民仍是执行部国民党方面的委员，但已于戴笠死后接任军统局局长。

从9月29日到10月12日，国民党军第十一战区（辖北平、天津地区和河北省）军队从东线进攻张家口，第十二战区（辖绥远、察哈尔、热河三省，司令长官是傅作义）军队从西线进攻张家口，两面夹击。

晋察冀军区根据已知的国民党军进攻计划，在张家口附近布置了防御作战，并准备在必要时放弃张家口，以摆脱受国民党军队东西夹击的不利局面。

这次战役，晋察冀军区部队歼灭国民党军队2.2万余人，在平绥铁路东段和平汉铁路北段打击了国民党军。

按照原先预定方案，晋察冀军区及各领导机关，在军区教导旅的掩护下，于11月11日有秩序地撤出张家口。

在一段时间内，谢士炎还向组织提供了国民党特务在解放区设立密台及美国为国民党政府拟定的训练特种部队的计划方案。李克农上报中央后，中央都十分重视，指示有关方面采取相应防范措施。

朱建国、赵良璋、丁行之、石淳也及时提供了第十一战区的许多重要军事情报。事后，中央发电嘉奖朱建国等人，表扬他们的情报及时、准确，有力地配合了华北解放区军民的自卫反击战。

李克农在北平执行部工作期间发展的这些情报人员，起了重要作用，也受到中央的好评。在1946年9月，延安中情部就电告在北平执行部的李克农，“从今春以来，你们的情报工作已建立很好的基础，获得很大的成绩，起到很大作用，很有发展前途”。

1946年下半年，蒋介石加紧迫害执行部和各执行小组的共方人员，中共代表团奉中央之命采取应变措施。

李克农于10月1日撤离北平，返回延安。

第三十一章 转战陕北

李克农回到延安时，正是1946年秋季，天高气爽，精神振奋。

他立即投入中情部的领导工作，特别对1947年中共中央揭穿蒋介石重开和谈阴谋以及在陕北的转战中起了重要的配合作用。

1946年下半年到1947年1月中旬，国民党军队全面进攻解放区受挫。蒋介石于1947年1月重提与中共和平谈判的倡议，实际上是为了争取有一段暂时的喘息时间好进一步准备内战。

但中共中央是“明眼人”，已洞悉其阴谋。

1947年1月，马歇尔调停失败，离华返美。

1月下旬，中情部从西安情报系统获悉：国民党首脑人物私下透露：最近马歇尔在华调停失败，美国舆论对蒋不利，所以蒋作此和谈姿态，以便影响美当局和舆论界，争取获得五亿美元贷款，一旦获得贷款，就要大打内战，故和谈目的不在内政而在外交。

中情部获悉的情报，证实了中共中央对蒋介石和谈阴谋的分析。中央决定采取强硬态度。

中共中央指出，发动全面内战，破坏和平的是国民党，现在蒋介石提出重开国、共和平谈判，中共可以同意。但国民党如确有和谈诚意，应先做到两条：1.废除维护蒋介石独裁统治的所谓《中华民国宪法》。2.国民党军队退出侵占解放区的一切土地。

蒋介石只愿在表面上做和平姿态，对有和平实质内容的这两条不能接受。

2月下旬，中情部又从上海情报系统获悉：美大使司徒雷登一再劝蒋接受中共所提两条件，只要能谈起来，就可转变美对蒋印象，助蒋渡过难关。

中共了解此情况后，坚持关于和谈条件的强硬立场，进一步揭穿了蒋介石关于重开和谈的阴谋诡计。

蒋介石的骗局又失败了。他恼羞成怒，在2月下旬，迫使军事调处执行部中共代表叶剑英等离北平返回延安；随又限令中共驻南京、上海、重庆三地代表董必武、吴玉章及有关工作人员于3月5日前全部撤退。至此，一切和平谈判之门被国民党当局封死，国共关系彻底破裂。蒋介石的狰狞面目，暴露无遗！

蒋介石自恃他的军事力量仍比解放区强得多，决定以优势兵力对解放区进行重点进攻，即首先进攻山东、陕北两个解放区，再将主力转用于其他战场。

蒋介石的战略意图是：压迫华东解放军至胶东狭窄地区加以消灭，以解除对他的心脏地区南京、上海的威胁；在陕北，攻占延安，打击中共中央首脑机关，并消灭西北解放军，以鼓舞自己的军心士气；并且预计在对解放区东西两翼（陕北和山东）的重点进攻得手之后，即分头北进，在华北与解放军决战，进而出关占领东北，达到对人民革命力量各个击破的目的。

1947年3月初，蒋介石集结34个旅25万人的兵力，准备向中共中央和人民解放军总部所在地延安发动突然袭击。

针对蒋介石策划进攻陕甘宁边区的军事阴谋，中情部在1946年6月即指示西安情报组织，要他们密切注视蒋介石、胡宗南对陕北采取的军事行动。

1947年初国共关系完全破裂后，李克农又特别指示西安情报组织把侦察胡宗南部企图进犯陕北的计划，作为最紧迫、最重要的任务，以配合解放军粉碎国民党军队的进攻，确保党中央、毛主席的安全。

西安情报组织认真执行中情部的指示，设法搜集这方面的情报。

从1946年11月5日起，西安情报组织就陆续报告胡宗南准备进攻延安的情况：胡宗南命令其驻陕甘宁边区周围封锁线的部队，立即调查封锁线至陕北的大小道路，秘密架设洛川至延安的电话线，赶修咸阳至洛川的公路，均限于11月10日前完成。

西安情报组织还报：胡宗南部主力整（编）一师、整九十师已由山西调回宜川—洛川线。

西安情报组织又报：国民党空军副总司令王叔铭和郑州“绥靖”公署主任顾祝同先后到西安，与胡宗南密商进攻延安事。胡表示有把握，但实际实力不足。顾以为胡部在晋南受挫，攻延安甚成问题。南京对胡进攻能力有怀疑，但胡好大喜功，绝不会放弃进攻延安机会。

西安情报组织在1947年二三月间，又陆续报告：

——2月14日息：蒋介石电胡宗南，攻延安事切勿轻举妄动。

——2月28日息：胡飞南京，再次请示攻延。

——3月5日息：胡部主力整一军之整一师、整九十师、整二十七师一部、整二十九军全部，共15个旅，已部署完毕，将在洛川设指挥部，但胡部尚未全部到达。

——同日又息：蒋介石已令胡宗南在3月10日向延安发动全面进攻。原来，美、苏、英、法，四国外长将于3月10日在莫斯科举行会议，要讨论中国问题，蒋要借进攻延安对会议施加影响。

——3月7日息：蒋介石密电胡，进攻延安日期推迟三天，因美军驻延安军事观察组尚待撤离；但胡仍需在莫斯科会议期间迅速夺取延安，歼灭陕北共军主力。

——3月8日又息：胡部将以整一军、整二十九军，从宜川、洛川两路，同时（14日）向延安进攻。

西安情报组织如此及时、准确地报告了胡宗南军队进攻延安、陕北的动向，具体作战的意图，进攻路线，兵力部署等，使中共中央和西北野战军对胡宗南军队的行动了如指掌，使胡宗南军队在陕北战争中连遭失败。

早已打入胡宗南系统的中共情报小组，包括担任胡侍从副官和机要秘书的熊向晖，起了重要的作用。

熊向晖1919年生于武汉，祖籍安徽，出生于官宦之家。17岁时就进入清华大学读书。具有爱国热忱，又受进步思想影响，在中学时就参加了一二九运动（1935年12月9日发生在北平的抗日救亡运动），1936年12月在清华大学加入中国共产党。1937年冬，他根据党组织的指示，打入胡宗南的身边，平时是闲棋冷子，关键时可发挥重大作用。

中共中央根据敌我态势决定：先诱敌深入，适时放弃延安，在延安以北的山区创造战机，逐步歼灭国民党军有生力量。

此时，人民解放军在陕北的主力部队只有4个旅，共1.7万余人。中央为加强陕北作战，从晋绥解放区调2个旅西渡黄河参加陕北作战。

解放军先对胡宗南调集的几路军队组织阻击，使整二十九军刘戡部从陇东开往洛川途中遭突击受损；整四十八旅旅长何奇在西华池阵亡；整一军从山西开往宜川途中，其整九十师师长严明在河津翻车折断右腿。

国民党军队攻打延安的行动尚未开始，就受到了解放军的"小小惩罚"，胡宗南有点恼火。但胡宗南仍按预定的进攻延安的计划执行。

14日拂晓，国民党军南线部队从宜川、洛川分两路向延安发动进攻，人民解放军西北野战部队，在延安以南组织运动防御，阻滞、消耗国民党军，掩护中共中央机关和人民群众安全转移，然后于19日主动撤出延安。

这次战役，共歼灭国民党军5000余人，打击了进攻延安的国民党军队的士气，成功地掩护了中共中央党政机关、学校安全撤离，也掩护了西北野战部队主力的隐蔽转移，为以后打击国民党军创造了条件。

国民党军进犯延安时，毛泽东迟迟没有撤离，李克农也坚持要留在毛泽东身边，对战时的毛泽东警卫工作作了安排与交代。敌情甚紧时，叶剑英、杨尚昆一再催促李克农早日撤离延安。李克农说，"毛主席不走，我作为中央社会部领导人也不能走"。当时，除为毛泽东和中共中央其他领导人准备了几辆吉普车外，其他人撤离时都只能步行。直至17日晚国民党军先头部队靠近延安只有30华里时，李克农才撤离。

撤出延安后，中共中央于3月29日，在陕北清涧县枣林沟村举行会议，决定：中央书记处毛泽东、周恩来、任弼时率党中央的精干机关继续留在陕北，指挥全国各战场的作战（中央前委）。

会议还决定：叶剑英、杨尚昆、李克农等率党中央及中央军委大部分工作人员，到晋西北统筹后方工作（中央后委）。

李克农为确保毛泽东和中央前委的安全，从原中央警备团中抽调了一个骑兵连和三个步兵连组成精干的警卫部队，随中央前委行动；李克农又派中社部、中情部主管领导干部汪东兴、罗青长随中央前委行动，分别负责中央警卫和情报联络工作。

同时，李克农还对绥德、陇东、三边派出三个侦察站，配备了电台，直接为保卫中央前委服务。“三边”是指定边、靖边、安边堡；三地相连成一线，位于陕西西北部。

不久，驻扎在“三边”的青海马步芳部队出动，“三边”侦察站及时电告中央前委，便于中央前委采取适当对策。

李克农又将中情部设在西安、北平、兰州、沈阳的四个秘密情报台交中央前委直接指挥，便于他们及时获悉直接有关的重要情况。

后来，北平等四个情报台，在极困难的环境中提供了许多机密情报与公开材料，使得在陕北山沟里不断转移、与外界隔绝的中央前委仍能了解敌情。

当时，西安情报组织还获悉：国民党保密局主管电讯的魏大铭，带来美国最新侦测无线电台方位的设备及操作人员，编为一个分队，配属给胡宗南；连日侦测，发现山西兴县无线电台最多，由此判定那里是中共中央机关所在地；他们还通过侦测工作，企图判明陕北野战军各级指挥部的位置；但电波弱的电台不易侦测到。

据此，周恩来指示陕北电台停止联系三天，重新部署。周又起草中央军委致各野战军电：敌现有测向设备，但对小电台因电力弱不易辨别，因此，在战前部署和作战中，均不要用电台传达命令；可将司令部之大电台移开，改用小电台转拍至大电台，以迷惑敌人。

胡宗南在延安命令侦测无线电台的分队继续侦测，尽快找到目标。但他们未再发现固定大型电台信号，有时捕捉到小电台的信号，但迅即消失，难以判定解放军指挥部所在。

后来，周恩来又指示各野战部队，利用敌人迷信测向设备心理，将计就计，调动敌人。

在清涧战役中，根据周恩来指示精神，野战军隐蔽地向清涧集结，未设置大电台。野战军攻城战打响后，清涧守敌三次发电胡宗南紧急求援，都被胡申斥。因胡根据侦测报告，解放军主力不在清涧方向。结果国民党军整编七十六师被野战军全歼，师长廖昂被俘。

李克农在中央后委工作时，住在山西临县。他通过密台，继续指挥中情部在全国各处的情报系统，将重要情报及时报告留在陕北的中央前委。周恩来说，“在陕北战场上，天天有得用的情报，使我们对敌情了解得很清楚”。

1947年7月5日，蒋介石急召胡宗南到南京，当面命令，“收复陕北事小，俘中共首脑事大，如能俘中共首脑，放弃陕北亦值得，望努力为之，以创立国之首功”。

当时，毛泽东、周恩来等人为首的中央前委，仅率领有四连人的中央纵队，留在陕北，指挥全局，与大批敌军周旋，有时距敌仅几里之遥，有时隔山相望，处境的确十分艰险。

李克农对此也非常担心，针对蒋介石“俘中共首脑”的阴谋，特别注意侦悉胡宗南进攻陕北的大量军事行动情报，保卫了毛泽东和中央前委的安全，密切配合了西北战场的胜利。

毛泽东说，“解放战争中的情报工作是最成功的”。

第三十二章　辽沈战役

1948年，国内战争形势发生了根本转变。国民党军队丧失了大批有生力量，机动兵力消耗很大，被迫由战略进攻转变为“全面防御”，再转到“重点防御”。人民解放军，结束了长期以来在革命战争中所处的战略防御地位，转入“战略进攻”，还要进行“战略决战”。

这时，已任中央情报部代理部长的李克农，要求各地情报组织紧密配合解放军的战略决战，获取敌人的战略动向情报。

1948年8月上旬。蒋介石在南京召开“军事检讨会”。为了挽回颓势，会议决定采取战略收缩的部署。

会议决定：

1.将作战重点置于黄河以南、长江以北地区，在这一地区内，“各绥区国军配合地方武力堵剿兼施，国军主力则编组强大之进剿兵团”，“猛烈追剿”。

2.在东北地区，“彻底集中兵力，确保辽东、热河”，达到钳制东北、华北人民解放军，屏障黄河以南之目的。

3.在西北，则力求确保关中、汉中，以掩护其对西南防线经营。

中情部及时获悉此会详情，立即向中共中央汇报。中情部还获得“美国务院致国会援华方案”及美、蒋关系等重要情报，这些对中央掌握敌情，研究美、蒋关系很有用处。

中共中央于9月在河北平山县西柏坡召开政治局扩大会议，分析了战争形势和国民党统治集团的意图，认为如果让国民党从容实施战略收缩部署，将增加解放军以后作战的困难。会议决定，解放军继续发展外线进攻，把战争引向国民党统治区，并准备打若干次带决定性的大会战。

根据中央政治局9月会议的精神和中央军委的指示，人民解放军先后在东北、华东、中原、华北和西北战场上，发起规模空前的秋季攻势，接着连续进行了辽沈、淮海、平津三大战役。

这些战役一环扣一环地、一个胜利接着一个胜利地向前发展，构成中国革命战争史上一幅气势磅礴、波澜壮阔的画卷。

李克农指挥各地区情报组织密切配合，成效卓著。他们在隐蔽战线上，发扬大无畏的精神，具有不寻常的机智，推波助澜，逐浪滔天。

在李克农领导下，各级情报组织把国民党各要害部位和国统区各战略要地作为侦察重点，已建立起组织严密的情报工作。尽管受到国民党特务严密防范，甚至几次遭到破坏，但李克农还是抓紧不放，一个情报组织被破坏，几个情报组织又很快组建起来，使国民党始终处于被动地位。

国民党的政治动向，特别是重要的军事会议、重大的军事部署、重大的作战计划等，中情部都能及时掌握。

1947年，中情部从上海、南京情报系统获取的重要情报有：

1.蒋介石、何应钦、白崇禧、陈诚等国民党军事首领在国民党中常会、中央政治会议（1947年前称国防最高委员会）上的内部讲话。

2.国民党军队的数量、装备、驻地。

3.民党军队的作战计划。

4.国民党嫡系部队与杂牌军的矛盾等。

1948年，中情部上海情报系统又从国民党国防部的内线关系，获悉国民党军队的部署和调动情况。

还获悉了美、蒋动态、国民党军战略动向等重要军事情报。

这些情报全面、准确。中情部获取后，立即向中央汇报，并发往有关地区中央局和野战部队，有力地配合了解放军战略进攻阶段的军事斗争。

解放军于1948年9月开始秋季攻势，事前，国民党国防部已有所估计，并做了相应的部署。

他们的部署详情，均为中情部及时获悉。这里简述之：

1.“集结使用华中、华东、豫陕战场兵力六十五个师，此外调台湾新军等十二个旅，必要时参战，总计兵力百万以上（估计共军兵力为八十万人）”。计划列举了有哪些师，分别部署在什么地区。

2.“为对付共军之合纵，国军采取连横，东西呼应，以阻共军南下。坚决保持‘三角’、‘四边’、‘十三点’。”

“三角”指徐州、汉口、西安。“四边”指陇海等四条铁路和公路线。“十三点”指济南等十三个城市。

3.“改善战略战术，采用半守点、半机动，即指定部队固守十三点，以强力部队出击。”

国民党军统帅部自以为部署得当，稳操胜券，因为他们是针对“共军”的部署而部署的。但解放军总部又进行了反部署，在秋季攻势的许多战役中取得胜利。

战略决战的序幕成功地揭开了。

中共中央决定把战略决战的方向首先指向东北战场。这样可以粉碎国民党军队的战略收缩企图，又可以使东北人民解放军腾出手来转入关内作战，还可以利用东北的工业支援全国解放战争，从而有利于整个战局的发展。

李克农已经了解中央的意图，并有深刻体会，就指挥各地区情报组织，着重了解国民党军队的战略动向，以配合解放军将在东北进行的战略决战。

李克农在1948年6月，又专门致电东北情报组织，具体布置如何进一步开展情报工作，以密切配合即将到来的辽沈战役。

李克农要求他们，“坚持大胆发展与谨慎安排的方针”。因为一年来，解放军的胜利，使蒋方危机愈加深重，蒋内部许多人也在预谋退路，愿与共产党拉关系。同时，蒋在国统区的反共恐怖政策也加紧实施。

李克农指示，“根据发展趋势，美虽坚主撤退东北，但蒋则势在必争，因此对东北（情报工作），除应巩固沈阳外，锦（州）、葫（芦岛）、秦（皇岛）三地工作及沈（密）台可否加速建立？”李接着说，“如能有所成就，对今后东北、华北作战当有重大贡献”。

李克农还指示，“今后除各种敌方情报外，请多注意反映与研究有关中央决定各项政策的情报，因我军日益逼近大城市.全国胜利为期不远”。

东北情报组织认真执行李克农的指示，特别是他提出的“大胆发展与谨慎安排”的方针，在东北“剿总”内的作战、参谋、后勤等几个要害部门发展了数名内线关系。

在辽沈战役的整个过程中，这些情工人员，突破敌人严密防范措施（东北“剿总”在1947年发现“赵炜事件”后，大力加强防谍措施），不断获取重要情报，并及时送出。

通过这些内线关系，东北情报组织获得了大量的国民党军队军事动向的情报。这些军事情报包括：

1.国民党军队的战略动向和军事行动。

2.国民党军队的战斗序列、兵力驻地、补充增援和装备编制等。

3.国民党陆军、空军、铁路警察等部门的电报、密码、波长、呼号、发电报手续，以及口令、旗语、信号等机要物件。

总的说，国民党军队在东北的战略动向和军事行动，都在中情部的掌握之中。这对中共中央军委的战略决策和东北野战军总部的作战指挥都极为有利。

现在请看，在辽沈战役的各个环节中——攻打锦州、和平解放长春、解放沈阳——在中情部直接领导下的有关情报组织，特别是东北情报组织，是如何密切配合解放军作战取得胜利的。

攻打锦州是这次战略决战的第一个战役，为保证胜利，首先要确定如何打。

到1948年上半年，在东北的国民党军队已被分割在长春、沈阳、锦州等孤立的地区内。他们企图固守锦州，以保持到关内的通道（有情报证实）。

中共中央军委则提出针锋相对的战略设想：东北野战军首先集中力量控制北宁线，攻克锦州，以关死东北的大门，把国民党军队封闭在东北，加以各个歼灭。

9月7日，中央军委发电东北野战军总部，又明确指出：应使用主力于北宁线，而置沈阳、长春两敌于不顾，并准备在打锦州时歼灭可能由沈、长援锦之敌。9月12日，东北野战军发起辽沈战役，分路奔袭北宁线。到10月1日，占领塔山等地，切断了北宁路，完成了对锦州的包围。

鉴于东北战局的严峻形势，蒋介石于10月2日飞抵沈阳，仓促决定：从华北、山东紧急海运7个师到葫芦岛，会同锦西、葫芦岛原有的4个师、共11个师组成“东进兵团”，由第十七兵团司令侯镜如指挥；以沈阳地区11个师、3个骑兵旅组成“西进兵团”，由第九兵团司令廖耀湘指挥；东西对进，增援锦州，使攻打锦州之“共军”腹背受敌，被迫撤围。

东北情报组织通过在沈阳等地的内线关系，很快获悉蒋介石在沈阳的活动和决定。此情报及时发给中情部，并告东北野战军总部。

总部参考此情报并根据战局发展，立即做了相应部署：以八个师兵力，在塔山地区坚决阻击国民党军“东进兵团”；另以七个师兵力，在新民以西、以北地区牵制国民党军“西进兵团”。

国民党军两兵团行动后，在东北“剿总”内的几位中共情工人员，就源源不断地提供有关情报。

东北“剿总”作战处的中共情工人员，提供了侯兵团的作战计划、军事行动、作战命令的情报，又提供了华北“剿总”司令傅作义支援锦州由葫芦岛登陆计划；还将东北“剿总”司令卫立煌亲批的《1948年10月廖耀湘兵团支援锦州，打通北宁线，向华北撤出主力的行动计划》原件交给情报站。

东北“剿总”后勤处的中共情工人员，还把从葫芦岛登陆的国民党增援部队的人数、番号等情况，经常报告给情报站，为解放军所掌握。

廖耀湘兵团作战处内的两名中共情工人员，互相配合，巧取了有关廖兵团重要行动的文件原件或抄件。

他们先获得《廖耀湘兵团支援锦州计划》，接着，他们又获得廖耀湘兵团发出的作战命令。命令要求第九兵团以三个炮兵团和六个军的兵力，于10月6日向彰武、法库、新立屯出击，然后南下解锦州之围。

解放军东北野战军总部，参照这些源源不断的情报，对侯、廖兵团的作战计划了如指掌，在通往锦州的要隘塔山，进行了六昼夜的顽强阻击，成功地阻止了侯兵团的“东进”。廖兵团出动后，也遭到解放军的顽强阻击，滞留于彰武、新立屯一带，“西进”计划未能实现。

这样，就为解放军攻锦部队赢得了宝贵的时间。

在攻锦战役中，解放军事先就获悉国民党守军的城防部署和作战意图。在东北“剿总”参谋处的中共内线情报关系，在解放军攻打锦州前，就将国民党守军的作战计划，包括具体作战方案、作战方法等详情，报告了中情部，转到东北野战军总部。

10月9日起，针对国民党守军的部署，解放军发起对锦州的进攻，经过激战，于15日攻克，全歼守敌范汉杰部十万余人。

这时，国民党在东北的战局急转直下，蒋介石再次飞抵沈阳，严令长春守军向沈阳突围。

蒋介石在沈阳的活动，又为中情部掌握。

在此之前，长春国民党守军几次企图突围，也都为中情部掌握。

针对此突围计划，解放军已作出相应部署，准备截击长春突围之敌，并以九个师兵力继续围困长春。

被长期围困在长春并经解放军大力争取的国民党军第六十军军长曾泽生，率部于17日起义。接着国民党军另一部分守军新七军官兵纷纷投诚。

19日，东北“剿总”副总司令郑洞国也率余部放下武器。

长春宣告和平解放。

锦州、长春解放后，蒋介石第三次飞抵沈阳，严令锦西的“东进兵团”继续北犯，徘徊于新立屯地区的“西进兵团”立即南进，企图南北夹击，“收复锦州”，然后掩护沈阳国民党军，经北宁路撤入关内；并令五十二军主力抢占营口，以控制从海上撤退的通路。

中情部又及时掌握了蒋在沈阳的活动，并转告东北野战军总部。接着，中情部又将获悉的国民党两兵团、特别是廖兵团的行动和作战计划告东北野战军总部。

东北野战军立即部署部队，于10月下旬在新立屯、黑山地区，围歼了廖兵团的五个军共十万人，生俘兵团司令廖耀湘。

廖兵团被歼后，卫立煌匆忙从沈阳乘飞机逃走，第八兵团司令周福成统一指挥的沈阳残敌约14万人负隅顽抗。

沈阳守敌如惊弓之鸟。他们的军事部署已为解放军掌握，中共情报人员已提供了《沈阳市城防图》和《沈阳国军兵力部署》的情报。

东北野战军在11月1日向沈阳守敌发起总攻后，已被几位中共情工人员分别争取了的五十三军（是守城的第八兵团主力，老牌的东北军）副军长赵国屏，新一军五十三师师长徐庚扬，沈阳第二守备总队总队长秦祥征、参谋长王凤岐，率领所部让出阵地，并放下武器投降，使解放军顺利进入市内。第二天，就解放全沈阳，歼灭守敌第八兵团13.4万人，俘兵团司令周福成。

至此，辽沈战役胜利结束，共歼灭国民党军47.2万人。

11月9日，锦西、葫芦岛的国民党军随杜聿明从海上逃跑。东北全境宣告解放。

与国民党军队相比，解放军在质量上早已占优势；这时，解放军在数量上也占了优势。中国的军事形势达到了一个新的转折点。

辽沈战役结束后，东北野战军参谋长刘亚楼见到东北局社会部部长汪金祥说，“你们的情报工作很出色，在辽沈战役中发挥了不小作用”。

第三十三章　淮海战役

1948年10月间，已经迁到河北省平山县西柏坡村的中共中央，正在指挥辽沈战役并策划淮海战役时，突然发生了一个惊险的插曲。

李克农紧急报警，毛泽东化险为夷，成为有趣的一曲！

原来，10月中旬，亲临东北指挥作战的蒋介石，眼看辽沈战役接近尾声，国民党在东北的败局已定，惊慌失措地飞到北平，与华北“剿总”总司令傅作义密谋对策。

傅作义在1947年12月就离开绥远进驻北平，任华北“剿总”总司令，负责华北地区国民党军的作战指挥。

这时，蒋介石与傅作义在密谋中想出了偷袭西柏坡一带的计划，企图用捣毁中共中央领导机关的办法来打击中共，扭转败局。

他们侦察到解放军在冀中兵力空虚，决定调集国民党军第九十四军，骑第四师、骑第十二旅，并配备汽车和爆破队等，共约两个军的兵力，快速奔袭。

他们认为，这是一着险棋，制胜的关键在于出奇，事先要采取一切措施保持作战计划的秘密。

此计划，由傅作义亲自掌握下达，严格保密。具体工作，由他的亲信参谋处长和作战参谋何祖修办理，一切作战命令、部队调动等都用密码传递。

但是，此秘密计划，还是被在参谋处工作的中共中央华北局社会部北平情报小组的内线关系获悉，并及时送出去。

此北平情报小组，是李克农在抗战胜利后调整和加强的。

李克农于1945年12月，即致电晋察冀中央局并社会部部长许建国，派出有经验、有能力的重要干部到平津加强领导，并用一切方法把电台建立起来。

这次，傅作义在拟定和实施偷袭西柏坡的秘密计划的过程中，保密工作的确周密，但还是露出了蛛丝马迹。

中共的内线情报关系看到华北"剿总"司令部在调动兵力，知道要有大的行动。但是，要打什么地方？如何打？还不清楚。

他就向参谋处绘图员处了解到参谋处已绘制了石家庄附近一带的地图，还要绘制阜平一带的地图，并标上轰炸目标，立即给空军送去。

10月22日，中共的内线情报关系又获得了华北"剿总"给第九十四军的关于偷袭石家庄、阜平、平山后方的作战命令。

10月24日下午，华北军区司令员聂荣臻收悉此情报要点："傅作义令郑挺锋带四个步骑兵师、一个骑兵旅及爆破队，定于10月27日开始，经保定向我石家庄、阜平、平山等地深入奔袭，企图破坏我后方机关、学校、工厂、仓库等。"

时间紧迫，聂司令员先下令从张家口南面蔚县一带，连夜调野战军南下布防；接着，急电党中央，汇报军情和部署情况。

当晚，在西柏坡东黄泥村中情部的李克农也收到许建国发来的急电，《傅部偷袭西柏坡计划》（内容同上）。许并告详情待续报。

李克农深感此事关系中央领导的安全，十分重大，立即向毛泽东、周恩来汇报。

这时，阜平、石家庄、平山一带解放军兵力不足，形势危急。中共中央和毛泽东，决定利用无线电广播，巧妙地使用情报，争取粉碎敌人计划于进攻之前。

首先，毛泽东亲自将情报要点加以伪装，写成一条短讯，于25日由新华社广播出去：

"新华社华北10月25日电：在北平的蒋介石、傅作义妄想突袭石家庄，破坏人民的生命财产。据前线消息，蒋、傅决定集中九十四军三个师及新二军两个师，经保定向石家庄进袭。其中九十四军已在琢县、定兴间地区开始出动。该匪部配有汽车，并带炸药，准备进行破坏。"

这一天，李克农收到许建国发来的关于敌计划详情的急电，又立即向毛泽东、周恩来汇报。

毛泽东又利用此电报材料，写成一条消息，于26日由新华社广播出去：

“新华社华北10月26日电：此间党政军各首长已向保石线及其两侧各县发出命令，限于三日内动员一切民兵及地方武装，准备用一切可用的武器，以利作战，尤其注意打骑兵的方法。”

“闻匪兵力，除九十四军外，尚有新骑四师及骑十二旅，并附爆破队及汽车百余辆，企图捣毁我后方机关、仓库、工厂、学校、建筑物。据悉，敌军准备27日集中保定，28日开始由保定南进。进扰部队有九十四军军长郑挺锋，新编骑四师师长刘春方，骑十二旅旅长鄂友三……”

“今春匪扰河间，因我方事前毫无准备，受到部分损失。此次务须全体动员对敌，不使匪徒有一兵一卒跑回其老巢。”

广播已有强烈反应。此情况又为在华北“剿总”的中共情报人员获悉。

他们报：“九十四军军长郑挺锋27日21时告傅作义称：‘昨收听广播，得知匪方对本军此次袭击石门行动，似有所警惕。广播说本军附新二军两师拟袭石门。彼方已有所感，必然预有准备，袭击难收效’。”

29日凌晨，李克农收到此电报，又立即向毛泽东、周恩来汇报。他们对广播见效十分高兴。

当天，毛泽东又起草了一条口头广播稿，交新华社立即在口头广播中使用：“傅作义匪军郑挺锋、刘春方、鄂友三、杜长城（爆破队长）等部总共不过二万人，昨28日已窜到保定以南的方顺桥。郑匪九十四军只来两个师，留一个师在涿县、定兴线。刘、鄂等匪在郑匪背后跟进中。我保石线两侧各县的高阳、安国、深泽、无极、望都、定县、新乐、正定、满城、完县、唐县、行唐、灵寿等地广大人民群众，均已完成作战准备，等待着匪众到来，配合正规军大举歼敌。”

郑挺锋收听到前两条新华社消息后，放慢了部队行军速度。到达保定附近，收听到第三条广播消息后，又赶快率部队缩了回去。他们怕遭到解放军的伏击。

一组报道、三条消息，吓退两万敌兵。导演了一出新“空城计”。这显示了毛泽东谋略之高，运用情报之妙。

李克农在1948年9月，就布置搜集淮海地区国民党军队的情报，为配合解放军发起淮海战役做准备。

这和他及早知道中央军委的意图有关，也由于他有强烈的政治敏感性。

中情部首先给上海、华东、中原等情报组织发电报，要他们搜集国民党军队的全面部署，特别是在徐州一带的兵力和部署情况。

1948年9月，中情部就收到上海潘汉年系统发来的《徐州剿总情况》的电报。电报内容包括：徐州“剿总”的范围、所辖绥区、哪些兵团、主官姓名、兵力配备等。电报内容还有：徐州“剿总”对“共军”可能发动攻势之估计、“剿总”之作战意图等。

这是淮海战役前，解放军获得的关于徐州一带敌情的情报，最早又比较全面，有利于组织淮海战役的准备工作。

10月间，中情部又陆续收到有关地区情报组织发来的关于徐州国民党军部署的一系列情报，如《徐州蒋军军事部署、兵力分配详情》和《蒋军全部兵力新番号、主官位置表》等。这些情报，对徐州“剿总”司令刘峙集团70多万人的新部署和作战意图，叙述得详细具体。

由于集结在徐州及其周围地区的国民党军队在兵力上超过解放军参战部队，在武器装备上更占有巨大优势，中央军委和毛泽东决定采取将敌军的重兵集团多次分割，集中优势兵力，各个加以歼灭的办法。

整个战役共分三个阶段。

战役第一阶段的重心，是集中兵力歼灭黄百韬兵团，完成中间突破。

11月6日，战斗打响。华东野战军以7个纵队，在新安镇及其两侧地区分割包围黄百韬兵团，以8个纵队分南北两路对进，牵制、阻击李弥兵团东援。8日，国民党第三绥靖区副司令官张克侠、何基沣，率3个半师2.3万人在台儿庄、贾汪地区起义，华东野战军主力顺利南渡运河，越过该部防区，迅速切断正向徐州靠拢的黄百韬兵团的退路。各路增援敌军都受到坚决阻击，黄百韬兵团只得折回碾庄，被压在纵横不到10公里的包围圈内，到22日，全部被歼。

张、何在淮海战役前线率部起义的行动，打乱了徐州“剿总”的作战部署，加速了战役的进展，受到解放军领导人的赞扬。毛泽东、朱德还来电表扬，指出：这些起义“极有利于整个战役的发展”。

张、何的起义，并非偶然，是中共中央长期安排和果断决定的硕果。李克农指挥华东局社会部精心安排也起了作用。

张克侠、何基沣都是中共秘密党员。

张克侠，1900年生于河北献县。保定军官学校毕业后，入冯玉祥部。1929年7月在上海加入中国共产党，为特别党员，只接受中共领导人周恩来、叶剑英、董必武的直接领导，不和其他人发生横的关系。他遵照中共指示重返西北军，为高级军官，又和冯玉祥将军有连襟的亲戚关系。抗战胜利后，他任徐州绥署第三绥靖区副司令官。

何基沣，1898年生于河北藁城。保定陆军军官学校毕业后，入冯玉祥部，逐步升为高级军官。1938年春秘密赴延安，受到毛泽东等中央领导的接见，后仍回原部队。1939年1月秘密加入中国共产党。1946年何也任徐州绥署第三绥靖区副司令官。

第三绥靖区部队是冯玉祥西北军的老底子。抗战胜利后，被蒋介石调到第一线打内战，既可以打击人民军队，又可以削弱这支异己的杂牌军。此阴谋激起了第三绥靖区官兵的反蒋情绪。

1946年，何基沣借为父奔丧的名义到北平，见到正在执行部的叶剑英，表示他不愿为蒋介石打内战，不打算再回第三绥靖区。

何基沣（左）与张克侠

叶剑英对他的想法表示理解，但指示他，“要继续留在原部队工作，巩固部队，待机起义”。

张克侠和何基沣在第三绥靖区内，都是中共党员，但互不了解对方的秘密身份，只是共同的事业，使他们心照不宣地为部队起义工作做准备。

1948年10月，华东局社会部先后派从事情报和联络工作的朱林、杨斯德，以华东局代表的名义，到第三绥靖区做联络起义工作。

在淮海战役刚开始，张克侠和何基沣就根据中共中央的决定，在11月8日率国民党的五十九军、七十七军各一部起义了。

淮海战役期间，中情部又陆续收到几个地区情报组织发来的有关情报。

11月中旬，上海吴克坚情报系统发来了国民党《国防部对淮海战役估计》的重要军事情报；接着，又发来了《徐蚌会战的国军部署》的情报，也十分重要。

情报表明：黄百韬兵团被歼后，蒋介石决定派国民党军队由徐州、蚌埠南北对进，与解放军在徐、蚌间会战，打通徐、蚌线。

而从河南远道赶来的国民党军黄维兵团，经长途跋涉，兵疲粮缺，孤军突出。

解放军就根据提供的情报，先攻黄维兵团，于11月25日将其包围在徐、蚌的中间地区。12月6日至15日，解放军发起总攻，全歼黄维兵团十万余人，生俘黄维；接着解放了战略要地徐州。蒋介石的徐蚌会战失败了。

淮海战役的第二阶段，胜利结束。

1949年1月上旬，是淮海战役的最后一段时间，杜聿明率邱清泉、李弥两兵团被解放军围困在永城东北地区，粮草断绝，饥寒交加，军心动摇。杜聿明就给南京国民党政府发了一份告急电，要求立即空投20万只防毒面具，妄图率残兵败将放毒气突围，做垂死挣扎。

此报落在中共华东局社会部在国民党军联勤总部的内线情报人员的手里，尽量拖延缓办。

到1月10日，杜聿明还未见到空投防毒面具，已全军覆没，束手被俘了。

淮海战役全部胜利结束。

这是“三大战役”决战中历时最长、规模最大、歼敌数量最多的一大战役。

苏共领导人斯大林知道了，既赞扬又惊讶，认为60万装备很差的解放军，竟打败了80万装备精良的国民党军队，真是奇迹！

这个战争史上的奇迹，显示了以毛泽东为首的中共中央的高超的军事指挥艺术，而李克农成功地部署情报搜集工作，也起了重要作用。

第三十四章　平津战役

1948年上半年，以毛泽东为首的中共中央和中央军委，在酝酿辽沈战役的战略设想时，也考虑要在华北与国民党军进行大会战、进行平津战役问题。

此时，李克农已经了解中央的意图，就致电几个地区，特别是华北地区的情报组织，要他们搜集有关的军事战略情报，供中央制定平津战役方针时参考。

6月底，中情部收到华北局社会部发来的电报。电报说：“内线情报人员获悉，‘傅作义称，对华北局势，将来能守则守，不能守则退察绥与青宁会合’。”

原来，傅作义是一位“老谋深算”的国民党高级将领，在东北野战军的东北冬季攻势于1948年3月15日结束后，他看到国民党军被压缩于长春、沈阳、锦州三个互不相连的地区内，国民党在东北的大势已去，他所管辖的华北地区将是“共军”下一个攻击目标。他力图固守，也开始考虑守不住的退路——沿平绥线西撤到他的老巢绥远，与青海、宁夏的土皇帝马步芳、马鸿逵会合。

这年5月，李克农领导的中情部（中社部）已迁到河北平山县的东黄泥（靠近中共中央所在地西柏坡）。他在这里见了与在傅作义身边内线情报人员阎又文有密切联系的情工人员王玉，亲自派他去北平摸清傅作义的情况。

李克农要他摸清三点情况：1.傅作义的政治动向；2.傅作义的军事力量和作战计划；3.傅作义和蒋介石的关系。

王玉在北平待了三个月，把傅作义的情况基本掌握，于8月间返回东黄泥，直接向李克农汇报。

李克农及时把傅作义的政治动向和军事部署向毛泽东、周恩来汇报，对中共酝酿平津战役的作战方针有重要参考作用。

中央很快要就平津战役做出决定。

10月初，李克农又在东黄泥的办公室向王玉布置搜集傅作义情报的任务。

李说，“我第四野战军很快就要进关了，为了配合大规模的军事行动，有利于歼灭傅作义部队，派你进北平去，要阎又文想方设法把傅作义的作战计划拿出来”。

李继续说，“你这次进北平，要做好两种思想准备：一是比较顺利地完成任务，按期回来；二是有可能被捕，万一被捕，不要落在国民党军统和中统手里，如果被傅作义特务抓住，就是身份暴露了，他也不敢杀你。要切记在任何情况下，不能暴露阎又文，就是牺牲了也不能暴露他”。

李最后指出，“限你两个星期回来，最迟不得超过三个星期。你的任务重大，一定要想尽办法完成任务”。

王玉作了宣誓式的保证，“一定完成任务，按时回来”。

王到北平后与阎又文联系上，并传达了任务。一个多星期以后，阎把傅作义的作战计划详情告知王玉。

王立即离开北平，回到东黄泥向李克农直接汇报。主要内容是：

“傅作义打算在平、津、唐（山）地区和我第四野战军、华北部队会战，他正在用他统率的60余万军队做这样的部署和配备。

“这一仗打赢了，整个华北就是他的天下。这一仗打不赢，他考虑了两条退路：一是由塘沽从海上南下，与蒋介石在南方会合；另一条是退到绥远、后套一带，与马家部队会合，负隅顽抗。

“傅还认为我第四野战军进关不会很快，最早在1949年5月间才能进关。”

王玉这次获得的情报，从其他方面核证，完全可靠。李克农又立即向毛泽东、周恩来汇报，他们认为很有用，中央可以下决心了。

10月底，中共中央军委就研究决定以东北和华北解放军发起平津战役，要求自1949年1月到6月间，将傅作义部就地歼灭，以免国民党利用傅作义部加强长江防线，或保存较多作战力量。

中央军委认为，实现上述目标的关键，在于稳住敌军，使其不受惊逃跑，要逃也逃不掉。

针对傅作义的作战计划，中央军委在10月底和11月间采取一系列重要措施：

1.先指示东北野战军组成先遣兵团先行入关，后又电令东北野战军立即结束休整，取捷径以最快速度隐蔽入关，突然包围唐山、塘沽、天津的国民党军，使傅作义军队不敢随便离开华北。

2.命令华北解放军撤围归绥（今呼和浩特），缓攻太原，以迷惑和稳住傅作义集团。

3.为了同样原因，命令正在进行淮海战役的华东解放军暂缓攻击被包围的杜聿明部。

由于辽沈战役已经结束、淮海战役进展顺利，中央军委决定：平津战役提前在11月下旬发动。

解放军以神速动作，先用“围而不打”或“隔而不围”的办法，完成对北平、天津、张家口之敌的战略包围和战役分割。

接着，解放军按照中央军委“先打两头，后取中间”的原则，首先攻克西线的新保安、张家口。东线原计划首取塘沽，但因该地区为水网盐田，不利于部队运动和展开，后改变为集中兵力先攻天津。

为配合解放天津，李克农在数月前就多次电华北局社会部和天津情报组织，搜集有关情报。

由于工作布置得早，中情部在1948年12月和1949年1月上旬，就陆续收到关于天津城防的详细情报，如获得《天津城区防御图》《天津城防计划》等，内容包括碉堡、暗堡位置，守军部队番号、兵力、武器、指挥官姓名等。

解放军平津前线司令部收到中情部转来的这些情报后，攻城很有把握，但仍希望和平解决，于是向天津守军提出和平改编的建议，但国民党军队不自量力，以为天津城防坚固、重兵守备，至少可以守一段时间，拒不接受解放军的建议。

于是解放军针对国民党守军的布防情况，进行攻津战斗。

1月14日，解放军以超过敌人的兵力，并配备大口径炮、坦克车和装甲车，对天津发起总攻。至15日，全歼守敌13万人，活捉国民党天津警备司令陈长捷。

在解放军攻打天津时，中情部领导的情报组织还设法直接阻止敌人援兵，有利于解放军的攻津战斗。

当时，天津国民党守军向华北“剿总”紧急求援，北平准备派援兵，冀中区社会部获悉此情况，设法通过利用关系骗取到敌密台，向北平的华北“剿总”发去假情报，内容是，“大量共军向津西一带集结，企图不明”。结果，北平国民党军怕援救天津遭解放军伏击，未敢出动。

天津情报组织和华北局社会部等，对天津解放前的保护城市、解放后的接管城市等方面，也做了大量的工作。

李克农对他们的指示是及时、具体的。

在天津解放前夕，1948年12月下旬，李克农致电天津情报组织，表扬他们通过情报人员，对天津保警队、保安队、中纺厂警的工作进行甚好，同时提出工作的要求和原则。

电报说，“我情报人员对这些保警可进行动摇工作。在我军未入城前要他们保护城市、工厂、仓库，听候我军管会入城后处理，但勿促其起义，增加解放后的麻烦”。

电报接着说，“目前可要求他们供给情报，如敌军部署、城防工事、敌工厂、仓库地点、特务驻地等”。

1948年底，天津国民党决定在天津城区搞一次突击性的军、警、宪联合户口大检查，企图借此肃清共产党地下工作人员，要天津市民政局户政科拟写清查户口计划，中共天津情报组织打进去的内线人员，就拖延缓办，并乘机向组织报告。天津市的共产党地下工作人员就迅速转移，避免了破坏。

天津情报组织的工作既深入又广泛，受到有关方面的赞扬。

在1948年5月，李克农看到解放战争的形势发展很快，解放全中国的时间要比预计的短，情报工作要及早为接管大城市做准备，可先从天津的接管工作取得经验。

5月下旬，李克农就致电天津情报组织，要他们系统地搜集天津城区情况，供接管天津时参考。

电报具体要求，“天津可继续深入地调查天津各业各种具体系统材料，如各业各厂名称、资本（或股东）、工人数量、机器、原料供给、生产、推销及资本家动态等”。

电报还要求他们，“对各大城市的经济情报，均可进行深入的调查，无论工矿、银行、商业、大公司，不管国营、公营及私人企业，均应加以重视”。

电报明确指出，“此种材料对将来进城有很大用处”。

华北局社会部在9月召开的情报工作会议上，除研究如何直接配合平津战役的工作外，也研究了平津战役后接管城市、肃清敌特、维护社会治安的工作。

天津一解放，华北局社会部部长许建国就率领该部大批干部接管天津，迅速建立了革命秩序。

天津解放后，为保护北平这座文化古都免遭战争破坏，中共中央和中央军委决定：继续同傅作义进行谈判，力争以和平的方式解放北平；同时令部队做好以战争手段解放北平的充分准备，备战才可以逼和。

这体现了军事围攻和政治争取相结合的方针。

李克农直接指挥有关地区情报组织在这两方面都进行配合。

中情部在1949年1月间获悉傅作义守北平方针。主要内容是：1.利用对方不破坏故都文化古物之隙，坚守城内，决不出城决战。2.尽量拖延时间，等待国共重开和谈，如能保住北平，不做投降将军。3.必要时率兵突围去绥。4.北平市食粮无着，到无法维持，各界代表请愿要求放弃时，方可放弃北平。

在1948年12月和1949年1月间，中情部还获得《北平城垣作战计划》《北平城防方案》及详细地图等情报。

李克农及时将这些情报送中央。中央十分重视，认为：关于傅作义守北平方针以及作战计划等情报，虽然是军事的，也可从一个侧面反映出傅作义的政治动向，即傅作义虽然从1948年11月起.就派人同解放军接触，表示愿意和平解决，但实际上仍动摇于和战之间。

所以中共中央决定，在加强军事包围、打消傅作义幻想的同时，要大力争取傅作义接受和平解决方案。

这时，中情部把关于北平守军的军事情报报告解放军平津前线司令部。

第四野战军加紧了对北平的包围，把傅作义部十万余人压缩在北平城内，如瓮中之鳖。

李克农对中共中央关于大力争取傅作义和平解决的决定，更为重视，花了大力气配合。他指挥情报工作人员深入傅作义统帅部，准确掌握傅作义的思想动态，为和平解决北平作出了重要贡献。中情部指挥几个地区情报组织做傅作义的工作，多头并进，效果显著。

1948年11月底，中情部电示上海吴克坚情报系统，“通过你们的间接关系，继续对傅进行动摇工作，在目前是很需要的”。电报还交代政策，“只要傅诚心反蒋反美，面向人民，我们的态度是与人为善的”。

根据这个指示，吴克坚系统通过傅作义的几位高级政治顾问，进一步做傅的工作，主要是减少傅对共产党的疑虑。

同年12月初，中情部致电香港潘汉年情报系统，指示他们让冀朝鼎去做工作。电报说，“冀朝鼎可做两件事：一是向傅解释三次大战打不起来，对美援不可存奢望，以动摇其抵抗决心；二是在战局危急时，坚决反对傅之破坏政策，保护经济系统中各种设备、科学器材及专门人才，以利我军接收”。

冀朝鼎是傅作义的山西老同乡，其父曾任山西省教育厅厅长，也是傅作义的朋友。所以冀朝鼎深得傅作义的信任，在1948年应傅的聘请，到北平任华北“剿总”经济处处长。

冀朝鼎曾在1919年参加五四学生爱国运动；1927年赴美国留学；1927年前往欧洲出席世界反帝、反殖民主义大同盟大会，经与会的中共代表团介绍，加入中国共产党。人们知道冀曾获美国哥伦比亚大学经济学博士学位，是经济学专家。实际上，他对政治问题也很关心并有较高水平。

他在1948年12月和1949年1月间，利用与傅的密切关系，几次与傅商谈和平解决北平的问题。他陈述傅个人的利害得失，认为和平解决为上策。

当时，美国答应给华北运来三船军火，这增强了傅“依靠美援，争取时间以待局势演变”的想法。冀就向傅解释，美国军火是不会来的，从而促使他早下起义的决心。

1949年1月10日，中情部副部长谭政文要王玉再进北平，通过阎又文的关系，把傅作义的动向摸清楚。

“王玉——阎又文——傅作义”这条线，是在抗战刚胜利后，由陕甘宁边区保安处建立起来的。此保安处设在陕甘宁边区政府内，又是中共中央西北局社会部，其情报工作是在中共中央社会部（中共中央情报部）和中共中央西北局直接领导下进行的。

阎又文是山西荣河人，傅作义的小同乡，抗战前毕业于山西大学。七七事变后，他为了挽救民族危亡参加了傅作义的部队。1938年，傅作义从他多年经营的归绥、包头一带退到了后套，大本营设在后套的临河县。在临河县，阎又文被在傅作义部队工作的中共地下党员潘纪文（也是傅作义的小同乡）秘密发展为中共地下党员。

阎又文为人和善，平易近人，才华出众，加上和傅作义的小同乡关系，很快就受到傅作义器重，做了傅作义的私人秘书。

1939年下半年，国民党掀起第一次反共高潮前夕，傅作义随着时局的演变，对共产党的态度由和平共处转为积极反共，大肆逮捕共产党人。在此情况下，中共后套组织撤回延安，从此以后阎又文和党组织失去了联系。阎又文和党组织失去联系后，思想上很痛苦，但他仍按一个共产党员应发挥的作用进行活动。他几乎同傅作义形影不离，揣摩着傅作义的心理和性格爱好，事事毕恭毕敬，很快就成了傅作义的得力助手。他负责记录傅主持的政治和军事会议，负责起草傅的讲话稿和报告稿，对傅交办的其他事情也做得很好。这样，阎在傅作义部队里的威信越来越高，深得傅的信任。

1945年8月下旬，陕甘宁边区保安处处长周兴、副处长兼情报科科长李启明，在延安派该科干部王玉到归绥去寻找阎又文。王玉终于和阎又文接上了头，约定单线联系。

1947年冬，李克农考虑到，为了及时掌握傅作义情况，要更多地发挥王玉——阎又文的作用，就决定把王玉从陕北保安处调到中情部来，由中情部直接管。

1948年2月，王玉来到已迁到山西省临县刘王沟的中情部报到。李克农在办公室亲自接见了他，讲了共产党情报人员应具备的基本条件和知识，勉励他在情报战线上继续努力。

接着，在1948年5月和10月，李克农亲自派王玉两次去北平，通过阎又文，分别获得了傅作义政治动向、军事部署情报和傅作义的具体作战计划。此事在本章的前部分已有较详细的叙述。

到1949年1月上旬，中共中央估计：在大批解放军兵临城下的情况下，傅作义接受和平解决北平方案的可能性很大，但需要最后促进一下。

这时，中央已经着手准备接收北平的工作，组织了接收班子，彭真任中共北平市委第一书记，叶剑英任市长兼军管会主任，谭政文兼任北平市公安局局长。

在这个关键时刻，李克农提出，可再派王玉进北平，与阎又文联系，把傅作义的动向摸得更清楚些，供中央及时参考。

谭政文认为此意见很好，就在1月10日找王玉谈话，研究他如何进北平去完成任务。王玉的工作，是由中情部的领导人李克农、谭政文和罗青长直接领导、掌握的。

这时，谭政文、王玉都已到了北平西郊海淀，但北平防守很严，进城很难。经过侦察发现，北平各大城门只有西直门每天有半天开放时间，只允许城内各大报社记者出入。从黄庄到西直门，北平守军布置了五道岗哨，每道岗哨都有军、警、宪三方联合把守，检查很严。

根据谭政文的安排，王玉化装成记者进城。他到了黄庄，被北平守军第一道封锁线拦住，盘查。他说是《平民日报》记者，并掏出记者证。两个士兵搜查他全身后，把他押送到西直门。

这里部署更加森严，他不愿多纠缠，就摆起架子、厉声厉色地说，“老实告诉你们，我是‘华北剿匪总司令部’的谍报人员”。岗哨士兵半信半疑。王玉就借用岗哨上的电话，直接给阎又文打了电话，阎立即派车来把他接走了。

由阎安排，王玉住进北京饭店。这里经常住些国民党要人、大资本家，国民党的特务、宪兵不能随便进去检查，比较安全。

当晚，阎来到北京饭店，王玉谈了此行的任务。阎笑着说，“这些天来，傅作义的日子很不好过，惶惶不可终日，思想处于极度矛盾之中”。

从第二天起，直到傅作义接受和平解决方案之日，阎又文几乎每日向王玉提供一份书面报告，叙述傅的思想动态和具体表现。

这期间，傅作义对他的前途和命运考虑很多。他想只身逃跑，继续投靠蒋介石。为此他在东单公园修了一个小型机场，经常停放着一架飞机，随时准备南逃。但他这个决心下不了，自己把整个华北都丢了，到了蒋介石那里，蒋岂能饶他？

他也想放下武器投降，但又顾全体面不愿意。他多次自言自语，“我怎么能败在这些青年娃娃（指聂荣臻、林彪）的手下呢？我死也不能败在他们手下”。

他又想突围西进，退到自己的老巢绥远、后套一带和马家部队会合，但整个北平“共军”围得水泄不通，这条路也是死路一条。

他想到以北平为据点继续抵抗，最后也是粉身碎骨；如果北平遭到破坏，必遭国人唾骂。

在矛盾的状态中，傅整天愁眉苦脸，饭吃不下，觉睡不着。一会儿踱到庭院，一会儿又回到办公室里踱来踱去。

对这些动态情况，李克农很关心。他亲自掌握，每次获得报告后，立即向中央汇报，使中央能及时、准确地掌握傅的动向。

阎又文还根据组织指示，对傅作义展开政治攻势。他几乎天天和傅作义形影不离，把中共方面发表的有关声明，亲自送给傅，逐段连读带讲，针对傅的思想、疑虑，提出一些劝告。

当傅作义听到中共权威人士的声明，把自己列为第43名重要战犯并要严惩战犯时，十分紧张。阎就趁机讲形势，谈“体会”，指出傅只要放下武器，不仅不会受害，还可以立功受奖。这些工作，对减少傅的疑虑，起了重要作用。

傅派了一个和平代表团，由西直门出来到了颐和园附近的青龙桥，团长是华北“剿总”副总司令邓宝珊，还有何思源、阎又文等人。叶剑英接见了他们，指出：傅作义只有认清形势，放下武器，才有出路。

随后，中共方面派了个代表团进北平。团长是新任北平市副市长徐冰（中共北平地下党负责人），王玉也参加了代表团的工作。傅作义接见时，徐冰进一步阐明当前形势和中共的政策。这时，阎又文也在场。

经过几次谈判，双方代表于1月21日达成《关于和平解决北平问题的协议》。

1月31日，解放军在全市人民的欢呼声中，进入北平。北平和平解放了。

傅作义顺应人民的意志，使这座举世闻名的古城免遭破坏，立了一大功。

这主要是由于解放军的强大力量和作战部署的迅速完成（90万解放军紧紧围困着孤守北平的25万傅作义部队）。而李克农领导的情报人员，准确掌握傅作义的作战部署、政治动向以及思想情绪等情况，及时向中央和平津前线司令部报告，为和平解放北平作出了重要贡献。中共北平城工部等部门，也派人做争取傅作义的工作，为和平解放北平作出了贡献。

第三十五章 揭穿阴谋

1948年冬，辽沈、淮海、平津三大战役行将结束，李克农根据中共中央关于“时局发展已进入一新的转折点”的精神，分别致电上海和香港情报系统，传达中央对时局的分析，并对他们提出下一年情报工作的方针。

电报提出：今后一年将起根本变化，而最近：（一）长江以北（武汉以下）之国民党军可能为我肃清，华北及陕中之国民党军或被歼或仓皇逃跑。（二）蒋贼或南迁挣扎，或被迫下野，其经济崩溃，内部分崩离析，变本加厉；同时，美帝可能要李（宗仁）、白（崇禧）、何（应钦）等出面谋和；另一方面，蒋的嫡系宋（子文）、张（治中）等也会出面要求停战言和，但彼此矛盾百出……电报指示他们，要组织和整顿情报力量，以待事变到来，配合行动。

形势的发展，果然不出所料。经过三大战役，国民党统治集团，在长江以北的力量全线崩溃；在长江以南，也难组织起系统的防御。他们在美国的支持和策划下，发动了一场和平攻势，以图争取喘息时间，保存残余的反革命势力，然后伺机卷土重来。

这样，蒋介石在1949年元旦发表要求和谈的《新年文告》，表示愿与共产党商讨“停止战事，恢复和平的具体办法”，并声称，只要和平能够实现，“则个人的进退出处，绝不萦怀，而一唯国民的公意是从”。但同时，他又提出要以保存伪宪法、伪法统及保存反动军队等作为谈判的条件。

蒋介石以政治斗争方法玩弄的这个和平阴谋，有一定的欺骗性，有反动的政治影响。有的资产阶级右翼分子，借此劝说共产党把人民革命战争“立即停下来”，反对“除恶务尽”。一部分中等资产阶级和上层小资产阶级，对蒋介石的“求和”声明抱有幻想。

蒋介石的求和阴谋必须揭穿！

在这场重大的政治斗争中，李克农特别注意掌握蒋介石的底牌、国民党统治集团内部的矛盾以及美国的态度等情况，供中共中央决策时参考。

中情部通过上海等情报系统的内线，及时、充分地取得了这方面的情报。主要内容是：

1.蒋介石于1月初在南京召开国民党中央常委会议。会议决定：一、坚持以蒋《新年文告》中的条件为条件。二、向中共要求和平。三、能战始能和，以战求和。四、和、战均由蒋领导，勿自乱步伐。

会后，蒋介石确定内部的和、战方针："非下野不能得美援，非美援不能继续作战，非有和不足以保存合法力量，巩固江防，死守京沪，稳定西南，建设华南，待机反攻。"

在此方针指导下，蒋介石准备"主动下野"，让桂系首领李宗仁负责，以促成和谈。

但蒋介石为继续操纵实权，做了周密布置：政治交孙科，军事交何应钦，台、闽交陈诚、蒋经国，江、浙交陈仪，两广交宋子文，湘、赣交程潜，川、康交张群，西北交张治中。

2.桂系首领们，在1月上旬研究夺权问题。他们利用蒋准备下野的形势，确定的方针是：取蒋而代之。

桂系首领们在这一点上是一致的，但如何取法，李宗仁、白崇禧两人意见有分歧，李主张顺取，白主张逆取。白认为继承蒋的旧法统不好，所以要逆取。为此，白近日已派其亲信韦永成到南京，要李及桂系人员撤走。白特地嘱韦：如李迟疑，则请桂系人员甘介候等人立刻走。白还派亲信到四川、云南、香港及西北活动，并将重庆兵工厂东运的步枪十万支扣留，装备桂军。

李不同意白的做法，认为逆取需公开反蒋及打破法统，可能为蒋、共双方夹攻，美援亦不可得。

蒋介石的确对桂系心存疑忌，这时已知白崇禧活动，立即召各方首要到南京，商量防范白"越轨"行动问题。

3.美驻华大使司徒雷登在1月上旬向甘介候表示，美赞成国共和解，如中共拒绝，美将继续援蒋。

美还指使蒋于1月8日要求美、英、法、苏四国政府调停中国内战，由于英、法、苏都拒绝，美亦不便公开同意。

稍后，司徒雷登把美总统杜鲁门意见告甘介候：在中国大局变化中，美不能直接卷入旋涡，要静观发展。

这些情报有助于中共中央及时了解美国和国民党统治集团内部对蒋“求和”问题的态度，以及他们之间的一致和矛盾，以便有针对性地采取对策。

1月14日，毛泽东以中共中央主席名义发表《关于时局的声明》。这是针对蒋介石1月1日“求和”文告的回答。

声明指出，蒋介石的“和平”建议是虚伪的，他所提出的和谈条件，不是和平的条件，而是继续战争的条件。声明表示，虽然人民解放军有足够的力量，在不很久的时间内全部消灭国民党政府的残余军事力量，但是，“为了迅速结束战争，实现真正的和平，减少人民的痛苦，中国共产党愿意和南京国民党反动政府及其他任何国民党地方政府和军事集团，在下列条件的基础之上进行和平谈判……”

毛泽东的声明针锋相对地揭穿了蒋介石的“和谈”阴谋，蒋介石等方面的反应如何，中共中央急需了解，以便继续掌握这场政治斗争的主动权。

为此，在14日当天，李克农致电上海和香港情报系统，指示，“今日毛主席发表对时局的声明，其用意在揭穿美蒋的和平阴谋，与新华社新年献词并无丝毫矛盾。望将此声明印送各方，注意搜集其反应意见”。

新华社新年献词，是指1948年12月30日，毛泽东为新华社写的1949年新年献词，题为《将革命进行到底》。

1月16日，李克农又致电上海和香港情报系统，发出中共中央1月15日关于毛泽东发表时局声明对各地的指示，以便他们掌握中央精神，更好地搜集有关情报。

电报指出，“我方八条是针对蒋方五条的……双方的条件都是对方不能接受的，战争必须打到底，故与（新华社）新年献词毫无矛盾，而给人民解放军及国民党区域被压迫人民一个打击国民党的武器，揭露国民党所提和平建议的虚伪性及反动性”。

蒋介石对毛泽东声明非常重视，在南京召开一系列会议，研究对策。这些会议情况，均为上海情报系统及时获悉。

1月14日，蒋介石看到毛泽东声明后，就召集他的智囊团陈立夫、谷正纲、彭昭贤、李唯果、黄少谷、陶希圣等十余人开会讨论。会议作出三项决定：一、对中共所提和平条件不做拒绝表示，要以和平姿态争取延长3个月的时间，在江南最少再练出50万军队。二、和谈由国民党和民社党、青年党三党出面，而以民、青为前锋，以证明南京政府并非一党政府，而是三党政府。三、统一对和谈的领导，中心地点需在上海；对不受蒋领导而奔走和平的人物及碍于环境不能逮捕之民主人士，授中统以特权，不择手段对付之。

1月15日，蒋介石又召集国民党高层人士张治中、邵力子、张群、吴忠信四人研究和谈问题。蒋在会上说，先研究一下中共提出的和谈八条件。蒋说，“政府中只你二人（指张治中、邵力子）不是中共指明的战犯，有和谈资格”。会上，张治中、邵力子都主张与中共和谈，认为不要失去机会，再战下去大家同归于尽。张群还拉张治中、邵力子一起，劝蒋下野，以争取美援。

1月17日、20日，蒋介石连续召开国民党中常会，讨论与中共和谈问题，主要决定：蒋下野，促和谈。于是，蒋介石在1月21日以“因故不能视事”为由宣布“引退”，由“副总统”李宗仁代理其“总统”职务。

1月22日，李宗仁以“代总统”身份表示愿以中共所提八项条件为基础，进行和平谈判。

这时，中共中央需进一步了解蒋介石与桂系首领的态度。中情部立即布置，并有重要收获：

1月下旬，中情部获悉：在新的情况下，李宗仁与蒋介石在和谈问题上，有一致也有矛盾。

蒋介石1月21日下野后，前往浙江奉化的溪口镇，以国民党总裁名义，以党控政，指挥军队和特务系统，仍操纵着党政军大权。他规定和谈的限度是“划江而治”，即确保长江以南若干省份的完整，同时强调备战要旨，应以整饬军事为重。

李宗仁任“代总统”后，虽然承认中共所提出的八项条件为谈判基础，但他进行和谈的真正目的，仍在于企图阻止人民解放军渡江，确保长江以南各省，实现“划江而治”的局面，并以此巩固自己的地位，取蒋介石而代之，同共产党分庭抗礼。

李宗仁在谈论和平的同时，仍秉承蒋介石“以整饬军事为重”的旨意，积极备战，力求阻止共产党人渡过长江。

1月底，中情部获悉：蒋介石加紧镇压进步人士。

已“下野”的蒋介石密令上海的国民党特务和军警，在必要时将要求和平的民主人士宋庆龄、张澜、罗隆基、黄炎培、郭春涛、吴绍澍等30余人架走南移，如遇反抗即枪决。

京沪杭警备司令汤恩伯还在上海召集军、警、宪、特首要会议，布置对南京、上海一带民主人士及中共地下人员进行逮捕和枪杀。

2月下旬，中情局又获悉蒋介石的《扩军备战计划》，表明蒋以和谈掩护扩军。《计划》打算以和平攻势赢得3至6个月的时间，在江南重新编练200万新兵，以便卷土重来。蒋目前做法：一、已全部恢复原建制120个军的番号，被歼各军分别在各省成立、补充。二、成立12个编练司令部，各编练3个军，限4个月完成后改为兵团司令部。

这些情报表明，台前表演的李宗仁采取一些和平措施（如他宣布取消全国戒严令，释放政治犯，启封被封的报馆、杂志，撤销特种刑事法庭，将“剿匪总司令部”改名为军政长官公署，甚至邀请宋庆龄、黄炎培、张澜等赞助和谈），只是表面文章，因为幕后指挥的蒋介石，正在磨刀霍霍，继续镇压共产党人和民主人士，并无和谈诚意。

在毛泽东声明发表前后，李克农指挥有关情报系统，及时获得反映美、蒋、李、白等军政动态的大量情报，对分析当时的形势极为重要，中共中央很重视，还专门表扬了上海和香港情报系统。

根据当时的情况，中共中央把台前的李宗仁同幕后的蒋介石加以区别，对李进行善意的争取和帮助，希望他摆脱和断绝与蒋介石的联系，站到人民方面来，以早日结束战争，实现真正的和平。

为此，以周恩来为首席代表的中国共产党代表团，同以张治中为首席代表的国民党政府代表团，于4月1日起，在北平举行和平谈判。

谈判本身是这场政治斗争的高潮，首先要揭穿国民党代表团假和平的花招。

4月1日这一天，国民党政府代表团从南京飞抵北平，率团的首席代表张治中，以为中共代表团首席代表周恩来会来迎接，不料到机场迎接的，只有北平军管会和北平市人民政府秘书长齐燕铭等人，就垂头丧气，心中对欢迎规格之低感到奇怪。

国民党代表团乘车进城后，全体成员被安排在“六国饭店”，但门里挂着大标语：“欢迎真和平，反对假和平”。张好似遭当头一棒，有点头晕，心中对如此“礼遇”，更感到奇怪。

休息了一会，周恩来到饭店拜访，开门见山地对张治中说：“文白先生，很对不起，没去机场迎接。我请问你，既然来是为和平解决两党问题，为什么你还要在事前亲自到奉化向战犯头子去请示呢？”

这一问使张治中非常尴尬，也使他恍然大悟，为什么他们一到北平受到那样的对待，原来他来北平之前去奉化的秘密已为中共获悉，他对中共情报工作效率之高，心中暗暗佩服。

中情部的确获得了这方面的准确情报。

在3月中旬和下旬，上海情报系统就获得张治中去溪口与蒋介石的谈话内容：

蒋一见张就问，“你们是否来逼我走？我决不会走，我一生不受人威胁”。

张请蒋注意以往军、政、经、党失败之教训，现在不应固执到底，一错再错，如和得下来，总还可以保存一点力量。

蒋答：已往错误我承认，但现在和平绝无希望，共产党基本无诚意，李（宗仁）、白（崇禧）一定要失败。

蒋还骂桂系是篡逆运动，骂美国人反对他。蒋表示非但他不能和桂系合作，张治中等人是蒋的嫡系，也不能参加桂系的和平活动。

张答：桂系无论如何是国民党的一部分，今天桂系和平运动还是帮（蒋）总裁的忙，如果李（宗仁）一走了之，“共军”长驱过江，总裁又将如何？

张又说：陈诚、汤恩伯说国民党军可以战下去是骗人的，所以今天总裁对桂系应该帮忙，不要牵制，我们还是应该参加（南京）政府和谈活动，桂系如成功即是党（指国民党）的成功，也就是总裁的成功。

最后，张劝蒋离开奉化以利南京政府与中共进行和谈。蒋允考虑，但又表示绝不去美国。

李克农收到这些情报后，立即向毛泽东、周恩来汇报，中央决定对张治中的活动要警告一下。

张治中自知理亏，连忙向周恩来解释这是他不得已的苦衷。他在南京时，为了了解蒋对和谈的态度，3月3日去奉化见蒋。来北平前，张有了和谈腹案，考虑到这样大事非蒋点头不可，所以3月29日才又去奉化的。

周恩来不为己甚，听了张治中的解释后就谈其他问题。

在4月上半月，双方代表进行了广泛的商谈，主要就战犯问题和解放军渡江问题交换意见。

这期间，李克农进一步掌握国民党政府在和谈问题上的内幕情况，使中共代表团在谈判中一直处于主动地位。

首先，中情部获悉蒋介石和李宗仁在阻止解放军渡江问题上是一致的。蒋阴谋“划江而治”，李希望在谈判期间“共军不要渡江”。

第二，中情部获悉蒋介石在尽力限制李宗仁的和谈职权。

根据蒋授意，国民党中常会、中央政治会议在广州开会，严格限制张治中和谈代表团的职权，除“分江而治”一点外，其余一切条件，必须得到中常会、中政会许可。

国民党中常会还讨论继续作战、战时组阁及保留最后根据地等问题。

第三，中情部获悉桂系首领的目前处境和政治动向。

李宗仁、白崇禧有实现局部和平的考虑，但由于内外因素，尚无实现局部和平的决心。

美国政府与在溪口的蒋介石是阻止李、白局部和平计划的两大压力，前者以利诱，后者以威胁。

汤恩伯受溪口直接指挥，顾祝同也不尽听命于李宗仁的南京政府，国民党特务又加紧活动。南京桂系力量不足以应变，处在极度矛盾动摇之中。

第四，中情部获悉美国正在施加压力，阻止国民党政府“投降”。

司徒雷登最近对国民党政府代表警告说，“如国民政府因坚持独立自主的和平而与中共破裂，则美仍以道义上的关系，继续支持国民党至最大限度；倘国民党因一时之利害而接受中共投降式的和平，则美国将停止对李宗仁的支持”。

在谈判期间，李克农还通过国民党代表团的顾问金山，直接掌握此代表团的全部秘密，使中共代表团对谈判对手的动向了如指掌，始终掌握着谈判桌上的主动权。

金山是全国闻名的艺术家，主演和导演了多部话剧和电影。但人们不知道他是中共的秘密党员。

金山于1911年生于湖南沅陵，原名赵默，字缄可。他于1932年就在上海加入中国共产党。他先主办《远东时报》，后调入左翼戏剧家联盟，正式投入革命戏剧运动。抗战期间，他在国内许多地方演出话剧、宣传团结抗日外，还率领中国救亡剧团到海外（香港、越南、新加坡以及南洋群岛等地）演出爱国剧目，并为中国抗日军队募集款项。1942年，他在重庆主演郭沫若创作的话剧《屈原》，轰动山城。后来，他和夫人张瑞芳在东北拍摄了一部反映抗战的故事片《松花江上》，在全国放映，也受到观众热烈欢迎。

他为了革命工作，善于和各方面交往。在国民党要员中，有些重要的社会关系。抗战初期在五战区慰问演出时，就和当时该战区司令官李宗仁建立了良好关系。他在重庆时甚至拜了上海青帮大头目杜月笙为师父。

1949年2月，李宗仁派人在上海筹组上海和平代表团赴北平活动，杜月笙选中他，以“中国航运公司董事长代表”兼代表团工作人员的身份参加该团，代表杜月笙谈判南北通航问题。这时，杜在上海的工商、金融、交通等方面，有较大的势力。

金山回到南京不久，李宗仁看出他有与中共谈判的经验，就请他当国民党代表团的顾问。

同年4月1日晚，周恩来在北平“六国饭店”宴请刚到达的国民党代表团全体成员，金山见到周恩来时内心十分激动，但极力控制住自己的感情，周恩来也有意略加疏远，处理得恰到好处。

金山到北平后，李克农亲自与他联系，并交代具体任务。金山白天参加国民党代表团的各种活动，晚上利用代表团休息之机，离开“六国饭店”，按指定的联络点，与李克农见面。

他把国民党代表团当天的重要情况，向李详细汇报，如李宗仁对代表团指示的密电内容，代表团对谈判的研究情况，以及代表团明天的提案内容等。中共代表团可以预先研究对策，总是“棋先一着”。

在半个月的谈判中，针对美国、蒋介石和李宗仁都企图通过和谈，阻止解放军渡江的阴谋，中共代表坚持：无论和谈成功与否，解放军都必须渡江。但在战犯处理、对待国民党政府和军队人员以及联合政府组成等问题上，中共代表表示，可以照顾到国民党各方情况，作宽大处理和适当解决。

中共代表团又尽可能采纳国民党代表团提出的意见，在4月15日，提出8条24款的《国内和平协定》（最后修正案），并宣布4月20日为最后签字日期。

国民党政府代表团一致认为，这个和平协定可以接受，并于16日派代表黄绍竑将协定文本带回南京。李宗仁就向蒋介石汇报请示。

国民党在广州召开中常会和中央政治会议，发表声明，拒不接受这个协定，并指示李宗仁、何应钦照办。

4月20日，李宗仁、何应钦电复在北平的国民党政府代表团，要拒绝在《国内和平协定》上签字，谈判遂告破裂。

这样，解放军于20日夜和21日，发起渡江战役，胜利强渡长江，开始解放江南广大地区的伟大进军。美国政府和国民党的“划江而治”，以阻止中国革命前进的计划终于破产！

第三十六章　渡江南进

1949年上半年，国民党统治集团，在玩弄“和平”阴谋、拖延解放军渡江作战的同时，加紧纠集残兵败将，组织军事防御，重点是长江防线，企图利用长江天险，阻止解放军南下，以造成“南北朝”的局面，再伺机反扑。

在这期间，中共中央在同意与国民党举行和谈、力争以和平方式取得全国胜利的同时，加紧组织百万大军，准备在和谈破裂后发起渡江战役，用战斗方式夺取全国胜利。

李克农为配合解放军准备渡江南进的需要，早在1948年冬就布置各地区情报系统，搜集有关的军事情报。还专门致电香港情报系统，要他们设法获得或重价购买江南各省军用地图，五万或十万分之一均可。

香港情报系统通过在广州国民党省党部做事的内线人员，顺利地完成了这一任务。此内线人员先在广州把一套江南各省军用地图交给联络人，然后，由香港情报系统在广州的另一位情报工作人员，把地图装在瓷器箱里——他是以做瓷器生意为掩护职业的，运到香港。不久，李克农就收到了这批地图，立即送给中央军委，以应急需。

1949年2月，李克农又收到国民党军全部战斗序列的情报，提供了国民党军队的全面情况。这是上海情报系统通过内线人员获得的。

这时，经过辽沈、淮海、平津三大战役，国民党军力大为削弱，只剩下180万人左右，其中正规军约为115万人。许多军实力不足，士气不高，战斗力不强。

中央军委收到中情部获得的情报后，掌握了残存的国民党军队实力和部署的详细情况，有助于策划渡江、南进的战斗。

3月间，国民党政府“代总统”李宗仁在与中共接触、准备和谈的同时，加紧与美国顾问团商谈，并召开国民党高级将领参加的军事会议，研究备战问题。

这些商谈和会议详情均为李克农及时获悉，转告军委。

美国顾问团向李宗仁建议，“在未来大战中，中国在战略上与英、美协同问题非常重要，因今日政策虽备战言和，但备战重于言和。如谈不成，今后必须协同英、美对敌作战，今日正应及早准备。”李宗仁表示欣赏这个建议，因为李希望得到美国支持。

美国顾问团还把一份书面材料《关于中国在未来第三次大战中之主要任务》交给李宗仁。

李宗仁在南京召开的军事会议，参加的有白崇禧、何应钦、徐永昌、顾祝同、周至柔、桂永清、郭忏等人。会上，顾祝同报告：国民党军现有260万人（这是虚数，实际上许多军只有实力的40%左右——本书作者按），在谈判中必须做到保持80个军方能维持本党的存在。

会上，周至柔也报告：为保持第一线空军数目，必须自外国购入一批飞机，并准备大量汽油、零件等。

这些情报反映了国民党政府的备战动向。

3月间，李克农还从上海、南京情报系统收到关于国民党军队长江防务的大量军事情报。

首先获得《国军京沪总部江防工事构筑要领》，内容详细具体。《要领》规定如何选择长江北岸桥头堡的位置及在江岸后方要点构筑阻止阵地，并规定：水滨择要构筑工事，以期夜间监视并消灭口岸外死角；沿江构筑碉堡，其位置距离以能互相目视与火力支援为准；沿江要点活动堡垒及野战工事构成排或连之阻止据点；江中各沙洲择要构筑警戒阵地及障碍物……

后又相继获得《国防江防兵力配备》《国防江防军舰分布》《空军在长江下游防务》等情报。

后又获得《使用燃烧弹阻止共军渡江计划》。《计划》准备在必要时用汽油倒入长江，然后投掷燃烧弹，用火攻阻止解放军渡江。

李克农把这些情报，陆续告中央军委和解放军渡江战役总前委，使他们对国民党军队的江防部署了如指掌，有利于制定渡江战役的具体计划和指挥战斗。

到4月初，解放军先拔除了长江北岸的国民党军桥头堡，从北岸控制了长江航道。

从20日晚开始的两个昼夜，在北岸猛烈炮火的支援下，解放军用木帆船做主要渡江工具，猛打猛冲，粉碎了国民党军陆、海、空的协同防御，胜利地突破了国民党军近千里的江防阵地。

23日晚，从浦口、浦镇渡江的解放军，解放了国民党政府的首都——南京，标志着国民党22年反动统治的灭亡。解放军进入南京，没有遇到什么抵抗，因为驻守南京的国民党军在22日下午就开始南逃了。

在3月底和4月上旬，中情部一方面提供了南京国民党军的军事情报，另一方面还提供了南京城内士气和民心的情报，对解放军顺利进入南京也很有用。

情报说，驻守南京的国民党军高级军官，口头上说与南京共存亡，但都在准备交通工具，只等解放军过江时逃跑；下级军官和士兵们私下说：打什么？一个月的饷，买不到一包纸烟，谁拼命？共产党来了，我就脱下老虎皮当老百姓，共产党对老百姓是秋毫无犯的。情报还说，南京城内，市面萧条，物价飞涨，各业破产，一般市民均盼早日解放。

在江防全线崩溃和南京解放后，国民党军企图在浙赣铁路和上海地区组织新的防御。

退守上海及其周围地区的汤恩伯部20万人，在蒋介石亲自部署下，凭借上海城市充足的物资和4000多个坚固的工事，企图坚守。

中央军委命令解放军迅速解放上海，但要求在此过程中，既要彻底消灭敌人，又要尽量保护上海数百万人的生命财产，还要准备西方国家可能的武装干涉。

为了配合军委的要求，李克农在四五间，从上海、香港等情报系统收到大量有关的军、政情报。主要内容是：

一、蒋介石4月下旬在杭州召开军事会议。会上，蒋以全权交李宗仁、何应钦，并嘱他们与“共军”作战到底，决不投降。会议还决定在必要时放弃上海，并对上海破坏。

二、蒋介石在5月初到上海，连日召开各方要员及军长以上军官的秘密会议。蒋此行目的有三：1.争取美援。2.争取时间疏散物资。3.防止汤恩伯投降。

中情部又获取上海守军新部署及汤恩伯总部炮兵实力概况等情报。

中情部在5月中旬还收到美、英、法驻上海总领事与汤恩伯关系的情报：

美、英、法总领事在5月11日提交一份备忘录，内容有三点：1.沪非作战之地，望勿在沪作战。2.沪外侨产业甚多，希勿破坏。3.反对撤退警察，造成上海秩序混乱。备忘录还提出警告：沪市民及外侨非国民党之敌，国民党如不接受上述意见，则等于以沪市民及外侨为敌。

汤想借机要钱，表示对三国总领事备忘录的三点意见都可实行，但请美方立即在上海拨付紧急援助两亿美元。三国总领事不以为然。美总领事派人通知汤的代表说：你们实行这三条后要美援何止两亿，但不能以此为先决条件。

汤无可奈何，但仍准备实施蒋介石“破坏上海”的计划。

李克农立即把此情报告中共中央、中央军委。这对中央掌握当时西方三国对解放上海战役的态度有重要参考作用，也可利用他们之间的矛盾。

5月12日，解放军对上海外围发起进攻，采取钳形攻势，断敌后路。23日夜，解放军发起对上海的总攻，以快速勇猛的动作，多路直插市区，追歼国民党守军。至27日，除汤恩伯率5万人登舰逃跑外，其余15万余人全部投降或被俘获，上海全市宣告解放。100多年来帝国主义侵略中国的基地，回到人民的怀抱。

在此过程中，在中共上海地下党组织积极发动和领导广大工人、学生及市民开展护厂和护校斗争的同时，上海情报系统也展开了保护工厂企业、维持社会秩序与协助接管的工作，粉碎了蒋介石“破坏上海”的阴谋计划。

至此，国民党统治的中心京沪杭地区全部解放。

4月底，解放军在长江中游地段北岸占领了湖北孝感等地，逼近武汉。武汉地区国民党军政长官白崇禧拒绝中共提出的忠告，不愿以和平方式解决中南地区的问题，坚持实施蒋介石的以武汉、上海为重点的防御计划。

中共中央军委命令解放军在这一带也强渡长江。

根据李克农指示，中共华中局社会部在1948年底和1949年初陆续增派干部到武汉开展情报工作，配合解放军的渡江战役。

他们先获取了长江南岸地形图，后又获取了一套36张的长的长江详图，标明长江的水深、流速、江面宽度、两岸村庄地形等，及时送中原军区，对解放军在这一带顺利渡江起了重要作用。

他们还获取了《华中江防计划》《武汉地区防务设施和兵力配备》以及《湖北、武汉地区驻军营房分布图》等重要军事情报，提供给解放军前线指挥部参考。

上海情报系统也派了干部吴化之到武汉建立华中工作组，通过各种渠道搜集了重要情报，如国民党华中地区的兵力、编制、番号、调动情况，以及白崇禧阴谋破坏工厂和公益事业的计划等，供解放军参考。

5月14日，解放军在湖北团风至武穴地段，横渡长江。

15日，经过中情部等几方面的争取工作，国民党华中军政长官公署副长官兼河南省主席、第十九兵团司令官张轸率部于武昌以南之贺胜桥、金口地区倒戈反正。

16日，解放汉口。

17日，解放武昌和汉阳。

武汉、上海的解放，标志着解放军渡江战役的胜利结束。接着，解放军向东南、西北、中南和西南进军，扫荡残敌。

李克农在1949年2月初，就向有关情报系统布置这四大地区的情报工作，以配合解放军的战斗。

李克农指示上海情报系统，迅速安排东南地区的工作，并提出，“重点在台、闽”。

在福建，已有一些情报人员。5月初，上海情报组织派领导干部携电台去福州，联系和领导这些情报人员。建立了福建情报小组，并在福州建立了地下电台。通过内线人员，获悉蒋介石在京、沪、杭解放后的“全国作战部署”，特别是台湾及东南的部署。

还获悉国民党军在福建全省的战斗序列、在福建整编后的主官姓名、福建"绥署"的兵力统计等情报，并获得厦门要塞军用地图等一些重要军事地图。

还随时获得国民党军队的军事动向情报。

这些重要情报，除通过电台报中情部告中央军委外，还及时提供给解放军福建前线指挥部参考，有力地配合了他们的作战。

解放军向浙江进军后，于7月冒酷暑向福建进军，8月17日解放福州；10月17日解放厦门。

解放军在两个多月的作战中，共歼灭福州"绥靖公署"朱绍良等部近十万人，使东南全境，除台湾、澎湖、金门、马祖、定海等部分沿海岛屿外，都获得解放。

中央军委在1949年5月就决定：解放军向西北进军，负责歼灭马步芳、马鸿逵等部及胡宗南集团一部，解放陕西、甘肃、宁夏、青海、新疆五省。

西北情报系统有比较好的基础，到1948年下半年又进一步加强。西北局社会部已在西安建立了130多人的情报力量，分布在陕西的（国民）党、政、军、警、特以及电讯等重要部门，搜集到许多重要军、政情报，为配合解放军在西北战场上的胜利，发挥了重要作用。

在西安解放前一周，该情报系统就获悉胡宗南所属各军、师的部署、番号、代号、驻地和装备情报，又获得西安城区图及城防工事图，还电告关于胡宗南将从西安撤退的确切时间及胡宗南部南撤的具体动态和路线。这些情报有效地配合了西安解放：

王超北领导的西安情报处，还掌握了国民党"中统"特务在陕西的活动动向和西安警备司令火烧西安市的计划；同时，组织了2000人的地下武装，挖掘胡宗南部逃跑前在铁路桥、工厂、电厂等地埋下的炸药，使西安免遭破坏。

1949年5月20日，西安解放了。

六七月间，胡宗南、马步芳、马鸿逵三部敌军要向陕中反扑。

两周前，打入胡宗南部通讯四团的情报小组就把胡部等反扑陕中的军事部署、进攻路线和行动时间等详细情况发到解放区电台，使解放军及时采取了对策。

解放军采取“钳马打胡”的作战方针。在胡宗南部东进路上设下埋伏，于陕西省扶风县、郿县地区分割包抄，一举歼灭胡宗南四个军、马步芳部一个军共四万余人。到7月14日，解放或收复宝鸡、凤翔等八座县城及陕中广大农村地区，割裂了“二马”部队与胡宗南部队的联系。这就是有名的“扶郿战役”。

接着，解放军在8月26日、9月5日、9月23日，先后解放了甘肃兰州、青海西宁和宁夏银川，歼灭了马步芳、马鸿逵主力。

西北情报系统也获得“二马”军队部署等有关情报，配合了解放军的这些战役。

1949年7月，解放军发起解放中南各省的作战。

这时，国民党政府代“总统”李宗仁已从南京迁到广州。白崇禧部队的主力也退到中南地区。

李宗仁、白崇禧企图让国民党军队守住两广和西南地区，割据一方，同解放军长期作战。

中情部所属有关情报系统及时获得李、白战略意图以及国民党军队、特别是白崇禧部队在中南地区的作战意图和军事部署等情报，供解放军有关野战军指挥部部署作战时参考。

7月初到8月上旬，解放军胜利地进行了宜（昌）沙（市）战役和湘赣战役，迫使白崇禧部迅速南撤后，解放了湖北西部、湖南北部及江西西北部。

8月4日，长沙和平解放。接着，解放军一部在湖南衡阳、宝庆地区歼灭白崇禧部队主力一部；解放军另一部直下广东。

10月.14日，广州解放了。

这样，解放军相继解放了华东、西北和中南大部分地区，国民党政府又由广州迁往四川的重庆，残存的胡宗南部队和白崇禧部队，分别撤到西南各省和广西一隅，企图负隅顽抗。

中情部又及时获悉蒋介石近期在四川成都召开西南各省首脑会议情况和透露的战略意图，向中共中央汇报。

蒋介石的意图是：依靠这些残存的国民党军，依托四川为中心的西南地区，凭借这一带的险峻地势，与解放军持久作战，如固守不成，则为保存实力退向西康、云南，或逃窜国外。中情部还获悉国民党军为阻止解放军由陕西入四川的“西南防线”的具体部署。

中央军委和毛泽东针对蒋介石的战略意图和部署，并根据西南地理情况，确定解放军进军西南的作战方针和部署：消灭胡宗南集团及川、康诸敌，非从南面进军断其退路不可；应采取大迂回动作，插至敌后，先完成包围，然后再回打。

1949年11月1日，解放军开始进军四川、贵州、云南、西康作战。

11月15日，解放贵阳（贵州省）。

11月30日，解放重庆。

12月9日，昆明（云南省）和平解放。

同日，雅安（西康省）和平解放。

12月27日，解放成都。

西北局社会部在胡宗南部队里建立的几个情报小组，都随胡一起撤到四川，继续提供胡宗南部的军事动向、具体部署等情报，配合了解放军在四川、特别是解放重庆和成都之战。

在解放重庆、成都前夕，这几个情报小组还粉碎了国民党特务镇压地下共产党员和进步学生计划，又设法保护了国民党军队储存的大批军用物资。

在重庆、成都解放后，情报小组又分别参加了这两大城市的军事接管工作，协助粉碎了国民党特务的潜伏计划。

1949年底，大陆尚未解放的地区，主要剩下西藏（西康省部分地区也未解放）。国民党企图在西藏建立一块游击根据地，并采取种种手段阻挠西藏的解放。同时，一小撮西藏上层反动势力，在英、美帝国主义者等反动势力的支持下，积极策划“西藏独立”，企图借此来阻挠西藏的解放。

早在1949年下半年，中共中央和毛泽东主席就在内部作出解放西藏的战略决策。1949年底，中共中央在《告前线将士和全国同胞书》中，公开地把解放西藏作为1950年的一项光荣任务，以粉碎国内外反动势力对西藏的阴谋。

1950年初，中共中央决定：以中共中央西南局和西南军区为主，以中共中央西北局和西北军区做配合，立即准备进军西藏。

中共中央还确定了对西藏地方政府和军队，贯彻军事进攻与政治争取相结合，争取和平解放西藏的方针。

军委情报部部长李克农，根据中共中央的意图，于1949年10月，同意西北局社会部在西宁设立青海站，为配合西藏解放工作做准备。

西藏地处祖国西南边陲，交通闭塞，社会情况特殊，对中共中央和中央军委来说，是一个陌生的地区：因此，青海站担负起调查研究西藏情况，供中央制定有关政策、规定时参考的任务。

毛泽东还指示军情部，以后将有关西藏的重要情况，不要转呈，直接送他一份，以缩短周转时间。

李克农致电青海站嘉奖并转告，“派藏人员获藏方公开回信，此对中央了解藏方情况颇有价值”。

另一方面，中共中央西南局为实现和平解放西藏的方针，根据中央的指示精神，在6月间提出了同西藏地方政府举行谈判的“十大政策”。

李克农在1950年初建立的另一个康藏工作处，几个月来，比较全面地调查研究了西藏情况，向西南局汇报，为西南局制定“十大政策”起了重要参考作用。

但是，西藏地方政府中的反动势力，在帝国主义等反动势力的操纵下，拒绝接受“十大政策”，不与中央人民政府谈判。他们以为依靠已在昌都及其附近一带部署的藏军主力，凭借金沙江阻隔和山势天险，可以阻止人民解放军进军西藏。

昌都是西藏东部重镇，是从西南入藏的咽喉要道。昌都地区按国民党政府的反划归西康省管辖，而实际上由西藏地方政府统辖。

于是，人民解放军担负进藏任务的部队，根据中央军委的决定，从10月6日至24日，举行了昌都战役，歼灭了藏军的主力，解放了昌都地区，粉碎了帝国主义和西藏地方当局阻止人民解放军进藏的阴谋，为和平解放西藏创造了重要条件。

青海站及其玉树组对昌都战役的胜利起了重要的配合作用。

青海站在1950年5月，就派遣玉树工作组，携电台随解放军青海骑兵支队进驻玉树。

玉树是青海南部玉树地区的首府，临近昌都地区，也是解放军进军康、藏必经的要地。

在昌都战役前，青海站、特别是玉树组，向参加该战役的解放军某部指挥部，及时、准确、详细地提供了昌都一带藏军部署的军事情报，还提供了《青、康、藏兵要图》和《玉树至拉萨路线图》等。

昌都战役后，上级对玉树组提供的军事情报既及时又真实，表示嘉许。解放军青海骑兵支队，还专门拨给玉树组骡、马8匹，长、短枪14支，以示奖励。

在大势所趋的情况下，西藏地方政府于1951年2月，接受中央人民政府关于和平解放西藏的方针，并派出以阿沛·阿旺晋美为首的代表团，前来北京。

4月29日起，以李维汉为首的中央人民政府代表团，与上述的西藏地方政府代表团进行谈判。

在此期间，军情部向中央人民政府代表团，提供了许多有关情况，对谈判的成功也起了配合作用。

5月23日，两代表团签署了《中央人民政府西藏地方政府关于和平解放西藏办法的协议》。

从10月到12月，解放军分几路陆续到达拉萨，西藏获得和平解放。

青海站在短时间内就有了调研成果，如帝国主义对西藏的侵略，西藏的统治阶级、宗教状况，人民生活状况等情况，写了初步材料，并报告中共中央西北局。西北局参考这些材料，制定了西藏工作六条报中央。

青海站还在青海成功地做了争取班禅额尔德尼的工作。班禅是西藏喇嘛教格鲁派（黄教）中地位最高的两大活佛之一（另一活佛为达赖喇嘛）。这里指的是十世班禅，他出生于青海省藏族区，这时就住在青海省，对共产党也有疑虑。青海站在西北局的直接领导下，对他做了细致的工作后，他对中共的民族和宗教政策有所了解，表示拥护中央人民政府，并要求解放西藏。

青海站还在1950年1月派出“拉萨工作组”，以便进入西藏，进行联络工作，并对统治西藏地方的达赖集团做争取工作。

“拉萨工作组”共四人，在1月底从青海的西宁出发，携带干粮和水，靠骡、马、骆驼和牦牛，行程数千里，历时数月，才到达西藏拉萨。

他们在拉萨开展一些联络活动，主要是探望朋友和拜访西藏地方政府和宗教界人士，向他们宣传中共关于促进全国各民族团结、保障宗教信仰自由的政策，争取他们为和平解放西藏多做工作，以维护祖国统一。

他们还通过西藏上层人士擦绒，把随身带来的青海省人民政府副主席廖汉生致达赖喇嘛和达扎摄政的信件，送给噶厦。

噶厦系藏语音译，意为发布命令的机关，是当时西藏地方政府的称呼。

达赖喇嘛既是格鲁派的宗教领袖，又是噶厦的领导者。当时达赖未满18岁，由达扎任“摄政”辅助之。

他们还转达了喜饶嘉措大师的口信。喜饶嘉措是藏族的中国佛教学者，青海循化人，曾入西藏学经，获最高格西学位，与西藏宗教界上层人士关系密切。

信件和口信从不同角度解释中共的民族政策、宗教政策，特别是对西藏的政策，劝说他们同意和平解放西藏。

噶厦在一次会议上宣读了廖汉生的信，算是重视的。会后，写了回信。回信的主要内容是：西藏与中国具有“檀越关系”，噶厦希望保持和发展这种传统关系。

檀越，即施主。噶厦用此佛教语，意思含糊。

5月间，“拉萨工作组”四人离开西藏，带回西藏地方政府写给人民政府的信。

回信内容先由青海站电告军情部（中华人民共和国政府成立后，情报机构做了调整）。李克农立即批送中央统战部部长李维汉，李维汉又呈送毛泽东。

毛泽东颇为重视，他说：这封信是西藏地方政府给我政府的第一封公函，表明了西藏地方政府对我们的基本态度。

第三十七章 策动起义

1948年，解放战争由战略防御转入战略进攻后，中国的政治、经济和军事形势都发生了巨大的变化，连一贯依靠军队优势的蒋介石也承认国民党的军事处于颓势了。

在这种形势下，国民党军队内部的离心现象日趋严重，士兵和中、下级军官的士气低落，一些高级军官与共产党拉关系，为自己留条后路。

为了加速解放战争的进程，中共中央1948年专门决定，责成中情部主管对敌策动起义工作。毛泽东指出，“我们不仅要情报，在有条件时，也要人的力量”。

中情部代理部长李克农根据中央意图，指示各情报系统开展这一工作，争取了国民党陆、海、空军多起起义。

策动起义工作是中共和老一辈无产阶级革命家在实践中创建的，在解放战争中期，中共领导人毛泽东、周恩来等更为重视。在他们的直接领导下，李克农精心组织，成效显著。

在渡江战役中，争取国民党江阴要塞守军及时起义，有力地配合了解放军渡江作战。

江阴要塞地处长江南岸，在南京、上海之间。这里地势险要，江面仅宽1500公尺，是长江下游最狭之处，素有“江海门户”之称，战略地位十分重要。

1949年初，国民党布置长江防务，企图凭借长江天险阻止解放军渡江，对江阴要塞的防务十分重视。京沪杭警备总司令汤恩伯和美国顾问团，都来此视察，进一步加强防务。

此要塞有一个守备总队，约3000人，并配备了一个炮兵总台——相当于一个重炮团。要塞司令为国民党国防部陆军总部少将军械处处长戴戎光，是蒋介石的亲信。

同年3月，三大战役已经结束，解放军着手部署渡江战役。解放军为了在强渡长江时能在江阴一线顺利渡江，要争取江阴要塞守军在关键时刻起义。

为此，中共华东局社会部派王征明打入江阴要塞，负责领导策动起义的工作。

中共组织在江阴要塞里已有两年多的工作基础。

3月底，江阴要塞的炮兵总台、守备总队、游动炮团三支武装的实权，基本上都被几位中共情报工作人员所控制，要塞司令戴戎光被架空。

解放军第三野战军十兵团领导为更有把握的控制要塞，协助要塞情报工作组策动起义，特从二十九军选派了四位团、营级军事干部，分别在交通员的带领下，打入江阴要塞内部。

在解放军渡江前夕，十兵团司令员叶飞和政委韦国清作了具体指示，要求江阴要塞在解放军渡江时，不打枪，不打炮。

4月22日凌晨，解放军在这一段从北岸渡江过来，戴戎光命令炮兵开炮射击，而中共地下情报工作人员按照事先布置，命令炮兵用不卸保险、不装引信的炮弹发射，还切断了江阴要塞的电话线。

戴戎光发现打出去的炮弹没有爆炸声，气急败坏地叫嚷，“你们打的什么炮？是打的欢迎礼炮啊！”接着，他发现要塞与外界的电话联系已经中断，知道出了问题，垂头丧气地无可奈何。

这时，中共地下情报工作人员率领驻守要塞的国民党官兵，宣布起义，并迫使戴戎光缴械投降。

国民党的江防要塞一下子变成了解放军渡江的要道！炮台用炮火封锁了附近江面，监视和轰击附近江中的国民党军舰，掩护解放军在这一带顺利渡江，在国民党长江下游防线上，打开了一个重大缺口。

在渡江战役中，又争取了国民党海军海防第二舰队起义，也配合了解放军的渡江作战。

此第二舰队成立于1947年。舰队司令林遵，是鸦片战争中抗英名将林则徐的侄孙，少年时代怀抱“海军救国”的志愿，考入烟台海军学校。1928年到英国留学，后又任国民党政府驻美国大使馆副武官。1946年5月率领中国海军接受美国八条军舰回国，继续在海军任职。

1948年冬，国民党海军司令部将第二舰队调入长江，担任从江阴到安庆间的江防任务，企图阻止解放军渡江。

上海吴克坚情报系统就通过在国民党海军司令部的内线人员动员林遵起义。

林遵在海军里看到国民党政权的腐败，自己又受到蒋介石亲信、海军总司令桂永清的排挤，现在又调来打内战，不能救国，反而误国，深感前途无望。经劝说，林遵逐渐心动了。

12月下旬，吴克坚情报系统又派林亨元以共产党组织名义，同林遵见面谈话，给他指明了当时的形势和出路，坚定了林遵起义的决心。

12月底，吴克坚情报系统电中情部，汇报对林遵做工作、策动第二舰队起义的情况，并提出联络办法。

1949年1月初，李克农批发了中情部给上海情报系统的复电。电报说：关于长江第二舰队准备起义事，请仍按中央军委前电《关于进行海军工作方针》所告原则办理。

此原则是：对敌海军，欢迎其起义成功；海军起义一个舰队，就编一个舰队。中情部的电报明确指示：最重要的是要林遵隐忍待机，切勿暴露，免遭不必要的损失。

到4月中旬，第二舰队做好了起义的一切准备工作。

4月22日，国民党海军司令桂永清，在阻止解放军渡江的企图失败后，急调第二舰队冲出长江。

23日，在长江下游笆斗山江面，林遵率所属舰艇25艘宣布起义，并与解放军第三野战军取得联系。

27日，舰队驶抵南京下关码头。这时，南京已经解放。

此舰队的起义，加速了国民党军长江防线的崩溃，对解放军海军的创建也起了积极的作用。

5月18日，毛泽东和朱德给第二舰队起义官兵发了贺电，指出，“庆祝你们在南京江面上的壮举……在巡洋舰‘重庆号’于二月间起义并被国民党反动派于三月间炸毁以后，四月间又有你们的大规模起义，可见中国爱国人民建设自己的海军和海防的伟大意志，不是任何反动残余所能阻止的”。

在中南战役中，湖南重镇长沙之所以获得和平解放，是由于策动国民党湖南省政府主席程潜和国民党第一兵团司令陈明仁起义成功。

程潜虽然掌握的武装力量极少，只直接掌握警卫团及宪兵等供平时自卫用，但他在国民党内资格老，这时又担任国民党长沙绥靖公署主任，是国民党在长沙的首要负责人。在北伐战争和抗日战争期间，他和共产党合作过，受过共产党的影响，可能较易争取。所以要先做程潜的工作。

陈明仁直接掌握着长沙的国民党守军，能否把他争取过来，是长沙能否和平解放的重要因素。他的思想虽然顽固，也要做他的工作，争取他能够拥护程潜。

1948年下半年，中共湖南省工委就派人做程潜的争取工作。1949年上半年，上海情报系统和华中局社会部也派人做程潜和陈明仁的争取工作。

1949年5月，上海吴克坚情报系统派周竹安到长沙，通过朋友联系。与程潜直接见面。程表示当时他附和白崇禧所说的湘桂合作、反对“共军”非其本意，恐中共不能谅解，再则他与前线解放军四野部队毫无联系，怕解放长沙时受解放军侮辱。

周竹安电告了中央。中央在7月2日回电，对程处境表示谅解，并建议程与四野司令员林彪联系。此指示对消除程的疑虑起了很大作用。

周竹安还通过朋友从陈明仁的个人利害出发，劝陈识时务，为人民立功；又通过朋友在程潜和陈明仁之间联系，沟通意见。陈思想明显转变。

周竹安在7月30日电告中央，“陈明仁集亲信开会，决定和平，并令拆除城防工事，洗刷反动标语”。

1949年6月，中共华东局社会部也派人去长沙做策动程潜、陈明仁起义的联络工作。

为了消除他们对四野的疑虑，华中局社会部又派杨醒以解放军联络参谋的名义，携毛泽东致程潜的电报和林彪给程、陈的信赴长沙。程、陈见到毛泽东的电报和林彪的信后，心情有些激动，和意更坚。

7月15日，程、陈商议共同指挥所部，做起义准备。

7月下旬，程潜赴邵阳，陈表示以程意志为意志，决不变更。

8月3日，华中局社会部电告紧急情况：李宗仁已于7月31日免程潜本兼各职，任命陈明仁为湖南省主席兼全省保安总司令，但对陈也不信任，因此程潜急于发出起义通电，配合军事行动。

中央表示同意。于是程潜、陈明仁于8月4日在长沙通电起义。

8月5日凌晨，解放军进入长沙。长沙和平解放。

中情部对这次策动程、陈起义成功的经验颇为重视，立即电示华中局社会部进行总结，然后转发至各中央局、中央分局和各野战军前委，供他们对“残余敌人”进行争取工作时参考。

在策动程、陈起义过程中，周竹安情报处还策动驻长沙的国民党空军消极怠工，破坏了白崇禧部炸赣江堤防计划。

李克农去电嘉勉，并说，“在很短时间内，你处工作做得很好。在此胜利逼近之时，要妥善应付环境，勿骄勿躁，继续努力”。

在解放军进军西南的过程中，策动国民党西康省主席、川康边防总指挥刘文辉及国民党西南长官公署副长官邓锡侯、潘文华起义成功，加速了西南战役的进程。

刘文辉等人是国民党地方实力派高级将领。早在抗日战争初期，他们就和中共领导人有过联系。

1942年6月，中共中央通过重庆八路军办事处，派王少春长驻西康省要地雅安县，同刘文辉保持经常的联系。（解放后1951年，设雅安市，为西康省会。1955年，西康省被撤销，并入四川省，雅安为专署所在地。1983年，雅安为四川省的一个市。）

王少春就是李克农在芜湖的老战友宫乔岩。这些年，他一直做争取刘文辉的工作。到1949年，他加紧劝说刘文辉率部起义。

1949年10月18日，刘文辉通过王少春发电请示周恩来如何配合解放军入川行动。

李克农在收电上批示：1.拒绝胡宗南部入川，2.积极配合作战，3.保护国家资财，4.经常供给情报。21日，以周恩来名义复电刘文辉，内容大致同李克农的批示。

接着，在11月间，解放军向西南的国民党军队实行大迂回、大包围，势如破竹，对刘文辉他们的部队，也形成强大的军事压力。

于是，12月9日，刘文辉、邓锡侯、潘文华率所部在四川彭县宣布起义。

刘文辉等人的起义，打乱了蒋介石“川西决战”的部署，关闭了胡宗南集团逃窜康、滇的大门。朱德总司令特致电，欢迎他们参加人民阵营。

解放战争消灭了国民党军队800万人，其中180万人是和平起义的，占国民党军队总数近四分之一，对瓦解国民党军队起了重要作用。

在1949年下半年，中共策动“两航”起义成功，对国内、国外影响很大，在政治上和军事上给国民党以进一步打击，并为新中国的民航事业奠定了基础。

“两航”是指属于国民党政府官僚资本的“中国航空公司”（简称“中航”）和“中央航空公司”（简称“央航”），共拥有飞机100架左右。在1949年春季和秋季，国民党政府先后把“两航”从中国内地（上海、广州）迁到香港，以保持国民党政府和西南、台湾的空中交通。

随着解放战争的节节胜利，为断绝国民党军事物资的空运，加速国民党政府的灭亡，中共中央决定加快策动“两航”飞机起义。

这次起义，是在周恩来直接领导和李克农具体布置下取得成功的。

1949年6月，周恩来就指示中情部，要该部所属香港情报系统，设法策动“两航”在港飞机、工厂迁返祖国。

在中共中央领导下，有关方面密切配合。中共中央统战部、中共香港地下党、广东省总工会、贸易部门及民主党派等，都参与了策动起义的配合工作，统一归口到中情部，由李克农具体负责。

李克农指示香港情报系统和上海情报系统执行这一任务。上海情报系统与原来在上海的“两航”有某些联系，在“两航”内有一定的工作基础。

1949年6月，香港潘汉年情报系统的一位负责人张唯一，派情报干部朱汉明，与“中航”内的三位中共地下党员取得了联系。

这三位是：“中航”驻香港办事处处长何凤元，“中航”的报务员陆元斌和职员陈耀寰。

他们三人一起在香港过中共地下党的组织生活，也就成为策动“中航”起义的工作小组。

开始时，何凤元以谈国内形势和“中航”出路问题，试探“中航”总经理刘敬宜的态度。刘表示时机不成熟，还要看一看。

鉴于刘敬宜还对美国抱有幻想，难以突破，就转向基层着手，策动个别飞行员先起义。

经过陈耀寰的接触和细致的工作，具有爱国思想的“央航”飞行员李福迁，于1949年8月，驾驶一架C—47飞机起义，由广州飞到了解放区。

这时，大陆即将全部解放，“两航”大多数员工不愿做国民党的殉葬品，周恩来当机立断，决定乘胜前进，发动“两航”的全部起义。

为了加强领导，李克农在8月底派中情部在沪干部吕明赴港，专门负责“两航”起义工作。

为便于开展“央航”工作，李克农还请“央航”副总经理查夷平同行。查有爱国主义思想，与共产党有联系。

吕明到香港后，和朱汉明接上了头，又和何、陆、陈三人见了面，并向他们传达了周恩来在他临行前的重要指示：停止个别策反工作，不要打草惊蛇，引起震动；要动员“两航”员工全部起义，两个公司一锅端。

吕明还向他们传达了李克农在他临行前提出的意见，主要是如何组织和策动“两航”全部起义工作。

吕明又根据周恩来的指示和李克农的意见，立即做了具体部署。

由于“中航”的飞机较新，设备较多，以及“中航”内共产党的力量较强，工作重点要放在“中航”。“中航”里的工作重点是总经理刘敬宜。

刘原来幻想在国民党政府统治下，发展“中航”，达到国际水平，这时又幻想与“泛美航空公司”合作，凭借香港基地发展公司业务。但是，美国在国民党败局已定的情况下，对刘提出的合作要求犹豫不定。

港英当局和国民党政府又相继逼迫他。1949年7月，驻港英空军以需要扩充基地为名，先后征用了“中航”设在香港启德机场的发动机厂和仓库。9月，国民党政府又命令“中航”搬去台湾。

刘的处境十分困难，忧心忡忡。吕明等及时帮助他排忧解难。

在港英当局征用“中航”厂房问题上，香港的进步报纸《华商报》发表社论，要求港英当局重视中国利益，抨击它征用“中航”厂房的行径。

在国民党迫使“中航”迁台问题上，吕、何为刘出了一个缓兵之计。由何劝说“中航”会计课课长，为“中航”编制了一笔约需二三百万美元迁台费的庞大预算，使国民党政府无法拨款，以拖延“中航”迁台。

吕明几次出面和刘交谈。吕谈了共产党大办航空事业的决心，但缺乏航空事业的人才；新中国未来航空事业有无限美好的前景，等等。吕还邀请刘参加祖国新民航事业的建设工作。刘深受感动，认识到起义是他唯一的出路。

陆元斌深入地做了驾驶员、课长、股长等人员的争取工作。陈耀寰又通过港九民航工会积极分子团结了许多机械员。

就这样，“中航”内一大批中、基层人员都同意回国参加新中国民航事业。

至于“央航”，虽有一架飞机起义，但中共在“央航”的力量比较薄弱。总经理陈卓林，虽然对蒋介石不满，但又怕国民党特务暗害，不敢有异动，而且已把个人在广州的资产移到香港。后经查夷平等人多方劝说，陈明利害，他在“‘中航’已准备起义，‘央航’怎么办”的形势所迫下，同意参加起义。

10月下旬，“两航”起义的准备工作已逐渐完成，在香港成立了起义行动指挥部。

总指挥所设在九龙高级人士出入的“半岛酒店”的一套房间里。总指挥吕明就住在这里，参加起义的几位领导人就在这里碰头。

为了便于指挥，“两航”分别成立委员会，作为两公司起义时和起义后的领导机构。委员会下分别设立四五个小组，负责联络、宣传、总务、航务、行动、纠察、监视特务行动、维护器材安全和应付突然事变等事宜，部署十分周密。

朱汉明不参加这些碰头会和机构，只与吕明保持联系，通过情报系统的秘密电台，负责向中情部报告请示。

李克农收到电报后，立即向周恩来报告，再通过秘密电台，向起义指挥部发出必要的指示。

11月8日，是最紧张的一天。白天，要应付原定的飞行任务；晚上，要妥善布置第二天起义行动的具体安排。为了掩人耳目，两公司照例排好驾驶员值勤的名单，排好12架飞机飞行的班次，对外也照常售卖机票。

11月9日清晨，启德机场上一切情况正常。驾驶员和地勤人员等和往常一样到机场执行任务。飞机飞行前必须办的各种手续，一切照办。

主机“空中行宫”伪装去台北，皮箱和水果竹篮上挂着“飞往台北”的飞行标签，“两航”总经理刘敬宜、陈卓林先后登上该机，并打招呼，“台北见”！

以上种种伪装，瞒过了“中航”美籍人员、机场上港英人员及国民党特务分子的耳目。

6时半前后，12只银燕（“中航”10架，“央航”2架），载负着两公司100名爱国员工，依次离开了香港，一路上在高空穿云破雾，到石家庄上空才低飞了下来，当天下午回到了祖国的怀抱。

起义成功后，斗争还在继续。

1950年上半年，新中国民航局，依靠港澳工委和港九工会及“两航”广大员工的努力，逐渐把留港71架飞机的发动机和主要部件，以及发动机翻修厂、电讯修配厂等大批设备，暗中拆回。运回物资约占“两航”全部资产的70%。

1950年四五月间，留在香港的“两航”员工中，又有1800人左右相继回到国内，后来成为新中国民航事业的骨干。

“两航”起义影响很大，引起一系列的连锁反应。很多原国民党的驻港机构，如中国银行驻港办事处、招商局、交通部港九储运处、粤汉铁路和资源委员会的驻港员工都相继起义了。

第三十八章　建国前后

1949年3月23日至25日，中共中央机构由河北平山县西柏坡村迁至北平。当时，北平刚和平解放，社会情况十分复杂，李克农亲自到北平打前站。

毛泽东等中央领导人到北平后先住在西郊香山，后住进城内中南海。李克农先派毛岸英陪同苏联工兵专家到北平的新驻地探雷检查。

李克农还准备了一辆战地防弹车，供毛泽东到北平后使用。这辆防弹车

1949年9月，参加中国人民政治协商会议第一届会议的中共代表团合影。前排右起：毛泽东、徐特立、吴玉章、董必武、林伯渠、刘少奇；后排右起：齐燕铭、陆定一、周恩来、邢西萍、彭真、陈云、李克农、刘澜涛、安子文

原是国民党军队司令官王耀武乘坐的，被解放军在1948年解放济南时缴获，李克农根据刘少奇指示，派了中情部干部数人到济南去接车，然后交给中央办公厅派去的人，把车开到平山西柏坡。

另外，李克农请示中共中央、军委批准后.将解放军第四野战军二〇七师调到北平，改建为中央警卫师，确保毛泽东和中共中央机关的安全。

李克农领导的中情部（中社部）也随中共中央迁到北平。他会同北平市负责人，领导警卫部队和公安部门，为整顿社会治安，建立革命秩序，保卫首都安全，做了许多工作。

10月11日，李克农任军委情报部部长，19日兼任外交部副部长。中情部机构撤销。

11月16日，李克农又任中央情报委员会书记，统一领导情报工作。

新中国成立后，帝国主义国家仍然不肯放弃与中国人民为敌的立场，企图在政治上孤立中国，在经济上封锁中国，在军事上包围中国。

已经站起来的中国人民，必须和他们作长期斗争，既要作公开斗争，又要作隐蔽斗争。

新中国情报工作的任务，要逐步由国内转向国外，对付帝国主义势力，防止侵略战争，争取一个和平的国际环境，巩固新生的中国人民民主政权。

新中国的情报工作是战略防御性的，是为了保卫国家安全。

如何开创国外情报工作？

必须进行适应国外情报工作的政治建设、业务建设和组织建设。

李克农认为，“‘凡事预则立，不预则废’。有预见才能有魄力，有远见才能有卓识”。他以这样的话勉励自己，也以这样的话提醒情报部门的领导干部。

如何进行必要的政治建设和业务建设呢？

李克农花较大力量，主持制定了一整套情报工作路线、方针和方法。他认为这是政治建设和业务建设的关键。

如何制定呢？

李克农是个脚踏实地的人，他反对凭空构想。他采取的有效办法，是从总结以往情报工作的经验教训中寻找答案。

中共的情报工作，是在艰苦卓绝的对敌隐蔽斗争中，开创和发展起来的。从1927年5月周恩来在武汉创建中央军委“特务工作处”起，到1949年10月1日中华人民共和国诞生，走过了22年的光辉战斗历程。

李克农本人，基本上经历了这全部的战斗过程，有丰富的实践经验。但过去在战争的环境中，没有时间来总结这些经验。

现在，全国性战争已经结束，有可能把过去的情报工作全面总结一下。

在1950年，李克农抽调几个人，由他亲自主持，先后用了半年时间，查阅大量材料，反复研究，数易其稿，最后写出了中共22年情报工作的初步总结。

总结肯定了22年来中共情报工作的业绩和发展，特别是在抗日战争和解放战争时，中共情报工作在日伪占领区和国民党统治区的突出成就，以及在几个关键时刻获得情报所起的重要作用。

更为重要的是：在此总结中，李克农运用马列主义、毛泽东思想，联系实际，具体解决了情报工作的一系列重要问题。

首先，情报工作必须坚持党的绝对领导的原则。

这里的“党”，指的是中国共产党。没有中国共产党，就没有党的情报工作。中共的情报工作从它诞生的那天起，就在党的直接领导下，为党的路线、方针、政策服务的。它是随着党的领导、武装斗争和统一战线的发展而发展的，同时又密切服务于党的路线和党领导的武装斗争和统一战线。

必须反对取消或削弱党对情报工作领导的做法，也必须反对把情报工作凌驾于党的领导之上的做法。

这与世界各国的情报工作不同，就是与别的社会主义国家的情报工作也不同。如苏联的“克格勃”，有特别大的特权，凌驾于其他机构之上，与中国的做法就大不相同。

这是建设具有中国特色的情报工作的基本原则之一。

其次，情报工作必须坚持以政治基础为主的原则。

这是由中共情报工作的正义性和进步性所决定的。

在过去22年中，中共的情报工作服务于党所领导的民族、民主革命。新中国成立后，情报工作服务于和平与发展事业，即争取和平的国际环境，发

1949年12月，毛泽东赴苏联访问，李克农送至满洲里

展本国经济。

新中国外交政策的原则是：“保障本国独立、自由和领土主权的完整，拥护国际的持久和平和各国人民间的友好合作，反对帝国主义的侵略政策和战争政策。”

新中国的情报工作服务于此外交政策，反对别国的霸权主义，自己绝不称霸，绝不干涉别国的内政，绝不搞颠覆活动。

新中国情报工作的方法是：以政治基础为主，统战带动情报。和平与发展是世界各国人民的共同任务，能赢得世界各国最广大人民的同情和支持，可以结成广泛的国际统一战线。

新中国的情报工作，绝不像美国的中央情报局或苏联的“克格勃”那样，采取金钱收买、美人诱惑和手枪恐吓等手段。

周恩来曾明确指出，“我们宁愿拿不到情报，也不能搞这一套”。

这表明中共情报工作与资产阶级情报工作有本质的区别。这也是建设具有中国特色的情报工作的另一基本原则。

李克农组织部分人员总结过去的情报工作时，一起讨论了两次。这也是培养干部的一种有效方法。

事后，一位参加总结工作的干部说，他们在过去长期做情报工作，但没有很好地总结经验教训，对工作的成绩与问题也看的不够清楚，这次总结工作，把实践与理论结合起来，内容很丰富，使他们得到一次极好的学习机会。

李克农还采取有力措施，培训干部，从解放军抽调一大批师、团级干部，从全国各地抽调一大批优秀青年学生，进行培训。

这里，顺便提一下。这时，李克农兼任外交部副部长，抓外交部的组建工作，对外事干部的培养也很重视。他也从解放军抽调了一批文化程度较高的师、团级干部，进行外事培训。这些干部，补充了外交部的骨干力量。

1950年7月，外交部召开回国述职的外交官开会。政务院总理兼外交部部长的周恩来，在会上表扬了李克农对外交部组建工作的贡献。

周恩来说："我要克农同志来兼副部长，便是因为他解决干部问题有办法，有魄力。请转告克农同志，希望他继续帮助外交部解决干部问题"。

在中共中央、周恩来的直接领导下，在国内各方面的支持下，李克农以马列主义毛泽东思想为指导，依靠政治，广泛使用力量，实现了情报专业部门与有关部门相结合，体现了情报工作在共产党绝对领导下广泛的群众路线。

李克农要求情报工作人员必须忠于共产党、忠于人民，必须专业化、知识化。

李克农反对把情报工作特殊化，也反对把情报工作神秘化。

李克农以情报工作没有和平时期来教育干部，要保持常备不懈。因此，他坚持原则，积极反对削弱情报工作的错误主张。

他抓紧平时工作，为战时和急需情报的关键时刻打基础、做准备，使新时期的情报工作得到稳步的发展。中国人民志愿军司令员彭德怀不止一次地表扬了情报工作在抗美援朝战争中的功绩。

20世纪50年代初，李克农对祖国统一的工作，也十分关心。

李克农首先派人到香港找桂系人士程思远，了解他的近况。这样可以争取程，并可以在需要时做争取桂系首领李宗仁的统战工作。

李克农于1939年、1940年在广西桂林任八路军办事处主任时，就知道程思远其人，虽然没有见过面。

当时，李克农曾派共产党员周可传打入新成立不久的广西三青团，就是利用了周与三青团广西支团部书记程思远是广西同乡、同学的老关系。

程思远是广西宾阳人，参加过北伐战争。后与桂系首领李宗仁、白崇禧关系密切。1930年任李宗仁秘书，加入李宗仁组织的“革命同志会”。1938年任白崇禧秘书。

程思远于抗日战争前，入意大利罗马大学攻读政治学，获政治学博士学位。1937年9月回国后，在广西受到李、白的重用，特别为李宗仁赏识，是李宗仁的亲信和智囊。

他的思想比较开明，在抗战期间与来到广西的许多进步文化人有接触。但他对共产党又有疑虑，1949年在大陆解放前跑到香港，任《正午报》专栏作家，维持生活。

在50年代的头几年里，程思远在香港与李克农委派的朋友几次接触后，对共产党的疑虑逐渐消除。新中国欣欣向荣的许多消息，对他也有所触动。这期间，住在香港的程思远，与寓居美国的李宗仁常有书信往来，情感上相互交流，政治上也相互影响。

国民党政府“代总统”李宗仁，在1949年中国人民解放军解放南京前夕飞往广州，同年12月经香港赴美国。李宗仁客居异国，但对世界政治、特别是新中国的情况，甚为关心。他目睹美国政府企图控制和霸占台湾、分裂中国，甚为不满；又看到中国人民志愿军在朝鲜战场上，居然把世界头号强国美国打得坐下来谈判，甚为钦佩。

李宗仁虽然对共产党仍有疑虑，但他的思想在转变中。他认为铁的事实是：他参与统治的旧中国腐败、衰弱，而共产党统治的新中国终于在世界上站起来了，这不能不承认。

1955年春，他在美国从报纸上了解到，周恩来总理在亚非会议上为中国人民赢得了声誉，深感兴奋；特别是谈到周恩来在万隆发表的关于台湾问题的声明，认为很有道理。于是，他写信给在香港的程思远，就台湾问题交换意见。接着，于同年8月，在美国发表一个声明，公开提出和平解决台湾问题，主张“恢复国共和谈，中国人解决中国事”，“美国撤出第七舰队，使成为纯粹的中国内政问题”。

李克农在北京看到这个声明后，颇为重视，认为此表明李宗仁已放弃反共立场，公开与蒋介石决裂，在思想上和政治上都是重大转变。于是，李克农积极向中共中央建议，要加紧做李宗仁的统战工作；如果可能，要争取李宗仁回国。

这时，有人说有一个姓梁的人在李宗仁身边起作用，程思远已经不起作用了。李克农得到这个情况反映，认为不可能。根据过去情况推测，李宗仁是不会让程思远离开的。

李克农让香港情报系统多方了解，证实对李宗仁能起作用的还是程思远。李克农决定：可继续利用程思远这条路。

1956年1月底，李克农请香港《文汇报》一位副总编辑与程思远联系。这位副总编辑带着一份刊登周恩来《关于知识分子问题的报告》的报纸见到程，问程对这个讲话的看法。这篇讲话最后一段号召海外知识分子为解放台湾作贡献。

程草草看了这篇报告，提不出什么意见。可能是程不了解此人的真正意图，也可能程还有什么想法。此人看到程没有作出任何反应，便怀着失望的心情告辞了。

4月23日，这位副总编辑在程思远的一位广西同乡陪同下又拜访程，说，“我们接到北京长途电话，李济深先生请你去北京谈谈”。又说：这次北上是来去自由，但要绝对保密。还问程有什么意见和要求。

程考虑一天后，作出了愿去北京的答复。

4月24日，程从香港到澳门，第二天到达广州。已有人在广州等候，把程安排在去北京参加“五一”劳动节观礼的港澳代表团里。原来代表团组成的名单并没有程，他的名字是临时加上去的。

4月28日，代表团一行从广州乘火车到北京。程思远到了北京后，知道这并不是李济深的主意，而是“党的安排”。程心里有底，安下心来先参加港澳代表团的观礼、参观等活动。

5月8日下午，周恩来总理在全国政协礼堂三楼的酒会上接见程，交谈了几句，主要是希望程在国内多走走、看看，了解祖国的发展情况。

5月11日中午，周总理在中南海紫光阁设午宴招待程思远，是李克农领程去的。李当时的身份是外交部副部长、中国人民解放军副总参谋长。

吃饭之前，李克农和程思远先谈了一个小时。李提到，“你的妻妹石慈异思想进步，搞过学生运动，但是没有入党，她原来在外交部工作过”。程感到李很亲切，也对李了解程情况之深很惊讶。

宴会上，除李克农外，总理办公室副主任罗青长以及一些留在北京的过去国民党要人也在座。

午宴后，周恩来在客厅里同程思远进行了三个小时的长谈。内容广泛，从中国革命和建设、国共两次合作，谈到现在国家对国民党人的希望。提出爱国一家、团结对外，希望将来有第三次国共合作。

最后，周恩来谈到李宗仁时说，“李宗仁先生去年主张台湾问题由中国人协商解决，我看了很高兴。这是李先生在海外心怀祖国的表现。请你向李先生转达，我们欢迎李先生在他认为方便的时候回来看看”。

程思远很激动，当即表示愿尽力为之。

5月17日，程思远离开北京回香港，李克农在北京饭店为他饯行。在此之前，李又和他谈了三个多小时，商量在做李宗仁的工作中要注意什么问题。

接着，李克农在广州设一联络站，与程联系。

程来北京，消息没有泄露，他的夫人石泓有一份功劳。程为避免外人怀疑，在走之前留一些稿子，保证每天在香港报纸专栏内发表一篇文章。文章发表完了，程还没有回香港，石泓就写文章，补上这个空。

李宗仁的思想不断变化、发展，但也有矛盾，甚至反复。幸而，几经周折和斗争，李宗仁终于在1965年7月10日回到祖国。

后来，周恩来赞扬说，“公安部和调查部办了两件大事。公安部改造了一个末代皇帝，调查部争取了一个国民党代总统”。

前一件大事，指的是公安部把清朝末代皇帝爱新觉罗•溥仪改造成一名中华人民共和国的公民。

后一件大事，指的就是本书所谈的使李宗仁由美国返回祖国一事。在争取李宗仁回国的过程中，毛泽东、周恩来亲自领导，倾注了多年心血，罗青长等人做了大量工作，而李克农重视和抓紧李宗仁的统战工作，起了重要的酝酿和促进作用。

第三十九章　奉命入朝

1950年6月25日凌晨，朝鲜内战爆发。

当时，李克农正在苏联进行访问。他在苏联知道这一特大新闻，感到非常突然。

朝鲜战局将如何发展？他十分关心，每天依据苏联报纸的报道连续跟踪。

——朝鲜人民共和国首相金日成发表广播讲话，号召全体朝鲜人民"集中一切力量争取战争的胜利"。朝鲜人民军发起反攻，已越过南、北朝鲜的分界线38度线向南推进。

——美国命令美国空、海、陆军参加朝鲜战争，武装干涉朝鲜内政。美国陆军先头部队于7月1日到达南朝鲜釜山港。

——美国在7月7日盗用联合国名义，将纠集15国军队参与侵朝战争。

——美国海军第七舰队开进台湾海峡，对中国领土进行武装侵略。

……

美国已利用朝鲜内战爆发的"良机"，在东方发动新的侵略了。这不仅关系到北朝鲜人民政权的存亡，也关系到刚诞生的新中国的安危。

李克农很快返回国内。

他抓紧了解和研究有关朝鲜战争的各方面情况，并陆续向毛泽东和中共中央汇报。

朝鲜人民军长驱直入，摧毁了南朝鲜军和美军的一道道防线，但没有歼灭敌军的有生力量。随着增援的敌军不断增加，总共只有十数万人的朝鲜人民军，深入南方，处于明显劣势，难以长期坚持下去。

朝鲜战场形势，很可能逆转。苏联已声明“不干涉”。所以，毛泽东和中共中央在8月间，就考虑和研究帮助朝鲜的问题。

果不其然，数周后朝鲜战局剧变。9月15日，美军在仁川登陆，并很快越过三八线，进入朝鲜北部，并向中国边境鸭绿江进逼。

朝鲜人民共和国处于危急之中，新中国的安全受到极严重的威胁。

10月初，毛泽东和中共中央，应朝鲜金日成和朴宪永的联名要求，作出了出兵抗美援朝的战略决策。

以彭德怀司令员兼政治委员的中国人民志愿军，雄赳赳，气昂昂，在10月19日开始跨过鸭绿江。

他们只拥有简单武器和劣势装备，但士气昂扬，加上灵活的战略战术，发动了五次战役，分割包围了高度现代化武装的美国军队和其他15国军队。到1951年5月下旬，歼灭了大量敌军，扭转了朝鲜的战局，把战线稳定在三八线附近。

这就为停战谈判创造了条件。

6月间，美国派人向苏联试探，“准备与中国共产党人会面，讨论结束朝鲜战争问题”。

中国就是要打得美国愿意谈。在6月底、7月初，中、朝方面与盗用联合国军名义的美方，通过多次电文往返，达成了举行谈判的协议。双方代表将从1951年7月10日起，在三八线上的开城举行谈判。

毛泽东、周恩来指定李克农担任朝中联合代表团的第一线指挥。

毛泽东于7月初在中南海的菊香书屋召见李克农，对他说，“我点了你的将，要你去坐镇开城”。毛泽东让李克农立即组织班子，乔冠华也去，外交部、军队都出人。乔冠华当时担任外交部政策委员会副主任兼国际新闻局局长。

这一时期，李克农严重的哮喘病复发，平时靠药物控制哮喘，每天靠服镇痛剂才能入睡。担心病重误事，就提出，“是不是不要派我去，派伍修权或姬鹏飞去”。当时，伍修权和姬鹏飞都是外交部的高级干部。

毛泽东稍稍犹豫一下，肯定地说，“还是你去吧！”

李克农义无反顾，明确回答，“我马上准备出发”。

7月5日，李克农率领谈判班子，从北京站启程赴朝。

李克农一行从前门火车站上车，乘坐的火车包厢是清末慈禧太后出行的“御辇”。座椅已陈旧无光，地板油漆脱落，但一个珍珠玛瑙大吊灯还挂在车厢中间，轻轻悠悠地晃动，显示当年富丽堂皇的气派。

李克农一路上和乔冠华开着玩笑，“老乔，慈禧太后没想到咱们敢坐她的‘御辇’哦！”随行人员的情绪也很高昂。

当晚，列车到达中国东北边城安东（今丹东）。中国驻朝鲜大使馆政务参赞、临时代办柴成文专程由平壤来安东迎接，李克农一行改乘吉普车过江。

7月6日上午，金日成在平壤东北约15公里的作战指挥所里接见了李克农、乔冠华、倪志亮（中国驻朝鲜大使），柴成文也在座。

金日成操着一口流利的中国话——东北吉林口音，和李克农一见面就十分亲热。

李克农是中共中央和中国政府的特派代表，是此次谈判朝中联合代表团的总指挥和最高负责人。毛泽东在4日已电告金日成。所以金日成把李克农当贵宾来接待，而李克农表现谦虚，对金日成很尊重。两人交谈很融洽。

李克农和金日成就一些具体问题进行了磋商。

朝鲜人民军和中国人民志愿军联合组成一个代表团。首席代表：朝鲜人民军大将南日，代表：志愿军中将邓华，志愿军少将解方，人民军少将李相朝。后来又增补人民军少将张平山为代表。

此刻，毛泽东来电报，指派柴成文以中校名义为志愿军联络官。金日成当即指定人民军最高司令部动员局局长金昌满少将，以上校名义为朝中方面首席联络官，另派金一波为中校联络官。这是因为，“联合国军”总司令李奇微来信说，美方所指定的三名联络官的最高官阶不超过上校。

金昌满改名为张春山。柴成文原名为柴军武，也是这次改的名。

当晚，张春山、柴成文、金一波、毕季龙及一名朝英文翻译，出发前往开城。

7日下午，李克农、乔冠华以及南日、邓华、李相朝等人，也相继到达开城。

朝鲜停战谈判朝中代表团已经组成，并开始工作。由于会议地点在朝中控制区，朝中代表团加紧进行会议的各种准备工作：

——选择开城西北郊的来凤庄为朝鲜停战谈判的会址，确定双方代表团驻地和休息地方，并进行布置。

——部署会场区以及美方代表团赴会途中的安全警卫工作。

9日晚，朝中代表团领导人检查准备工作，发现一件事先没有想到的事情：按国际惯例，双方正式代表见面时要互验“全权证书”，而朝、中方面还没有准备。

朝鲜代表立即派人火速到平壤请金日成签字。但若再到联合司令部请彭德怀签字，无论如何来不及了。人们十分焦急，无计可施。

李克农想了一下，果断地说，“只要金首相签了字就有效。彭老总的字，我替他代签，事后报告”。

这解决了一个难题，大家乐了。

朝鲜停战谈判，是新中国成立后第一场同世界头号强国美国面对面的外交斗争。

这场斗争，经朝中两党商定，由中共中央主席毛泽东负责领导。

中共中央指定李克农为朝中联合代表团的第一线指挥。

李克农根据中共中央、毛泽东指示，在与朝鲜领导人联系、协商后，全权处理谈判中各项问题。

李克农认为，谈判的最重要准备工作是把中央的精神交给大家。

在9日——停战谈判的前一天晚上10时，李克农在开城把朝、中代表团的全体人员召集在一起开会。

首先，乔冠华谈了停战谈判第一天会议的安排，并作了说明。

接着，李克农就朝鲜停战谈判全局性的问题进行了阐述。他的讲话，由朝鲜女翻译安孝相译成朝语。

李克农先告诉大家，“我们准备提出三条原则，作为解决朝鲜问题的第一个步骤。这三条原则是：1.停火休战。2.双方撤离三八线，以建立非军事区。3.外国军队撤出朝鲜全境”。

李克农接着逐条分析谈判双方对三项原则的意见，认为双方有距离，但可以讨论，达成协议的可能性是存在的。

但是，李克农指出，“同美帝国主义打交道，总不可能设想得那么容易，要估计可能遇到的困难。这就需要中、朝同志们在毛泽东主席、金日成首相的领导下，紧密团结，群策群力，去努力争取”。

李克农又对谈判工作讲了四点意见：

首先，“我们准备提出的三条原则是一个非常有力的武器。代表在会场上不要纠缠于枝节问题。首要的是争取把我们的主张打出去，使它成为全世界爱好和平人民的斗争口号，全世界人民一起来争取和平”。

其次，“安全第一是个大问题。开城地区的志愿军第四十七军和人民军第一军团要保证在安全上不要出问题。这方面请李相朝、解方同志认真检查一下，要慎之又慎，切不可大意”。

第三，“政治上要高屋建瓴，具体问题要后发制人。事关大局，对外表态要特别慎重。有些话宁可晚说一天不要抢先一分，要尽量使用已经准备好的稿子，除了主稿之外已经准备了一些小稿子备用”。

“会场的情况同战场一样，一旦打响，就会千变万化。作为谈判代表，你们中途回来不方便，请柴成文同志随时回来通通气。没有把握的时候，宁肯休会商量一下也不要急。”

第四，“停战谈判，一刻也脱离不开战场情况的变化。请解方同志要志愿军来的李士奇同志注意掌握战场上的情况变化，及时告诉我们。如果脱离开战场情况的变化，停战谈判是无法进行的”。

李克农还提醒大家，“对我们的同志，我不担心哪位同志会在谈判中丧失立场。担心的是多数同志年轻气盛，经不起人家的挑逗而冲动。同美国人打交道，多数同志没有经验，所以参加会议的同志都要注意观察会场上每一个细节，察言观色，争取较快地摸透对方的脾气”。

李克农的提醒，显示了他的预见性。

停战谈判中的“联合国军”方面，实际上是美国方面，美国总统杜鲁门决定由美国军方出面进行谈判，并由美国国务院、国防部组织一个工作小组负责起草关于谈判的目标、内容和做法等文件。

美国还从美参谋长联席会议、国务院和李奇微总部抽调一批军官和官员，组成了谈判班子的“智囊团”。

美方代表团首席代表是美国远东海军司令特纳·乔埃海军中将，还有几位美国军官为代表。一位南朝鲜军官当代表是摆设。

在停战谈判的前一天——9日，李奇微带着以乔埃为首的美方代表团，从日本东京飞来南朝鲜的汉城，再乘直升机到达临津江以南的汶山，那里已为美方代表团设立了帐篷营地。

美国是世界上头号强国，有长期的外交谈判经验，也确有这方面的人才，尽力维护“美国利益”。朝中代表团为了维护朝、中人民的利益，为了争取和平，在战略上要藐视它，但战术上一定要重视它。

美国又是世界上头号帝国主义国家，它派出的代表团，在外交谈判中，一贯恃强凌弱，盛气凌人，蛮横而又狡猾。朝中代表们很可能为对方的蛮横无理所激怒。但气愤有什么用？！要沉着应付，冷静处理，才能粉碎对方的阴谋诡计。

朝中联合代表团全体人员听了李克农讲话后，又结合准备工作和预料谈判可能出现的情况，进行座谈，感到心中基本有数。

会议开到深夜。大家回驻地休息，准备明天去参加朝鲜停战谈判的外交斗争。

7月10日上午10时，朝中方代表团和美方代表团在来凤庄的过厅里会晤，然后步入会场坐定，互阅证书。

来凤庄是一所宽大的住宅，坐北朝南。大门是个过厅，再进去是宽敞的大厅。一张铺着绿色台呢的长方形条桌，东西向摆放在作为会场的这间大厅里。长条桌北面坐着朝中方面代表：南日的右手是邓华和解方，左手是李相朝和张平山。桌子南面坐着美方代表：乔埃的右手是白善烨和霍治，左手是克雷奇和勃克（白是南朝鲜军官，其他四人都是美国军官）。

双方代表的背后，各摆着一排稍窄的长桌，坐着人数大体相当的参谋、翻译和记录人员。

双方代表刚就座，乔埃就抢先发言。

他主要提出，“我们谈判所讨论的范围仅仅限于有关韩境纯粹的军事问题”。

这是美方的一个陷阱，企图借此限制朝中代表团的手脚，而且“纯粹的军事问题”含义不清，会引起无休止的争论。

乔埃还要求朝中代表“就此签字，作为我们谈判的第一个协议”。

朝中代表不能上当，对美方的提议没有置理，而是根据原来准备的方案，先打出自己的主张。

南日提出谈判的三条原则建议：

第一，在相互协议的基础上，双方同时下令停止一切敌对军事行动。

第二，确定三八线为军事分界线，双方部队应同时撤离三八线十公里，并于一定期限内完成以双方撤离的地区为非军事地带；这里的民政，恢复到1950年6月25日以前的原状。

同时立即进行交换战俘的商谈。

第三，应在尽可能短的时间内撤退一切外国军队。外国军队撤退了，朝鲜战争的停止与朝鲜问题的和平解决，便有了基本保证。

邓华接着发言，明确指出，“中国人民志愿军完全支持南日将军所提的三项原则建议”。

邓华说，“商讨在公平合理的基础上实现在朝鲜境内停火与休战，这是和平解决朝鲜问题的重大一步。在朝鲜作战双方停火、确定三八线为军事分界线及撤退一切外国军队，是符合朝鲜人民、中国人民以及全世界人民的愿望和要求的”。

乔埃对朝、中代表的发言没有表态，也没提出关于停战的实质性主张，而是主张先要有个议程。

接着，乔埃提出一个九项议程的草案。

1.通过议程。

2.俘虏营地点和准许国际红十字会代表前往访问。

3.会议所讨论之范围，只限于有关韩境纯粹的军事问题。

4.停止韩境武装部队之敌对及军事行动并商定保证敌对及军事行动不再发生之条款。

5.议定韩境之非武装区域。

6.议定韩境停战监督委员会之组织、权力及职司。

7.协议设立军事观察小组在韩境视察之原则，该项小组隶属于停战监督委员会。

8.以上小组之组织及职司。

9.关于战俘之处理。

中午休会的时候，朝中方面人员边吃饭边研究美方议程草案的内容和措词。

他们发现，美方议程草案的条数虽多，但没有提出军事分界线划分问题，没有军事分界线就失去了确定非军事区的依据；美方也没有提出外国军队问题，这是美国的要害问题。

李克农指出，“看来，美方立场有了变化，已没有凯南约会马立克时那样急迫了”。

这里谈的，是指在朝中军队发起第五次战役后，美国政府急予寻求谈判门路的情况。在第五次战役（1951年4月22日至5月21日）中，中国人民志愿军在整个战线上推进50—70公里，歼敌4.6万余人。

于是，美国国务院顾问凯南在5月31日到纽约，以“朋友”身份拜访了苏联驻联合国代表团首席代表马立克，明确提出，“美国准备在联合国或在任何一个委员会或以其他任何方式，与中国共产党人会面，讨论结束朝鲜战争的问题”。

在马立克的追问下，凯南表示，“各自回到（朝鲜）战争前的位置”。凯南也说，“立即（从朝鲜）撤退一切外国军队的问题，是没有商量余地的。但将来可以进行逐步从朝鲜撤退外国军队问题的讨论”。

朝中代表团人员认为，对照今日乔埃提出议程草案与十日前凯南谈话的内容，表明美方立场的确有了变化，值得注意。

美方主张谈判先要有个议程，朝中方面可以同意，但不能在美方提出的草案上修修补补，就在下午的会议上提出了一个五项议程的对案：

1.通过议程。

2.以北纬38度线为双方停战的军事分界线，并设一非军事区，作为停战的基本条件。

3.撤退一切外国军队。

4.实现朝鲜停战的具体措施。

5.关于战俘的安排。

7月11日，双方代表团继续开会，讨论议程问题。

现在谈判桌上有两个议程草案，分歧明显。朝中方面提出应把撤退外国军队问题列入议程。乔埃又避而不谈议程问题，却要求朝中方面在12日容许美方20名记者前来开城进行采访。

12日、13日、14日，美方以枝节问题中断会议三天。这些枝节问题除“记者采访会议问题”外，还提出“建立中立区问题”，要求：划一个圆形地区为中立区，以开城的中心为圆心，半径为五英里，东面以板门桥为界；在整个会议期间，会议区和双方代表团人员前往会场区所经过的公路不驻扎武装人员。

朝中方面，为了扫除在一些枝节问题上的误会和争论，基本上同意美方提出的这两个问题的建议。

会议在7月15日复会，继续讨论议程问题。焦点是撤退外国军队应否列入议程。争论一周也没有结果。

朝中方面建议休会三天，以便朝中协商。考虑到凯南在同马立克谈到这个问题时曾说过，“立即撤退一切外国军队的问题，是没有商量余地的。但将来可以进行逐步从朝鲜撤退外国军队的讨论”，李克农认为议程上这一条的提法可以变更一下，并请示中共中央获得批准。

25日复会时，朝中代表提出把这一条改为，“向双方有关各国政府建议事项”。

这样，终于在7月26日达成了以下五项议程：

1.通过议程。

2.作为在朝鲜停止敌对行为的基本条件，确定双方军事分界线，以建立非军事区。

3.在朝鲜境内实现停火与休战的具体安排，包括监督停火休战条款实施机构的组成、权力与职司。

4.关于战俘的安排问题。

5.向双方有关各国政府建议事项。

几经周折，一个谈判的议程协议终于达成了。这为谈判打下了一良好的基础。

第四十章　智斗山姆

议程达成协议以后，谈判进入实质性的讨论，进入了更艰难的阶段。

停战谈判开始后，美国心里仍不服气，不甘心于使朝鲜战争成为美国历史上第一场没有打赢的战争，因而在谈判中不断提出无理要求，要朝中方面让步；同时，在战场上不断发动攻势，向朝中方面施加强大压力。

这就决定了停战谈判，特别是进入实质性问题讨论的停战谈判，是一场长期、曲折、复杂的斗争。

在毛泽东的直接领导下，朝中方面采取正义的两手对付美方邪恶的两手。简言之：一边打，一边谈，打的要坚决，谈的要耐心。

打：彭德怀率领中国人民志愿军，协同朝鲜人民军，英勇奋战，不断粉碎了美方的军事压力。

谈：李克农领导朝中代表团，在会场内据理驳斥，在会场外公开揭露，迫使美方代表在一个个实质性问题上达成协议。

根据这场斗争的情况，李克农领导朝中代表团的方式是很特殊的。公开出面谈判的是朝鲜人民军的南日、李相朝等和志愿军的邓华、解方、边章伍等。李克农是幕后指挥的无名英雄，公开报道不仅根本不能提他，连他本人在朝鲜的事也是绝密的。

李克农不公开出场，代表团给了他个代号叫“李队长”。代表团的朝中战友，驻开城的朝中警卫战士，后来包括开城的老乡都这样称呼他。

在谈判过程中，李克农既坚定沉着，有胆有识，又实事求是，把原则性和灵活性高度结合起来，富有创造性地处理谈判中的各种问题，受到中共中央和朝鲜领导人的赞扬。

参加停战谈判的朝鲜人民军和中国人民志愿军代表。左起：解方、邓华、南日、李相朝、张平山

人们说，这是李克农智斗山姆大叔。

“山姆大叔”是美国的绰号。

据传说，1812年英美战争时，美国纽约州特洛伊城一家肉类罐头食品厂的老板兼军队食品供应的检查官，名字叫山姆尔·威尔逊，亲友们平时称他为“山姆大叔”，英文原文是UNCLE SAM，两个字的第一个字母为“U.S.”。当时，美国军需品包装上都印有“U.S.”字样，本是英文“美国”（UNITED STATES）的缩写，但有人开玩笑地说，这是指“山姆大叔”。由此，“山姆大叔”成为美国的绰号。19世纪末，美国漫画家把山姆大叔描绘成一个蓄有长发和山羊胡子的瘦长老人，头戴星条帽，身穿燕尾服。于是，这一形象成为众所周知的美国象征。

谈判进入实质性讨论后遇到的第一个关键是建立军事分界线问题。

朝中方面原以为此问题与美方有共同点，因为美国政府曾明确表示愿在恢复战前状态的条件下停火休战。可是双方代表一接触，美方就变了，以致双方在此问题上长期僵持不下。

早在1951年7月26日谈判会议上通过议程的当天，朝中方面就第二项议程提出了一个原则性建议：以三八线为军事分界线，双方各自后退五公里，建立非军事区，脱离接触。

但是，美方反对以当时近似于双方实际接触线的三八线作为军事分界线，在7月27日提出一个反建议，企图把军事分界线划在实际接触线以北、深入朝中方面20公里乃至60公里不等的地方。

根据这个方案，美方不打一枪、不失一人，就可以获得1.2万多平方公里的土地。

每天，双方各持各的方案，各讲各的理由，发生激烈争论。

根本原因，是美方不甘心接受停战；直接原因，是美军这时在东段三八线以北所占土地较之朝中军队在西段三八线以南所占土地面积稍大。

所以美方就采取一拖、二炸、三攻的办法来破坏停战谈判。朝中方面就采取针锋相对的办法，进行斗争，以恢复停战谈判。

请看“拖”的斗争。

美方一直以“海空优势补偿论”和“防御阵地与部队安全论”为自己的方案辩护。

乔埃说：陆地上有战线，空中、海中也有战线；美方在空中可以到鸭绿江，海上可以到朝鲜北部东西两岸，联合国军在陆上、空中和沿海的停火至少抵得上北朝鲜和中国地面部队的一个大规模地向北撤退。

乔埃还说：三八线只是一个纬度线，没有可以利用的地形，以此为军事分界线，不利于建立防御阵地与部队的安全。

在8月10日下午的会议上，南日驳斥说，“军事力量是各种力量的总和，任何一个兵种所取得的地位，必然是依靠其他兵种的配合，你们陆上战线集中反映了你们陆海空军全部的军事效能。假如没有你们这种狂轰滥炸的掩护和支持，你们的地面部队早就不知撤到什么地方去了”。

南日还说，战争爆发之前在三八线，朝鲜南北双方都已构筑了坚固的工事。

南日在会上这样有力地批驳了美方的“海空优势补偿论”和“防御阵地与部队安全论”，并指出美方没有理由拒绝以三八线为军事分界线。

乔埃理屈词穷，竟拒不发言。

乔埃有时用两手捧着双腮，有时用右手玩弄着面前的两支铅笔。偶尔目光和南日相遇，他便避开，从口袋掏出香烟点燃，然后轻轻地吐出缕缕烟雾，就是不开口。

乔埃的助手们也一个个抽烟，不抽烟的就用铅笔在纸上乱画，或抬头直盯着朝中方面代表，也就是不开口。

朝中方面代表们以同样的方式对抗。南日嘴里叼着象牙烟嘴，眼睛直瞪着乔埃，其他代表都不抽烟，或静静地坐着，或用红色铅笔在纸上画图。他们对美方这种耍无赖的做法，内心既鄙视，又愤怒。

会场一片静寂。

在双方沉默将近一个小时的时候，坐在中方参谋席位上的柴成文，按照分工离开会场，来到离会场百米远的一间民房里，向在那里坐镇的李克农做了汇报，并问，怎么办？李克农指示：就这样坐下去。

柴成文回到会场后在纸条上写了“坐下去”三个字。纸条在朝中代表间传递。短短几分钟，他们心情稳定下来，挺直起腰板，静静地坐在那里。

这场静坐一直僵持了132分钟，美方终于忍耐不住，乔埃开口了，“我建议休会，明天上午10时继续开会”。

这一次“拖”的斗争，美方失败了。

再看“炸”的斗争。

8月22日晚10时20分，一架美国军用飞机侵入中立区开城上空盘旋五圈，在距来凤庄不远处投下四枚汽油弹，继之连续投下12枚杀伤弹，其中三枚落在朝中代表团住所西北约200米的山坡上，直接威胁着朝中代表团人员的安全。美机还俯冲扫射代表团住所。

9月1日零时20分，美军飞机又飞临开城上空，投掷两枚炸弹，并以机枪扫射。这两枚炸弹落在距“冰库洞”南日将军住所500米处。

朝中方面立即抗议，通知美方派员进行联合调查，并向全世界揭露美方的挑衅行为。

朝中代表团还从8月23日起宣告停会，以待美方对此严重挑衅事件做负责处理。

朝中代表团还立即采取自卫措施，建起防空洞。代表团全体人员参加军事训练，以应付可能发生的紧急情况。

美方企图以“炸”来吓唬朝中代表团，也失败了。

三看“攻”的斗争。

在双方代表团讨论第二项议程僵持不下的时候，美方竟然蛮横地说，“那就让飞机大炮去辩论吧”。

果然，“联合国军”在调整部署后，在八九月间，向朝鲜人民军发起“夏季攻势”。

“联合国军”又于9月29日，对准在西线的中国人民志愿军，发起“秋季攻势”。

到10月22日，朝中军队相继粉碎了“联合国军”的夏季和秋季攻势，并在这两次防御作战中，共歼灭“联合国军”15万余人，取得了消灭敌人有生力量的重大胜利。

美军在发动地面攻势的同时，又以大量航空兵对朝鲜北部发动了“绞杀战”，平均每天出动五批100余架飞机集中轰炸人民军、志愿军后方设施和交通运输线，企图切断朝中军队的后方供应。

朝中军队进行了“反绞杀战”。志愿军高射炮兵掩护铁路运输线上重点目标。志愿军空军从9月12日起参战，击落、击伤美机多架，迫使美战斗轰炸机活动空域撤到清川江以南。

美军的攻势都失败了。

美国报纸透露，“美国谈判代表愈来愈明白，联合国军真的不能再用继续作战的办法来获得进一步的利益了”。

这样，美方同意复会。

10月25日，双方代表团的车队分别从开城和汶山出发，到新会址板门店继续停战谈判。

双方重新恢复讨论第二项议程，会上的气氛比以前平和些。

朝中方面，经过几天试探后，为使谈判达成协议，放弃了以三八线为军事分界线的主张，提出了把实际接触线略加调整作为军事分界线的方案，双方互有进退，各自撤退的区域大体相当。

这个突破性的方案是李克农与有关人员反复商量后提出的。

为了争取解决问题，李克农同邓华、解方、乔冠华等人商量后，要参谋人员具体对比三八线与实际接触线的得失。

研究结果认为：东线美方在三八线以北占的地方，比西线朝中军队在三八线以南占的地方是多一些，但前者多是山区，交通不便，人口少，耕地不多；而后者多是平原，交通发达，人口多，产粮多，而且还有古都开城。因此，无论从经济、面积还是从政治上讲，以实际接触线为军事分界线对朝中方面并无不利。

李克农又找南日、李相朝商量，并获得同意。金日成也同意。

李克农就在11月19日午夜，发电向毛泽东请示，提出以实际接触线为军事分界线的建议，很快得到批准。

毛泽东在次日下午6时，回电李克农并告金（日成）、彭（德怀）：望根据来电所提的修正案，在21日小组会上提出。

毛泽东还指出，“惟（来电所提修正案中的）20天仍改回30天，即同意敌人所提的时间，因敌人急于求成，我们不应表示比敌人更急。我们的态度是能在30天内成立协议固好，拖长时间也不怕”。

经过几次讨论，美方原则上接受了朝中代表团提出的以现有接触线为军事分界线的修正案，包括美方坚持的有效期30天的限制——“如30天停战协议未能签字，则由双方确定彼时的接触线为临时军事分界线”。

11月27日，双方对上述内容达成协议。

这是双方谈判以来达成的第一个实质性的重要协议。

这条军事分界线，到朝鲜停战前夕正式签字前，又做过两次校正，因为这段时间里，战场上实际接触线在缓慢地南移，朝、中军队共推进332.6平方公里。毛泽东对朝、中军队的信心得到了证实。

而当初，美方自恃强大，提出30天有效期的限制。这时，只好自食苦果。

11月27日，双方代表团批准第二项议程之后，立即进入第三项议程，讨论关于停战的安排和监督问题。

这是谈判进入实质性讨论后遇到的第二个重要问题。

双方在谈判桌上又展开了一场尖锐的斗争。斗争的焦点是：美方要借停战监督干涉朝鲜北方的内政，朝中方面则反对这种干涉。

在此第三项议程开始讨论的几天前——11月20日，李克农在临时居住的开城“小别墅”的会议室里，召开朝中代表团小型会议，作了关于形势和对策的报告，把中共中央最新的指示精神传达给大家。

李克农首先说，“10月25日恢复谈判，是我们在战场、会场上针锋相对的斗争的胜利，是世界人民包括美国人民要求和平、反对战争的胜利。谈判是由于美国受到国内、国际压力恢复的，而谈判的恢复，转过来又增加了国内、国际要求把战争停下来的压力。因此，现在达成停战协议的可能性增大了”。

李克农说，“这是毛主席、金首相共同的估计。我们要抓住这个时机，努力争取在年内达成停战协议”。

李克农又说，“当然，敌我斗争，我们最多只能当一半的家。但是，只要我们这样做了，他不干就使他们在世界人民、美国人民面前处于极其不利的地位”。

李克农接着说，“所以还是两手准备。在实际工作中，我们要为迎接协议的达成做准备。也要为经过努力达不成协议做准备。这样才能做到‘和固有利，拖也不怕”。

李克农又谈了在以后与美方讨论几项议程时的对策。他指出，“对无理要求要驳，但对谈判要主动促进”。

李克农说，“停战线的问题是停战的基本条件，这个问题达成协议，最主要的问题便得到了解决。但不能说别的议程就没麻烦了。同美国人打交道，你不要设想没有麻烦”。

李克农接着说，“比如第三项议程停战监督问题，根据美方在处理这类问题上所持的一贯主张，他们可能要求无限制的视察，这是我方所不能接受的。打仗之前我们不会同意，停战了难道能允许敌人到我后方视察？主权是一个国家的生命。这个问题就可能又要僵住。我们准备提出在双方的后方一两个口岸由中立国进行视察的解决方案”。

李克农又说，“但是问题还会有，中立国的提名恐怕就会遇到麻烦，大家可以考虑考虑提谁。我们不怕有争议，只要中立国视察的原则定了，中立国的提名总不至僵持不下吧？”

朝中代表们听了李克农的长篇报告后，受到很大鼓舞，精神振奋地参加11月27日开始的关于停战安排和监督问题的斗争。

讨论这第三项议程的进展情况，与李克农在报告中所预料的基本相同。

美方以保持停战稳定为名，提出具体建议有三点：

1.停战协定签字后，双方均不得增加军事力量、供应装备和设备。

2.禁止朝鲜境内飞机场和航空设备的恢复、扩充与修建，因为这将增加军事力量。

3.双方成立的联合军事停战委员会，在执行监督职司时，得自由出入朝鲜的一切部分。

朝中方面坚持实事求是态度，合理的接受，不合理的拒绝。

朝中方面同意美方提出的第一点，但美方对完全不“进入”，又感到为难了，因为这限制住了他们自己。可那是他们自己提出的，一下子又不好改口，就在会上磨。

朝中方面为了照顾侵朝美军要定期轮换回国，就在原提案“双方应保证在停战协议签字后，不从朝鲜境外进入任何军事部队、军事人员、战争装备和弹药”之后，加上军事人员可以轮换、军事装备可以替换的内容。

美方同意了。

对于第二点，朝中方面明确表示反对关于限制机场设备的建议，因为这是朝鲜北方的内政，不容干涉。

美方代表承认这属于内政问题，但竟提出内政可以干涉、世界上已没有完整的主权的谬论，叫朝中方面不必斤斤计较。

这遭到朝中方面的严词驳斥。美方代表就采取各种办法，阻挠谈判进行。直到1952年4月28日，美方才被迫放弃这一条。

对于第三点，经过一周激烈争论后，朝中代表提出：把监督措施分为两部分，即对非军事区内的监督由停战委员会直接负责；对非军事区以外的后方监督，交由中立国监督机构负责。

美方听到此建议后，不知所措，因为美方不甘心放弃直接视察朝鲜北方的企图，而一时又拿不出对案，就从会议转到小组会上去磨。

拖了九天以后，美方勉强同意中立国视察后方口岸的原则，并确定后方口岸，每方各五个。

但双方参谋会议在中立国的提名上又僵住了。

本来双方已经商定了一个“中立国”的定义，即“其战斗部队未曾参加在朝鲜的敌对行为的国家”。可是当朝中方面提名苏联、捷克、波兰时，美方不讲任何理由，就是不同意苏联。

到1952年5月2日，朝中方面又主动建议：中立国提名，同意只提双方同意之四国，即波兰、捷克、瑞典、瑞士。

美方只好同意。

至此，双方就停战安排和监督问题达成了协议。

在1951年12月上旬，第三项议程的谈判已大部分达成协议，美方建议另开一个小组会，平行讨论战俘问题。

朝中方面认为第三项、第四项议程同时讨论，是加快谈判进程的好事，就欣然同意了。

在1951年11月下旬，李克农就为下一步讨论战俘问题做准备工作，从中国国内、志愿军总部、志愿军前线各兵团抽调了一批干部来开城，并请志愿军政治部副主任杜平来代表团负责战俘问题的准备工作。

朝中方面原来认为：交换战俘既是国际公认的准则，又是一个人道主义问题，估计不难达成协议。但是，关于战俘安排问题竟成为停战谈判中争论最激烈的问题。

关键在于：朝中方面力主双方按照国际法的规定遣返全部战俘，而以人权卫士自居的美方却力图扣留朝中方面的被俘人员。

12月11日，讨论战俘问题的小组会一开始，朝中方面就提出停战以后迅速遣返全部战俘的原则，但美方竟拒绝对此明确表态，节外生枝地拖延时间。

到1952年1月2日，美方提出了所谓“自愿遣返”的原则。接着，美方在他们的战俘营中进行所谓“甄别”，用血腥手段强迫朝中被俘人员用刺字、写血书之类的方式表示“拒绝遣返”。在此过程中，美方还一再把大批朝鲜人民军被俘人员非法分类为“平民”，移交给南朝鲜李承晚集团。

美国总统杜鲁门还是相信美国的“强大兵力”，要在朝鲜战场上再发动一次局部进攻。

美方代表团坚持战俘“自愿遣返”的主张，并在1952年10月8日片面宣告停战谈判无限期休会。

10月14日，美军在金化以北上甘岭地区发动1951年“秋季攻势”以来最大的一次攻势。他们称之为“金化攻势”，志愿军称之为“上甘岭战役”。

投入这一攻势的“联合国军”有6万人，坦克176辆，出动飞机3000多架次。

他们对上甘岭进行猛烈持续的攻击，在上甘岭不足4平方公里的地面上倾泻炮弹190余万发，投掷重磅炸弹和凝固汽油弹5000余枚，把上甘岭的山头削平两米。

志愿军在上甘岭防守兵力，经常保持两个加强连，在266门大口径火炮协同下，顽强奋战43个昼夜。经过反复争夺，终于守住了阵地，给敌人以重创。共毙伤2.5万余人，击落、击伤敌飞机270余架，击毁、击伤敌大口径火炮61门，坦克14辆。

11月25日，美军发动的“金化攻势”被彻底粉碎。

12月2日，新当选的美国总统艾森豪威尔到朝鲜考察军事形势，知道美国已经不能在朝鲜战场上取胜了。

1953年2月23日，新上任的“联合国军”总司令克拉克致函朝中方面，建议在战争期间先交换伤病战俘。

3月28日，金日成、彭德怀复函克拉克，同意交换病伤战俘，并建议立即恢复在板门店的谈判。

4月11日，双方签订《遣返病伤被俘人员协定》，打开战俘问题的第一个僵局。

4月26日，中断六个多月的谈判在板门店恢复了。朝中方面提出关于解决战俘问题的新建议。即谈判双方应保证在停战后立即遣返其所收容的一切坚持遣返的战俘，而将其余的战俘转交中立国，并经过有关方面的解释，以保证他们的遣返权利能得到公正的解决。

但美方反对把不直接遣返的战俘送往中立国。

朝中方面从争取解决战俘的愿望出发，再一次做了努力，建议把这些战俘交由五个中立国所组成的遣返委员会于一定期限内在朝鲜境内予以看管，以便行使其遣返权力。

1953年6月8日，双方代表团达成并签订了《中立国遣返委员会的职权范围》文件。

至此，谈判拖了一年多的战俘安排问题终于获得解决，第四项议程达成协议。

朝鲜停战谈判的几个实质性问题的讨论已经结束。

第五项议程，是关于向有关各国政府提出建议问题，已在1952年2月间讨论，并达成协议："为保证朝鲜问题的和平解决，双方军事司令官向双方有关各国政府建议，在停战协定签字并生效的三个月内，另派代表召开高一级政治会议，协商从朝鲜撤退一切外国军队及和平解决朝鲜问题等问题。"

正如李克农所说，这项协议是美方被迫同意的，美方拒不讨论撤退外国军队问题，但终于同意召开高一级政治会议；这为以后朝中方面争取和平解决朝鲜问题而继续进行外交斗争，提供了新的依据。

第四十一章　赢得和平

1953年6月8日，对李克农和朝中联合代表团全体人员来说，都是一个难以忘怀的日子。到这一天，朝鲜停战谈判的各项议程已全部达成协议。

消息立即传到北京，北京非常高兴！

当晚，周恩来亲自打电话给李克农——北京到开城已有直通电话。他代表毛泽东和中共中央对代表团在谈判斗争中取得胜利表示祝贺，并对带着重病坚持领导谈判斗争的李克农表示慰问，对为谈判日夜操劳的代表团全体同志表示慰问。

李克农和代表团同志们十分激动，流下了热泪。他们回想两年来的谈判斗争，紧张、曲折，终于取得胜利，的确感到十分欣慰。

李克农认为，停战谈判的成功，主要归功于中共中央的领导，归功于朝中两党中央的协调合作。在整个谈判过程中，很多事都收到毛泽东、周恩来的直接指示，得到金日成的坚决支持，他只是一个执行者。李克农的这种看法，既表明他是谦虚的，也表明他是实事求是的。

代表团朝中代表每次谈判以后，马上回来汇报当天谈判的情况，由乔冠华等人写成报告，经李克农审核修改并提出下一步建议方案，立即发到北京，由周恩来直接受理，并向毛泽东和中共中央常委报告，经过研究作出决定后，于当夜对开城的朝中代表团回电答复。

李克农的电报同时发中共中央、金首相、彭老总。常常在深夜才发到北京，毛泽东、周恩来总是看过朝鲜"克农台"来报并发了回电后才去就寝。

毛泽东、周恩来常亲自草拟电报给李克农，指示斗争的策略。

今从毛泽东写的许多电报中选录两份，作为例子：

一、关于坚持将外国军队撤出朝鲜列入议程等给李克农的电报（1951年7月11日）。

克农同志，并告金、彭：

来电收到。（一）撤兵一条必须坚持。（二）在各项谈判未得完全协议之前，不要让新闻记者参加。只有在获得完全协议，在举行签字的那一天，才可以让双方同等数目的新闻记者参加。

毛泽东

七月十一日上午七时

二、关于搜集敌战俘营中我伤病人员情况的电报（1953年5月4日）。

李克农同志，并金首相、彭司令员：

五月四日零时三十分来电和简报均悉。同意来电所提各点意见和发言稿。你们五月三日十六时四十分简报称，据归俘谈，济州岛敌第八战俘营中仍有大批我病伤人员。按第八战俘营是坚持遣返的战俘营。望立即就归俘此项报告进行详细调查，搜集证据和材料，以便在必要时反击敌人。

毛泽东

五月四日五时

中共中央给李克农的指示很具体，今再录一例：

周恩来在1952年写给李克农和乔冠华的一封信。

克农、冠华两同志：

我们的发言稿和新闻稿件中所用刺激性的词语如“匪类”、“帝国主义”、“恶魔”、“法西斯”等甚多，以致国外报刊和广播方面不易采用。各国友人、特别是世界和大朋友们对此均有反应。望指示记者和发言起草人注意简短扼要地揭发事实，申述理由，暴露和攻击敌人弱点，避免和少用不必要的刺激性语句。国内方面亦将采取同样方针，并告。

周恩来

五月十八日三时半

在谈判过程中，李克农在坚决执行中央指示的同时，常常主动提出建议。前面提到李克农曾向中央提出以实际接触线为军事分界线的建议，就是一个突出的例子。

今以摘录电报的形式，再举一例：

李克农在1951年12月28日就第三项议程（停战监督问题）和第四项议程（交换战俘问题）的小组谈判情况给毛泽东、金日成、彭德怀的电报中说："我们计划：(一) 对于第三小组，如对方继续采取拖延政策，根本不讨论什么问题，则我亦不急。他提议休会，我即同意休会，表示我们不怕拖。(二) 对于第四小组，继续以四万四千战俘的问题和对方的所谓五万多战俘的问题对抗下去。对于对方第一次交来及第二次补交来的外俘下落的回答，我们觉得亦不必忙于交给他们。"

一个半小时后，毛泽东即回电，表示"同意来电所述各点"。

通常，李克农收到北京复电后，一面转发朝鲜方面和志愿军总部，一面根据北京指示，最后确定下一次谈判的具体方案和决策。

一般说，在头一天晚上，乔冠华等已根据预想到的各种情况写了发言稿，还写了要讲话的主稿。这时再根据北京复电意见，对这些发言稿进行修改和定稿，交给代表团发言代表在谈判席上视情况提出。

这样，在谈判紧张期间，每天工作一环套一环，既紧张又井然有序，并且是从日到夜连轴转。李克农仅有的休息时间，是在向北京发报到北京回电之间的一个空隙。

1951年冬季，朝鲜气候寒冷，加之谈判工作紧张、生活艰苦，李克农在战争年代得的老病又复发了，严重的心脏病、气管炎、哮喘病，加上不断地剧烈地咳嗽，常常憋得气也喘不过来，就赶紧吞吃止咳片。

一次，在代表团内部开会时，他突然头一歪，昏迷过去了。幸亏在场的人抢救及时，方苏醒过来。这是心脏病突发，他的身体更加虚弱。

中共中央及时了解到这一情况后，便派外交部副部长伍修权到朝鲜去接替李克农的工作，将他换回北京休息和治疗。

当年11月，伍修权和外交部美澳司司长柯柏年，带着几位随行人员，分乘两辆吉普车，由安东过了鸭绿江大桥，日伏夜行地向朝鲜进发。

伍修权到达开城后，向李克农转达了中央对他的关怀和指示。他听了以后，首先感谢中央和同志们对他的爱护，但对是否回国休息的问题，提出了相反的意见。

他明确地说：中国兵法有句话，叫“临阵不换将”。

他接着解释：现在停战谈判正处于双方争执和互相指责最激烈的时候，每天都可能发生新的情况，我虽然身体不太好，但是对谈判中的各方面问题都已熟悉，已经掌握了工作中的规律，能够及时判断作出决策；如果中途换人，一切又得从头做起，在重新熟悉情况的过程中，很可能延误战机，造成不必要的损失；我经过认真考虑，决定还是从党的利益出发，在我的身体还能支持的情况下，仍然在这里继续工作，不必马上换人。

“临阵不换将”这句话，表现了李克农对当时工作高度负责精神，也表现了他的忘我精神和坦荡作风，使伍修权十分感动。

但伍修权也感到不安，因为没有完成中央交代的任务，就半开玩笑地说，“你不同意换将，我特地一路风险，赶来朝鲜前线，不是白跑了吗?”

李克农说，“不,你来得正好，有了你在这里，我就有了后盾，万一支持不住躺下来，你可以马上顶上去，我心里也就踏实了”。

他又说，“另外，你可以利用这个机会，了解战争和谈判中的许多具体情况，增加各种感性知识，对工作对个人都有很大好处。你们给我们带来了党和祖国的关怀，使我们深感温暖和大受鼓舞，增加了我们的干劲和士气。所以，你们来的非常必要，我们双手欢迎!”

伍修权说,“不过，对于你的建议，我个人不能表示可否，得由中央决定”。

李克农说，“那好办,我们马上一起向中央请示”。

他们就共同拟定了给中央的请示电报，李陈述了自己的意见，伍具体报告了李的病情和工作情况。

中央很快复电，批准了李的建议，同意仍由他主持谈判工作；让伍暂时留在这里，一方面深入了解谈判进行情况，一方面继续观察他的健康状况，如果必要，再随时换他下来休息。

李克农像个负伤不下火线的战士，继续带病坚持工作。他认为，这是自己应该做的。

他见同志们工作都很紧张，又常为他的健康担心，有时一边喘着气一边给大家说着笑话，使代表团在严肃工作的同时，又充满了活跃的气氛。

他认为，停战谈判的成功，也应归功于代表团里全体朝中人员的团结无间。

李克农的看法是有道理的。在与美方停战谈判的整个过程中，会场上主要由朝鲜代表发言，而斗争的战略、策略又由中国同志主持，在这种情况下，朝中人员如果发生矛盾，会影响外交谈判斗争的顺利开展。

幸而在整个谈判过程中，代表团里朝中战友亲密合作，配合默契，互相支持，互相谅解，团结一致对敌，保证谈判取得胜利。而李克农本人在这方面起了重要作用。他在朝中战友中间具有极大的感染力和凝聚力，使代表团内部关系十分协调。

联合代表团成立之初，他不仅对朝鲜代表不熟悉，就是对中国人员也不是都了解，所以他要尽快熟悉和驾驭“全班人马”。一开始，代表团的主要发言人南日和主要起稿人乔冠华就发生了矛盾，主要是在起草发言稿时，两人发生了一些争执。

7月底，谈判刚进行了一周多，正是斗争激烈的时刻，李克农抽空分别找南日、乔冠华促膝谈心。

李克农向他们指出：美方蛮横而又狡猾，我们必须认真对待；我们内部不能争论不休，不能自相争斗，要和睦相处，同舟共济才是。李克农肯定了南日、乔冠华各自的优点和长处，要他们两人相互学习、相互尊重。

李克农找乔冠华谈话时，还特别要他尊重朝鲜同志，警惕大国沙文主义。

李克农诚恳而坦率的谈话，使南日和乔冠华口服心服，握手言欢。到8月下旬，谈判进入更加紧张持久阶段，他们两人相处得很好；一直到谈判结束，他们之间关系融洽，配合有方。

李克农还特别尊重和关怀朝鲜同志。对谈判中的重要问题和方案，李克农常找南日单独协商。南日的妻子生病了，在朝鲜治疗不方便，就安排她到中国治病，使南日无后顾之忧，很受感动。

李克农又要解方对李相朝、柴成文对张春山做团结工作。

代表团里一位朝鲜女工作人员，未婚先孕，肚子一天天大起来。她的朝鲜族未婚夫也束手无策，肚子大得快要瞒不住的时候，姑娘泪流满面地求助于李克农，并说出了未婚夫的姓名。李克农先用父辈般的语言批评了他们，接着批了点钱，让柴成文安排她到中国哈尔滨住一段，生过孩子再回来。为了保全这姑娘的面子，他对任何人都未讲过她突然消失又回到代表团的真正原因。连柴成文也是过了很久才知道的。

李克农对代表团里的中国同志，也是既严格要求，又十分爱护。在一个中秋节，代表团里一位中国高级官员喝醉了酒，摔了两个酒杯，大家劝他回去睡觉，他醉醺醺地说：我辛辛苦苦写报告，都是老头子一个人签名。老头子指的是李克农，当时不在场。事后，周恩来为此事狠狠批评了这位高级官员，并且要李克农开会帮助他，写出检讨。这位高级官员也意识到自己酒后失言，太过分了。他向李克农道歉时，眼泪都流出来了。李克农平静地说：这事我早就知道了，像你这样的性格要吃大亏的。

李克农又向周恩来说情，不要处分这位高级官员。几年后，这位高级官员知道了内情，对人说，李克农对他如此宽宏大量，使他深受感动，他写检讨是出自真心的。

1952年谈判中断，板门店会场冷冷清清，思乡之情在代表团中国成员们的心里滋生。外交部派了乔冠华夫人、外交部新闻司司长龚澎当信使，来到开城。李克农理解这是周恩来的意思，为乔冠华、龚澎夫妇聚会，在生活上做了比较周到的安排。

李克农还拍电报到国内，请柴成文、解方等人的夫人来板门店探亲，不能前来也要千方百计捎信带话。这个做法深得人心。祖国亲人的到来，使冷冷清清的驻地变得热闹而富有生气。

代表团里的中朝人员都很高兴。两年来，共同的斗争，战友的情谊，使他们逐渐淡忘了国籍，彼此相处和自己人一样。

6月8日朝鲜停战谈判的全部议程达成协议后，代表团又在李克农领导下，加紧做签订停战协定的各项准备工作。

6月16日，在板门店的一个帐篷里，朝中方面与美国方面的专家们，逐条逐字地重新审定好过去已经定稿了的停战协定文本。

双方已商定，双方军队司令官将于6月19日前来开城，在停战协定上签字。

谁知，正当停战协定签字在即的时候，情况突变。

南朝鲜总统李承晚仇视和平，顽固地反对停战，于6月18日凌晨开始扣留战俘。以“就地释放”的名义，胁迫朝鲜人民军战俘2.7万多人离开战俘营，押到李承晚军队的训练中心。

此时，彭德怀正在北京。他按预定的行程，在6月19日乘火车离开北京，6月20日下午到达平壤。

彭德怀立即与在开城的李克农通了电话。

李克农说，“彭老总，现在李承晚是狗急跳墙，采取强迫扣留战俘的办法制造危局。但是，李承晚和纵容他的美国好战分子是孤立的。我们相信你们仍然能够到开城来”。

彭德怀回答，“我一定会来。这个李承晚不给他点颜色看看，不晓得辣子的厉害”。果然，彭德怀当晚致电毛泽东，建议推迟停战签字时间、打击李承晚军，获得批准。

从7月13日起，志愿军发起了金城战役。

13日晚，志愿军出敌不意地以排山倒海之势在1000余门各种火炮的支援下，向25公里正面防御的李承晚4个师展开猛烈突击，仅用一个小时，就全线突破了敌前沿阵地。

接着几天，迅速扩大战果。

7月16日，“联合国军”总司令克拉克和美军第八集团军司令泰勒赶赴前线，部署反扑。尤其在7月19日、20日两天，敌军每日展开3个团的兵力，在400余架次飞机、30余辆坦克的支援下连续猛攻。志愿军英勇抗击，守住了阵地。

这是志愿军在抗美援朝战争中最后一役，共毙、伤、俘敌7.8万余人，给李承晚军以沉重打击，收复土地178平方公里，拉直了金城以南的战线。

在李承晚扣留战俘事件发生后，周恩来从北京打电话给在开城的李克农说：在战场上发动金城战役惩罚李承晚的同时，会场上要迫使美方作出让李承晚遵守停战的保证。

于是双方代表团，从1953年7月10日起至7月16日止，连续开了六天会。李克农到会场区边缘的帐篷里坐镇。在会上，朝中方面首席代表南日向美方首席代表哈里逊提出一个个的质问，扣死落实在文字上。

这一连串的问答非常精彩，现摘录其中最重要的几点：

南日问：南朝鲜军队到底受不受联合国军司令部的节制？

哈里逊答：是的，韩军属于联合国军司令部。

南日问：对于已经达成的停战协定的实施，你方能保证南朝鲜政府和军队不进行阻挠和破坏吗？

哈答：我方保证，韩国将不以任何方式阻挠停战协定的实施。

南日问：如果它进行阻挠和破坏怎么办？

哈答：大韩民国进行任何破坏停战的侵略行为时，联合国军将不予以支持。

南日问：如果南朝鲜破坏停战发动进攻，为保证停战，朝中方面采取行动抵抗进攻时，联合国军将持何种态度？

哈答：联合国军将继续遵守停战协定，并承认朝中方面有权采取必要行动抵抗侵略，保障停战。

南日问：如果南朝鲜在停战后采取进攻行动，联合国军是否不再支援南朝鲜，包括武器装备、物资供应在内？

哈答：如果韩国破坏停战、采取进攻行动，我方保证，将不再给予武器装备、物资供应的支援。

7月19日，南日发表了关于美方保证停战实施问题的声明。声明详细地把美方首席代表对实施停战所作的保证，公之于世。

停战协定要签字了，人们都以喜悦的心情，来迎接这个来之不易的日子。

就在这时，李克农又召集了一次朝中联合代表团的小型会议。他提出一个非常严肃的问题，要大家讨论。

他说：李承晚极端仇视停战，已为无数事实所证明，他还会不会破坏？如果破坏，最坏的可能莫过于在签字时搞一次使敌我双方不得不再打起来的破坏行动。比如说对双方司令官的任何一人进行袭击，它的后果将比扣留战俘更为严重。

规定由双方司令官签字的停战协定的文本已经定稿，再改已来不及。经过反复研究，李克农说：完全拒绝南朝鲜人员、包括南朝鲜记者进会场，很难办到，这就可能出问题；可以改变双方司令官到现场签字的办法，由双方首席代表签字后立即生效，然后各向自己的司令官送签并互换文本。

李克农的送签妙计，立即得到了北京的同意。因为，北京也考虑到这一难

板门店签字仪式大厅

1953年7月27日，双方代表在大厅内举行签字仪式，朝鲜实现停战

题，正在寻求解决办法。

有意思的是，美方也很快接受了这一提议。看来，美国对李承晚也不放心。

7月27日上午，双方分别授权代表南日、哈里逊在板门店一座新建的大厅里，在停战协定上签字。根据双方事先商定，此签字时间即作为停战协定签字时间。

当天“联合国军”总司令克拉克于汶山的帐篷里在停战协定上签了名。朝鲜人民军最高司令官金日成于平壤首相府在停战协定上签了字。

7月28日上午，中国人民志愿军司令员彭德怀于开城的志愿军代表团会议室里在停战协定上签了字。

自1953年7月27日22时起，即停战协定签字后的12小时起，朝鲜全线完全停火。

人们欢呼，“和平了，和平了！”

朝鲜停战谈判，历时两年零十九天，两易会址，五次中断，是一场异常尖锐、复杂的军事与外交交织着的斗争，作为谈判战场上的前线总指挥的李克农，以他的高度智慧、无穷精力和忘我精神，一次次粉碎了敌人的阴谋，为朝中人民赢得了至今还享受着的和平成果。

李克农在朝鲜又待了一段时间后，带着巨大的胜利成果，光荣却仍然是秘密地返回了祖国。

第四十二章　日内瓦会

1954年2月28日，北京气候，仍然寒冷，但已有春意。从朝鲜回国不久的李克农，奉周恩来之命，筹组参加日内瓦会议的中国代表团。

日内瓦会议是1954年1月25日至28日，苏、美、英、法四国外长在柏林达成协议要召开的。四国外长决定，会议定于4月26日起在瑞士的日内瓦举行，讨论朝鲜问题和印度支那问题。除苏联、美国、法国、中华人民共和国参加会议的全过程外，同这两个问题有关的其他国家也派代表分别参加各该问题的讨论。

日内瓦会议，将是中华人民共和国首次以五大国之一的地位和身份，参加讨论国际问题的一次重要会议。

美国国务卿杜勒斯本来不同意苏联外长莫洛托夫提出的召开五大国会议的建议，后来才被迫改变态度，同意同中国讨论特定或特殊的问题。

其根本原因是：抗美援朝的斗争和抗法援越的斗争，显示出刚登上国际舞台的中华人民共和国，已经成为维护亚洲和世界和平的一支重要力量。

新中国在成立初期，百废待兴，又进行着抗美援朝的激烈斗争，仍然根据越方要求，派出一批批军事顾问，拨出大批武器、弹药、粮食、药品等，支援越南人民抗法的民族解放战争。

根据四国外长的协议，苏联政府在2月26日邀请中国政府派出全权代表届时参加日内瓦会议。

中共中央立即决定由周恩来总理以外长身份率团参加。

周恩来在2月28日批示：关于代表团人选，“告李（克农）副部长先行讨论，三月二日上午提出名单”；关于代表团的工作人员，“请李副部长决定”。

这表明，周恩来这次率团参加会议，要让李克农作主要助手。

3月2日上午，李克农以书面报告周恩来，建议由周总理任首席代表，由张闻天、王稼祥及外交部一位副部长任代表，由王炳南任秘书长。他在报告中还提出："我请求不参加。因：（1）情报部门今年计划刚通过，需贯彻实施……（2）我无国际知识，又不懂外文。（3）身体不健康。"

周恩来接受了李克农关于组团的建议，但不同意他"不参加"的请求。

当晚，中共中央书记处还决定：成立参加日内瓦会议准备工作领导小组，由李克农抓总。

既然中央决定了，李克农坚决执行。

从3月3日起，李克农就全力投入会议的准备工作。

他同国内39个单位联系，选派工作人员132人，记者团29人。

李克农为了让周恩来集中精力考虑大事，根据授权，亲自审定随行人员。只是对随行的公安系统人员，李克农请公安部部长罗瑞卿直接上报周恩来。

罗瑞卿按"警卫""侦保""（食品）化验""司机""厨师""医生"等向周恩来提出了具体名单。其中，警卫人员包括总理的警卫秘书、卫士，也包括李克农的警卫员李连水。医生是黄树则和周尚珏。

关于医护人员，李克农本来让卫生部副部长傅连暲向李本人提出人选。但傅直接报告了周恩来，建议配备医生、护士各二人，"医生除黄树则外，另派史书翰。因史随李克农同志在朝鲜近两年，工作认真小心，对克农身体甚为熟悉"。

周恩来先接到罗瑞卿的报告，并批示，"送克农同志审议，我意侦保、化验可以不要"。

周恩来在当天接到傅的报告，又批示，"同意医生去黄树则、史书翰二同志，护士绝对不要。送李克农同志办"。

李克农为了保证周恩来的健康和安全，运用被授予的人事决定权，确定侦保、化验人员照办，而把史书翰换成周总理的保健医生周尚珏。

李克农曾在名单中删去他的警卫员李连水，后经有关同志力劝方休。

黄树则医生接到通知参加代表团后，于4月5日分别打报告给杨尚昆（中共中央办公厅主任）、傅连暲。报告说，“李克农同志多年来患肺气肿症，并时常发生气喘及左胸心前区疼痛。他前晚感冒发烧，在热度较高时均有明显的心前区疼痛”。黄在报告中接着说，“李克农在长途飞行中可能猝发心脏病，而他没有在飞机上抢救的经验，因此建议派苏联大夫一人陪同”。

对此，李克农坚决不同意。他说，“死不了，让李连水去，就够照顾我的了”。

人员确定后，李克农就组织和领导培训工作。

3月中旬，代表团的工作人员和随行记者已集中到北京，分别编组，进行培训。每人都按照各自的分工，熟悉情况，学习方针、政策。培训工作十分严格，翻译、机要员、打字员、速记员等都进行了测试，还请了一些老同志分别介绍经验。没出过国的司机也学习了瑞士的交通规则和有关常识。

李克农指定专人向全体人员介绍外交礼仪，介绍瑞士情况，包括有关法令和风俗习惯等。

李克农还亲自做了保卫、保密和应该注意问题的报告。

李克农还组织代表团发言人黄华、随行记者及当时常驻北京的外国友好记者贝却敌等，多次举行记者招待会的模拟演习。

李克农组织外交部、外贸部、情报部门及其他有关部门共十个单位，在一个多月的时间内，编写了有关材料，如朝鲜问题，印度支那问题、中国的基本情况和内外政策等，共12大本，1700多万字。

这些资料，对中国代表团工作起了很大作用。有些资料，提供给苏联、朝鲜、越南代表团，他们认为很有帮助。

李克农指示中国驻瑞士使馆全力以赴外，还请中国驻苏联等六个国家的使馆抽调人员去协助工作。指示中国驻瑞士使馆，在日内瓦为周总理及代表团主要成员预租一座别墅，为代表团其他人员预租旅馆，并安装日内瓦至北京的电传线路，保证通讯联络迅速、安全、节约。

周总理和代表团主要成员所住的别墅，保密困难，李克农指派专人，在别墅内建立了一个内部会议室。

李克农领导、组织的这些准备工作，在短时间内完成，缜密周到，保证了中国代表团与会工作的顺利进行。

1954年4月24日下午，中国代表团乘坐的专机在日内瓦国际机场着陆。各国新闻记者蜂拥而上，或抢拍镜头，或进行采访。代表团新闻组人员，趁机广为散发事前印好的关于周恩来的中、英文书面简历。这满足了外国记者的要求，适应了外国新闻界的习惯。

第二天，瑞士许多报纸，在显著位置报道了周恩来的简况（利用书面简历材料编写的），并刊登了周恩来的大幅照片。

这一简历，是李克农主持草拟后，未经总理阅改，径报中央审定的。内容长达五页半。第一段是：

"周恩来，生于1898年，中国杰出的政治活动家、军事家和外交家；中国共产党杰出的组织者和领导者之一；毛泽东最亲密的战友之一。"

"最亲密的战友"这种提法，大概是首次用。这表明了毛泽东、中共中央对周恩来的高度评价，也反映了李克农对周恩来的敬重之情。

通过新闻媒介的报道，瑞士许多人知道了周恩来，知道了新中国。李克农知道，中共领导人是不主张宣传个人的；但认为，在这种特定的情况下，宣传周恩来就是宣传新中国。

4月26日，日内瓦会议在国际联盟大厦开幕，到7月21日结束，先后讨论了朝鲜问题和印度支那问题。

会前，周恩来参照李克农的建议，制定了《关于日内瓦会议的估计及其准备工作的初步意见》。

《意见》指出：美、英、法在朝鲜问题，特别是在印度支那问题上，意见并不完全一致，有时矛盾很大，它们的内部困难也很多；中国应该采取积极的方针，尽一切努力，务期达成某些可以获得一致意见和解决办法的协议，即使是临时性或个别性的协议，以促进国际形势的缓和。

会议进展的情况，同这个估计基本相同。

讨论朝鲜问题，从4月26日开始，延续到6月15日，历时51天。

在此期间，李克农获得情报：美方准备在6月15日会议上，宣读《十六国（参加"联合国军"的十六国）宣言》，使会议破裂。

于是，6月15日会议一开始，朝、中、苏代表就相继发言，并提出保证朝鲜和平的建议，这一行动打乱了美方的部署。

会议休息40分钟，在国际联盟大厦的走廊里，美方的十六国代表们紧急磋商。

重新开会后，美国提不出任何反建议，由泰国代表宣读了《十六国宣言》。

《宣言》声称：“共产党国家代表拒绝承认联合国在朝鲜的权威与职能，并拒绝在联合国的监督下举行的自由选举，因此，本会议继续考虑和研究朝鲜问题是不会有什么用处的，并认为应把这个会议进行的情况通知联合国。”

这表明会议已经面临破裂，但周恩来仍作最后一次努力。他在会上发言说：无论如何，对于继续努力，以期在建立统一、独立和民主的朝鲜国家的基础上，获致和平解决朝鲜问题的愿望，应该是共同的。

所以他建议，“日内瓦与会国家达成协议，它们将继续努力以期在建立统一、独立、民主的朝鲜国家的基础上达成和平解决朝鲜问题的协议。关于恢复谈判的时间和地点问题，将由有关国家另行商定”。

比利时代表表示赞同中国的建议。苏联代表也赞成。

作为会议主席的英国外相艾登说，“如果大家同意，我可否认为这个声明已为会议所普遍接受？”

会场一片寂静，没有人反对主席的意见。

美国代表史密斯慌了，仓促站起来说：“我不准备在未向美国政府请示的情况下同意这个建议。”

这样，日内瓦会议关于朝鲜问题的讨论，以未通过任何协议而结束。

问题的实质是：朝鲜停战后，美国根本不想从朝鲜撤退军队，根本不想举行政治会议来和平解决朝鲜问题，在今后一个长时期内，仍企图威胁和侵吞全朝鲜。

讨论印度支那问题，从5月8日开始，延续到7月21日，历时75天。

5月8日是奠边府战役——越南人民抗法战争决定性的最后一战——取得胜利的第二天，形势对越南民主共和国方面有利。但主要由于美国的阻挠，会议进展缓慢，斗争十分艰巨。

从1954年3月底起，美国就向英、法等国鼓吹采取“联合行动”，即：对

日内瓦会议期间，李克农（中）会见越南代表黄文欢（左二）等人

印度支那战争进行“联合干涉”，并向中国提出“联合警告”，如果中国不停止对“越盟”的援助，就要对中国海岸采取海空军行动。由于英国强调任何“联合行动”都必须在日内瓦会议失败后再考虑，法国也有所顾虑和疑惧，美国的“联合行动”计划遇到了障碍。

越南民主共和国取得奠边府大捷后，美国又向法国提出，它愿意在日内瓦会议失败后，但宁可在会议失败前，派兵参加印度支那战争。法国表示，如果日内瓦会议失败，将同意美国的主张。

因此，美国力图阻挠日内瓦会议就印度支那会议达成协议，以便它直接插手印度支那战争。

所以，中国在日内瓦会议讨论印度支那问题的过程中，采取了尽可能争取法国等多数国家，着重反对美国破坏，大力把会议推向前进的做法。

在这75天的会议上，最重要的问题是关于在越南划分集结区的问题。

越南民主共和国和法国一开始就同意在越南停战后，双方军队各集中到协议的集结区，后来又同意越南民主共和国的部队都集中到越南北半部，而法国和南越方面的部队都集中到越南南半部。但南北两集结区之间的界线究竟划在哪里，却是双方争执的焦点。

越南民主共和国原主张分界线划在北纬16度，法国则主张划在北纬18度，分歧很大。

中国代表与法、英代表直接接触，与苏、越代表协调看法，力争在划分集结区问题上达成妥协，从而把战争停下来。

于是，7月20日，越南民主共和国同法国就越南划分集结区问题达成协议，两集结区以北纬17度线南、九号公路北约20公里的六滨河（又名贤良河）

为界。

会议讨论的第二个重要问题，是关于老挝和柬捕寨的停战问题。

越南民主共和国提出：老挝和柬埔寨问题应作为整个印度支那问题的一部分加以考虑，根据同样的原则，印支三国同时停止敌对行动。法国等强调老挝和柬埔寨问题应“单独处理”，停止敌对行动就是要入侵的越南民主共和国的部队撤退，不存在划分双方部队集结区的问题。双方意见僵持了七个多星期。

6月16日，中国折衷了所有有关国家的意见，提出了解决老挝和柬埔寨问题的方案，得到了广泛的赞扬。

以中国方案为基础，与会国6月19日就如何解决老挝和柬埔寨的停战问题达成了一些协议，7月21日签订了老挝和柬埔寨停战协定。

会议还讨论了关于停战的监督与保证和关于印度支那问题的政治解决的问题，都达成了协议。

最后，会议发表了《日内瓦会议最后宣言》，对已达成协议的各项协定和声明，予以确认和支持。

日内瓦会议实现了印度支那停战，这是继朝鲜停战之后，又一次打乱了美国从朝鲜、印度支那和台湾三条战线威胁新中国的战略部署。

新中国作为五强之一参加这次会议，为促成会议成功作了巨大努力，李克农协助首席代表周恩来做了大量工作。

会前，李克农亲自主持一个班子，对会议所要讨论的及代表团可能涉及的政治问题，设想各种情况，分别拟出详细的预案，报送周恩来审定。

会议过程中，代表团根据情况，对预案作必要的修改。进入具体讨论后，除代表团在会上直接了解对方意见外，李克农还组织人员，从会外接触中获取情报，了解对方的意图，摸清对方的底牌。代表团参考、研究这些情况后，在会上不断提出一些具体建议，使讨论具体化，使会议有所进展。

会前，李克农还领导有关人员，就朝鲜问题和印度支那问题拟出29篇发言稿。这些发言稿，虽然没有在会议上都使用，但有些为周恩来发言提供了主要内容；有些为周恩来临时现场发挥提供了重要依据。

会议期间，李克农很注意开展和组织对外接触工作，一方面是为了配合会内的斗争；另一方面是为了扩大新中国的国际影响。

李克农除参加会议外，还与有关代表团进行经常的会外接触，宴请客人，商谈问题。

他常协助朝鲜代表研究朝鲜问题，还协助越南代表与法国代表商谈印支问题。

当时印度未能参加日内瓦会议，印度总理尼赫鲁派他的特使梅农到日内瓦活动，梅农常到中国代表团来，李克农亲自接待，向他通报会议情况。

当时，法国等许多国家的人民团体拜访中国代表团，先后来访的各国人民团体有505个，共3800多人，李克农组织代表团有关人员接待他们，并对联合国秘书处派出的工作人员做工作，都产生了良好的影响。

会议期间，重大问题都由周恩来亲自拟电向中央报告请示，一般的公开情况由随行记者发回新闻。李克农就用自己的名义编写《每日简报》，主要内容是中国代表团对外接触中了解到的重要情况、各代表团及外国舆论对周恩来和中国代表团的反映等，很有特色。《简报》及时电告外交部并抄送中央领导人和有关部门，深受好评。

李克农5月1日电发的《每日简报》第三期，是苏联外长莫洛托夫在4月30日宴请中国总理周恩来和英国外相艾登时的交谈情况。这是中英两国外长第一次直接接触，有重要意义。

《简报》摘录了他们精彩的对话：

艾登：联合王国承认了中华人民共和国，而中华人民共和国不愿承认联合王国。

总理：不是中华人民共和国不承认联合王国，而是联合王国在联合国不承认中华人民共和国。

艾登：不知周恩来先生是否愿意指定一人，由我们的杜威廉先生和他联系。

总理：我们的西欧司司长宦乡就在这里，他过去常和杜威廉先生接触。

艾登：那好极了，我是特意把杜威廉从北京调来的，看来我们是想到一块去了。

艾登（指着桌子上的水果）：什么水果都有，就是没有菠萝。

莫洛托夫：但是中国有，中国是极其富有的国家，艾登先生应该到中国去一次。

总理：欢迎艾登先生到中国访问。

艾登：我非常愿意。我想告诉你，在第一次世界大战时，和我同伍的一个军官叫哈蒙，他在战争中牺牲了。上星期，他的弟弟给我一封信，要我信任周恩来先生的每一句话。他说他熟悉周恩来先生。

莫洛托夫：美国行事特别冲动，英国应该施加影响，你们有共同语言。

艾登：一个剧作家曾说，英国和美国除语言共同外，别无共同之处。

李克农对《简报》精心选编，内容十分生动，材料本身就说明问题，显示政治动向，引起有关方面高度重视。

1954年7月21日日内瓦会议结束后，周恩来应邀访问几个国家。他委托李克农留日内瓦数日，做好代表团的结束工作。

李克农对留下的工作人员作了一次报告，实际上是对日内瓦会议的总结，很精彩。

李克农谈了会议的特点，总结了中国代表团在会议上的斗争方法和策略，接着谈会议的收获。

他说，“日内瓦会议远远超过会议达成协议的范围。通过这次会议，缓和了国际紧张局势，打击了美帝的战争侵略政策，确立了新中国在国际事务中作为五大国之一的不可动摇的地位，扩大了新中国在政治、外交、经济、文化上的国际影响，提高了新中国的国际威望，也使我国和一些国家的关系得到改进”。

李克农最后说，“今后，我们应大力开展对外活动，尽到中国对世界事务应尽的责任。我们已登上国际舞台，就不能下台，相反，应该更好地发挥我们的作用。这不仅是为了尽我们的国际主义义务，而且是直接为了保卫我们的经济建设”。

日内瓦会议结束了，李克农身体也累垮了。双颊塌陷，嘴唇乌青，大口大口地不停喘气，到莫斯科治疗几天后才有所缓和。

周恩来访问东欧几国路过莫斯科时看了他。经研究决定，李克农坐苏联班机到西伯利亚的伊尔库茨克，休息两天，再乘国际列车经中国东北的边境城镇满洲里回北京。

他们一行受到苏联奇怪的冷遇。

李克农等人到达伊尔库茨克后，苏方只有机场旅行社的一个职员来接，领到机场的旅馆住。

他们要打电话给中国驻苏联使馆，该职员竟不让打，还不许他们越过离机场旅馆五米远的栏杆。

李克农的随行人员忍不住了，压住怒火问道，“这是为什么？”

该职员双肩一耸，“这是上级的指示”。

什么上级？

8月的伊尔库茨克，天气闷热。机场上常有飞机起落，嘈杂不堪，难以入睡。伙食是死马肉、红菜汤，不能下咽。李克农在伊尔库茨克不仅得不到休息，还受了两天“洋罪”。

第三天上了火车，车厢拥挤不堪，伙食仍然很差。到了中苏边境车站，火车换轨，要等六个小时，苏方旅行社职员又把他们领到火车站的旅馆，仍不让打电话。

李克农的俄文翻译对苏联边境站站长做了工作，在车站给中国外交部驻满洲里办事处打了电话。办事处立即派车来接。李克农在办事处洗了澡，吃了饭，才缓过气来。

在回北京的列车上，随行人员的满腹牢骚才敢发泄出来。大家议论纷纷：克农同志是我外交部副部长，是我情报部门负责人，中苏双方还在进行合作，苏方竟如此对待我们！

大家只是气愤难平，谁也没有料到，几年后中苏关系便开始恶化。

李克农当时严肃地说，“不要讲了，再讲，你们就是反苏”。

1971年的一天，当有人讲起这一段往事时，周恩来听后颇为惊讶地说，“竟有这样的事，我从未听克农提起过”。

李克农总是处处照顾大局，不愿因此向苏方交涉，影响两党、两国的友好关系。

第四十三章　再次报警

1955年3月初，北京天气晴朗，但仍有一丝寒意；草地、树林，开始呈现绿色，但仍有片片枯叶。北风起处，刮来一阵黄沙。

正在城内办公室里的李克农，心情也不平静。他在阅读、研究刚收到的一份重要情报：盘踞在台湾的蒋介石特务机关，策划在亚非会议期间谋害出席会议的周恩来总理及中国代表团人员，并已分头行动，其行动代号为“I”号。

亚非会议是印度、印度尼西亚、缅甸、巴基斯坦和锡兰（今斯里兰卡）五国于1955年初发起，定于同年4月18日至24日在印尼避暑胜地万隆举行。

这个国际会议非常重要，将有亚非29个国家的代表参加。这些国家从殖民主义压迫下取得独立，它们的政府首脑，在二战后第一次在没有西方殖民国家代表参加的情况下，一起讨论亚非国家自己切身利益的大问题。

中华人民共和国是亚非29国的重要一员，是会议发起国经过争论后才决定邀请的。

中共中央经过研究，决定中国接受邀请，并决定派国务院总理周恩来率代表团出席会议，与其他亚非国家一起，为反对帝国主义、殖民主义，保卫世界和平进行斗争。这将有利于提高新中国的国际地位，粉碎西方帝国主义对新中国的孤立、封锁。

美国政府和盘踞台湾的蒋介石集团，对周恩来出席亚非会议可能产生的巨大影响非常害怕，就指使它们的特务机构策划暗害周恩来的阴谋。

这份情报的来源可靠，情报内容还从其他几个方面得到印证。李克农判断：这份情报是确实、可靠的。

情况十分严峻!

李克农立即将情报的全部内容向周恩来报告，并布置继续跟踪蒋特计划的实施情况。

这是李克农在中国代表出发前提出的第一次重要警报。

周恩来认为必须按原来决定，去参加亚非会议，但应考虑如何去的问题。

周恩来开始时提出由香港坐船从海路去，经研究，认为这样不安全。因为当时来往于香港和印尼之间的船只，只有荷兰的两艘小型商船，单程要走一个星期，如蒋介石特务沿途破坏，实难防范。

后来考虑可能从空路去较好，由香港乘飞机去印尼。

由于当时西方国家对中国实行封锁，代表团没有大型飞机可坐，也没有去印尼的国际航线可用，只能租用外国航空公司的飞机。

外交部派人与印度航空公司商谈，决定租用该公司的“克什米尔公主号”飞机。并商定：4月11日上午，该机作为正常航班飞抵香港，下午再改为中国代表团的包机，飞往雅加达。

在代表团准备行程之际，周恩来接到缅甸总理吴努发来的电报，邀请周总理在去万隆参加会议前，先去缅甸首都仰光休息两天。缅甸方面将派飞机到昆明来接。

经了解，吴努邀请周恩来去仰光，是想在大会召开前夕，请几个主要参加国的政府首脑先碰一下头，研究一下会议有关问题。

周恩来认为吴努的主意很好，有助于把会议开好，就复电吴努，同意先去仰光。

于是，代表团将分两路起程：一路由周恩来总理、陈毅副总理率代表团主要成员，先从北京去昆明，待缅甸所派飞机试航成功后，即去仰光，然后由仰光飞雅加达；另一路，代表团其他成员，按原计划于4月11日从香港乘印度航空公司“克什米尔公主号”飞机飞雅加达。

4月7日晨，李克农又获得一份重要情报，蒋介石特务机关已高价收买了香港启德机场的地勤人员，准备利用“克什米尔公主号”飞机在香港停留和加油、检修之机，将定时炸弹放入飞机油箱里，以暗害周总理和代表团人员。

李克农从情报的来源等方面研究、分析，判断此情报也是确实可靠的。

此情报表明：蒋特已知道代表团要乘印度飞机详情，虽然还不知道周恩来等人另走一路的情况。

11日乘“克什米尔公主号”之行将非常危险！

李克农立即派总参联络部高级干部罗青长向周恩来报告。

这时（7日上午），中国民航的伊尔—14飞机停在北京西苑机场停机坪上，机组人员在做准备，周恩来一行在机场候机室里准备登机，罗青长匆匆赶到，将情报交给了周恩来。

这是李克农在中国代表团出发前提出的第二次重要警报。

周恩来看了这份情报，非常重视，当即指示：请转给在京的有关领导办理。

遗憾的是，有关方面对这样一份重要情报未予充分重视，没有采取有效的防范措施。

但周恩来并没有忘记先行到达香港的代表团其他人员的安全。

9日晚，已到昆明的周恩来打电话给在北京的邓颖超，说他虽不坐“克什米尔公主号”飞机走，但先行到达香港的同志们要坐，务必转告李克农同志，将情况查清后，让外交部通报给英国驻华临时代办杜威廉，请他们务必采取措施，保证中国代表团人员的安全。并要把此情况通报给新华社香港分社和代表团的同志们。

邓颖超立即把周恩来的电话指示转告李克农，李立即派罗青长找了外交部领导，后又找了外交部办公厅主任董越千。

当晚，董将总理的紧急电话指示转告新华社香港分社。

次日上午，外交部派西欧司副司长张越约见英国驻华代办处参赞艾惕思，告他：中国记者11人，将于明天（4月11日）中午由香港搭乘印航“克什米尔公主号”飞机去万隆采访亚非会议；我们获悉国民党特务将对这些人进行阻挠和捣乱，希望英国代办提请香港当局注意，对他们的安全给予关注。艾惕思当即表示，他将尽快将这一情况转告香港当局。

新华社香港分社接到外交部转告的周总理的紧急电话指示后，立即将情况通报香港当局。

他们怕不落实，次日凌晨1时半，又派专人去印航驻香港经理住宅，向他通报了上述情况。

印航经理起初不相信有人会破坏飞机，新华社香港分社人员严正指出，“我们有可靠的情报。希望贵方能引起注意。一旦出了问题，后果不堪设想”。印航经理不得不表示，届时他将派印度工程师对飞机进行检查，他自己要亲自去机场进行监督。

新华社香港分社觉得印航经理态度勉强，于11日上午10时，再次派人去会见印航经理，提请印航务必严加防范，以防“克什米尔公主号”飞机出问题。印航经理保证，“克什米尔公主号”飞机在香港停留时，绝不允许任何非印航人员接近飞机，就连上食品、加油、押运行李，也将全部由公司派人负责。

但是，印航的防范措施仍不够严密，使敌特有了可乘之机。

4月11日上午12时1刻，“克什米尔公主号”飞机由香港起飞。

飞机起飞时天气很好，飞行情况安全正常，与地面一直保持着密切联系。

大约在当地时间下午6时30分左右，飞机飞越北婆罗洲沙捞越附近海面上空时，突然听到一声爆炸声，浓烟随即进入机舱，行李间发出了火警信号。立即打开灭火器，无效。接着机舱浓烟滚滚，附近没有机场，飞机只好迫降。

在落入海面的一瞬间，机身裂成几段，只有三名乘务人员在这一瞬间从间隙中被抛了出来，其他人都随机身沉入海底。

这是中国驻印度大使馆参赞申健在事件后处理善后事宜时了解到的情况。

这些情况是可靠的，申健到新加坡探望了送到医院检查、治疗的三名幸存者，这三位乘务员详细地谈了飞机失事经过。

当时，在北京的李克农、仍在昆明的周恩来，都对“克什米尔公主号”飞机从香港机场起飞后的情况跟踪注意，十分担心。

在11日傍晚，李克农从印度方面得来消息：今日中午从香港载着参加万隆亚非会议的中华人民共和国代表团人员的“克什米尔公主号”飞机，在途中突然失去联络，可能发生了事故。

李克农感到情况不妙，立即打电话向周恩来报告。

周恩来也焦急了。他立即指示，要迅速与有关方面取得联系，查明情况，如飞机确系失事，要敦促有关方面火速进行救援，寻找失事人员。

大约一个小时以后，李克农又从印度方面得到消息：“克什米尔公主号”飞机已无法取得联络，看来发生了严重事件。

李克农立即再向周恩来电话报告：“克什米尔公主号”飞机确已失事。

周恩来和代表团其他成员听到这不幸的消息，十分悲愤。决定继续万隆之行，来回击美、蒋特务暗害中国代表团、破坏亚非会议的阴谋活动。

4月14日晨，周恩来一行从昆明乘飞机去仰光。在仰光停留两天后，乘飞机去万隆，出席4月18日开始的第一届亚非会议。

一些西方国家又公开地对亚非会议抱着轻视乃至于敌视的态度，极力贬低会议的意义，硬说亚非会议“算不得一件有重大意义的事件”，渲染参加国之间的分歧，散布会议不可能达成任何协议的论调。

在会议上，周恩来提出并坚持求同存异的方针，避免与会国走上激烈争论的岔道，推动会议朝着达成协议的方向前进。

在周恩来的推动下，会议通过了关于促进世界和平和合作的宣言，列举了各国和平相处友好合作的十项原则，即后来闻名世界的“万隆十项原则”。

中国代表团还在会外同与会国家的代表团进行了广泛的接触，为新中国进一步开展与亚非各国间的友好合作关系创造了条件。

亚非会议胜利结束了，“克什米尔公主号”飞机爆炸事件还未了结。

周恩来于4月15日在仰光同印度总理尼赫鲁会谈时，就建议由印度政府和中国政府各派一名政府官员，作为他们各自的私人代表，去香港共同调查处理这一事件。

在亚非会议期间，周恩来又在万隆接见了印度情报局副局长尔·纳·高，他是印度调查“克什米尔公主号”飞机事件的代表，商谈和安排了有关调查、处理事宜。

回北京后，周恩来又两次接见英国驻华代办杜威廉，最后确定：印度派尔·纳·高作为尼赫鲁的私人代表，中国派熊向晖作为周恩来的代表，去香港与港英当局共同调查、处理“克什米尔公主号”飞机事件。

经过尖锐的斗争，港英当局才不得不于5月18日晚开始逮捕有嫌疑的台湾特务人员。

经过审讯和调查，终于证实："克什米尔公主号"飞机爆炸事件，是台湾特务机构"保密局"所属的香港情报站策划的，其主使人为周斌成，直接指挥的是金键夫，参与策划的有沈育平，直接执行的是周驹。

周驹原是香港航空工程公司的清洁工。定时炸弹是美国中央情报局提供，并由"四川号"轮船员张祖顺从台湾基隆港秘密运到香港，经"保密局"香港情报站特务转交给周驹的。

周驹将定时炸弹伪装成牙膏带进机场，在打扫卫生时，偷偷进入了"克什米尔公主号"飞机，把炸弹放在飞机的右翼轮舱附近。

当天中午12时15分，飞机飞离启德机场。下午6时30分，在距北婆罗洲沙捞越古晋100海里处上空爆炸。

机上除了领航员帕塔克、工程师卡尼克和副驾驶员狄克西特三人遇救外，所有乘客和其余机组人员全部遇难。

周驹安放定时炸弹得逞后，没有等下工就逃回家中，在家中躲了几天。

在5月18日，即印、中调查人员到达香港的当天，他乘美国人陈纳德的民航班机，逃到了台湾。

由于港英当局的包庇，炸飞机的罪犯没有受到应有的惩罚，但此案终于真相大白，暴露了蒋介石集团在美国指使下的罪恶行径。

美、蒋的阴谋也没有完全得逞，虽然暗害了中国代表团部分人员，但没有能暗害中国代表团团长周恩来，因而没有能破坏亚非会议。

申健在事件发生后去新加坡处理善后事宜时，还访问了从飞机出事地点回来的军舰。

英国军舰在海滩上没有搜到尸体，就派潜水员潜入机舱，结果找到一具尸体。这具尸体被运回新加坡，放在殡仪馆里。申健尽了最大努力，也无法辨认这具血肉模糊的尸体是谁，只有袜子上的皮筋还套在脚踝上。

申健小心地将皮筋取下来，留作纪念，尸体火化了。

申健带着骨灰盒到达万隆，向周恩来汇报了处理过程。

周恩来沉默良久，悲痛地说，"你把骨灰盒留下来吧，我要亲自把他带回北京"。

骨灰放在北京八宝山的公墓里，树了一个高高的纪念碑，碑上刻着周恩来的亲笔题字：“参加亚非会议的死难烈士公墓”。

石碑的背面刻着烈士的姓名和简历。他们是：

中国代表团工作人员石志昂、李肇基、钟步云。

新华社记者沈建图、黄作梅、杜宏、李平、郝风格。

越南民主共和国代表团工作人员王明芳。

波兰统一工人党中央机关报《人民论坛报》记者斯塔列茨。

奥地利共产党中央机关报《人民之声报》记者弗里茨·延森。

石碑上还铭刻着烈士们殉难经过的碑文。碑文最后一句是：

“为和平、独立和自由的事业而光荣牺牲的烈士们永垂不朽！”

文仗如武仗，也会有危险，也会有牺牲。李克农对代表团人员的遇难，十分悲痛。事件发生后，李克农专门为此事向中共中央写了报告，总结经验教训。他提出总结的经验之一，就是如何重视对情报的运用。

第四十四章　潘汉年案

1955年4月，春临北京，天空晴朗，但时有阵阵风沙，迎面吹来。李克农听到上海市委第三书记、副市长潘汉年已因“反革命”罪被逮捕。具体罪状是：潘汉年在抗战期间做情报工作时，与大汉奸汪精卫进行勾结，成为“内奸”[①]。

潘汉年

这好似晴天里发出一声霹雷，震得李克农耳鸣脑晕。他很难相信：为革命出生入死、在情报战线上一起战斗几十年的战友潘汉年，竟是一个“内奸”。

夜深人静，李克农久久不能入睡，他想起潘汉年过去为人民屡建战功，无论如何，是值得信赖的。

解放战争后期，潘汉年负责安

① 1955年4月3日，公安部向最高人民检察院提出请求批准逮捕潘汉年的报告中，给他列的罪行主要有二：1. 抗战时期曾经背着党同汪精卫进行勾结，并长期隐瞒，欺骗了组织。2. 在解放后担任上海市副市长职务时，在饶漱石、杨帆包庇掩护特务分子和反革命分子问题上负有直接责任。

后来1963年1月，最高人民法院对潘汉年的《刑事判决书》中，给他列了三项罪名，其中之一也说他：在“抗日战争期间，秘密投靠了日本特务机关，当了日本特务，并与大汉奸汪精卫进行勾结”。

排李济深、沈钧儒、黄炎培、马寅初、郭沫若、沈雁冰等300多名民主人士，秘密离开香港，平安地转到东北、华北解放区，参加新政治协商会议。仅此一事来说，他如果是“内奸”，会这样干吗？当时国民党特务云集香港，港英当局警戒森严，只要潘汉年透露一点风声，这些民主人士就不得安全了。

李克农还想起过去和潘汉年相处融洽的许多情景。潘汉年给他的印象很深：在白色恐怖下，对革命前途充满信心；解放后，对革命胜利充满喜悦。这样的人会是“叛徒”吗？

1949年5月初，李克农住在北平的弓弦胡同，潘汉年特地来访。潘汉年穿着一套浅灰色中山服，喜气洋洋。

李克农见到战友，也喜出望外：“小开，你穿上中山装，我都快认不出你来了。”

小开是解放前江、浙一带的习惯称呼，意思是小老板或阔少爷。潘汉年在敌占区秘密工作中有小开等许多别名、代号。同志和朋友们、甚至毛泽东也喜叫他小开。

潘汉年高兴地说，“我们胜利了，再也不怕屁股后面有人盯梢，有人暗算了”。

两人握手，哈哈大笑。接着，他们俩像大孩子似的一口气跑到客厅，没等坐下，李克农就叫秘书拿照相机来拍合影。李克农说，“先别坐，我们这些人大难不死，居然在皇帝老爷住的北平见面了，照个相留念”。

这张合影照现在仍在手边，当时两人相遇的欣喜之情，历历在目。这样的人怎会是“反革命”呢？

作为中国人民解放军副总参谋长的李克农，不仅听到中共中央关于潘汉年被捕事的传达，还接到中共中央领导人的指示，要他就情报部档案审查潘汉年的有关历史，供中央专案组分析案情用。

李克农接到中央指示后，对潘案十分重视。在情报部内亲自布置几个人组成一个班子，检查了从1939年3月到1948年8月潘汉年与中社部、中情部的来往电报和有关记录文件，结合潘汉年的案情，进行研究分析。

面对这个复杂的案情和大量的有关情报材料，李克农告诫自己，一方面要摆脱对潘汉年感情的影响，不为潘汉年的重大政治错误辩护；另一方面要客观公正、实事求是，对潘汉年应有全面评价。李克农从各方面反复思考：

潘案是事出有因的。潘汉年确在1943年，在汪伪政权“特工总部”主任李士群的劝说下，擅自会见了头号汉奸汪精卫，这是一个严重的政治错误。

潘汉年秘密会见汪精卫，事前“来不及”请示，事后又不及时向中央汇报，尽管有各种客观理由和特殊环境，也是不妥的。

看来，潘汉年在未经请示就会见汪精卫后，自己也感到事关重大，怕引起中央误解，心中疑虑甚多，才未及时汇报，因各种情况才拖延了十几年。这就造成了更大的政治错误。

潘汉年回到淮南根据地之后，对南京之行的情况，没有向饶漱石、陈毅等领导人如实汇报。在组织原则上是个错误。如果说，潘不谈是怕饶漱石抓小辫子整人，那么可以用电报报告延安中央。潘又担心电报讲不清，就拖延未办。但是如实汇报，顶多再检讨自己事先未请示的错误即可，有什么讲不清呢？而且，及时把汪、潘对话的内容，详报中央，供中央掌握，也是有好处的。

潘想要找一个机会当面向中央领导同志做具体口头说明，那么潘在1945年春到延安，见了毛主席等中央领导人后，为什么还不讲呢？恐仍是犹豫不决，有隐瞒之意或其他误会之因。对潘汉年会见汪精卫事，进行这样的分析，是否要求得太苛刻了？不过，对我党一位高级情报干部，这样严格要求，是应该的。

但问题不在于对潘汉年如何要求，而在于要弄清潘汉年问题的性质。

从情报部查出的大量材料来看，潘汉年在隐蔽战线上是有突出贡献的。

在抗日战争期间，潘汉年确与敌、伪特务系统有接触，如1939年他从延安到上海，主要搜集敌伪方面的情报，使用了关系复杂的人。但这些接触是符合中共中央和中情部（中社部）的指示精神的。因为，太平洋战争爆发前后，中共中央与中情部（中社部）均一再有打入敌伪组织、利用叛徒特务进行情报工作的指示。

李克农面前的材料，还表明潘在当时已把这些接触向中共中央和周恩来报告过。

至于潘汉年接触汪伪大特务头子李士群一事，是潘汉年离开延安之前，中央社会部一些领导人专门研究决定的，后来还特别请示了中共中央和周恩来，并获得批准。

李士群在大革命时期曾加入共产党。1932年被国民党逮捕后叛变，当了中统特务，后又投靠了日本人。1939年汪伪“特工总部”在上海极司菲尔路（现万航渡路）76号成立，汉奸丁默村任总部主任，李士群是助手，后来李士群排挤掉丁默村，自任总部主任，全盘掌握了汪伪特工势力。他的后台是日特头子土肥原贤二和日特“梅机关”头子影佐祯昭。已经当了汉奸的李士群，和国民党的中统没有完全切断联系，又在设法与中共联系，为自己多留一条后路。

1939年秋，李士群通过一个关系向在上海的中共地下组织表示：他愿意和中共方面有一些联系，愿意向中共提供一些情报。

中情部对汉奸特工头子李士群进行了具体分析，认为可以争取为我所用，使他能做一些有益于抗战大局的事。

由于李士群在敌伪中身份较高，关于争取他的问题，中情部专门请示了党中央。后来，潘汉年通过我华南情报局情工人员，与李士群建立了联系。太平洋战争爆发后，上海租界地区已完全被日本人占领，上海形势险恶，潘汉年乃于1942年2月亲自会见李士群，以便进一步做李的工作。后来又会见过。

潘汉年与李士群是相识的，在大革命期间，他们在上海的中共保卫机关一起工作过。

李克农面前的材料还表明，潘汉年关于他与李士群的交往活动都向中情部和党中央正式报告过。

有人说，上海被日本军队占领后，实行法西斯统治，镇压一切反日力量，对共产党人士更是凶狠，许多进步人士遭到逮捕，而潘汉年的中共党员身份已有所暴露，但安然无恙。这说明他是与敌伪有勾结的。

李克农对这种形而上学的推理，甚为反感。因为这种逻辑不是根据具体情况进行具体分析的。在太平洋战争爆发前，上海虽被日本人占领，但还有一部分地区属于英、美、法等国的租界范围，相对独立，日军不能直接控制。各方情报人员都利用这些“孤岛”进行活动。从1939年秋起，直到1941年12月太平洋战争爆发止，潘汉年经常在上海（有时到香港），组织指挥华南敌后地区的情报工作，也是利用租界区“孤岛”的有利条件，再加上他的机智，所以未遭逮捕。

李克农面前还有潘汉年于抗日战争期间在上海、香港时，发来关于日、伪的许多重要情报，触及了敌人的核心机密，为抗战立了大功。

如1940年和1941年，潘汉年向延安中社部发来了日本寻求与国民党谈和途径，进行诱降活动的情报，又连续发来了日本、英国、美国的高级官员和外交使节商谈和平方案的情报，揭露了“日美妥协，牺牲中国，造成反共、反苏局面的东方慕尼黑的新阴谋”。

又如1941年6月13日，香港潘汉年系统向延安报告：“苏德战争一触即发”（延安于6月20日收到），证实了6月22日战争爆发前中社部从阎宝航（中共党员）处得到的德军将要在6月21日进攻苏联的情报。阎的情报使苏联红军在德军进攻前即进入战备。

在德国进攻苏联之后，潘汉年继续向中情部及时报告日美谈判进展情况和日本将先南进的战略意图。

1943年，潘汉年向中情部报告：德军围攻斯大林格勒失败后，败局已定；日军处境被动，只防备苏军攻日。此情报解除了苏联担心东、西两面作战之忧。

在抗日战争期间，潘汉年还及时提供了日特和伪军情况的许多情报，有力地配合了华中根据地反日、伪军“扫荡”的斗争。

解放战争期间，潘汉年向延安中情部提供了关于蒋军部署和蒋特活动的许多重要情报，配合了解放战争。

李克农对面前这许多重要电报，颇为熟悉。中情部曾根据不同时期的形势和中共中央的指示，向潘汉年发出情报要求，潘汉年总是积极地完成任务，供中共中央决策参考，受到中共中央的多次表扬。这样的人，怎会是“内奸”呢？

李克农认为毛泽东在1944年6月8日审批的《关于审查情报工作人员问题的指示》十分正确，应当用这个文件精神，结合面前的大量材料，对照分析潘汉年案件。

文件指出情报工作和情报人员的任务，就是要接近敌人并打入其内部活动，其社会关系、工作环境、接触的人物必然是复杂的，现在审查时不应以此作为怀疑的根据，更不应作为罪行的根据。

文件指出审查情报干部的主要方法是：从他的工作上证明是否忠诚，考查他的工作是否有利于党，不利于敌，考查他的情报是否报道了敌人的机密，等等。

潘汉年在情报战线上长期工作有突出成绩，就可证明他对党是忠诚的。他的大量情报报道了日、伪和国民党的机密，为我国抗日战争、国际反法西斯战争和解放战争都作出了重要贡献，明显地“有利于党、不利于敌”。

面对这些事实，怎么能肯定潘汉年是“内奸”呢？

不过，李克农知道逮捕审查潘汉年是毛泽东作出的决定，由公安部部长罗瑞卿直接承办的，非同小可。

看来，毛泽东在1955年4月2日，听了陈毅关于潘汉年在前一天所交代的会见汪精卫一事后，很生气。

约在1944年，中共华中局书记饶漱石，根据敌占区一些传闻，就给延安中央写过报告，指控潘汉年在敌占区工作有“违反纪律”的问题，还说潘在根据地有“自由主义”“小广播”的错误，想整一整潘汉年。

毛泽东当时看了饶漱石的告状材料后，根本不相信。1945年2月见潘汉年时，还对潘表示信任。

毛泽东还在当月23日，批发了中央向华中局发去的一份电报，明确指出，“敌伪及国民党各特务机关说潘汉年到南京与日方谈判并见过汪精卫等等，完全是造谣污蔑”。

谁知，现在（1955年）潘汉年自己交代了，原来真有其事。毛泽东怀疑，“你潘汉年这一件大事瞒着我，是否还有第二件、第三件也瞒着我呢？”

“高饶事件”也在不久前发生，1955年3月，中共召开了全国代表会议，清算了高岗、饶漱石1953年企图分裂党、篡夺党和国家最高权力的罪行。而高岗的阴谋活动曾得到苏联的支持，苏联企图插手中共和中国的内部事务。毛泽东很恼火，加深了“阶级斗争观念”，认为党内有的高级干部也不可信。党内的政治气氛比较紧张。

在这样的政治气氛和思想状况下，毛泽东对潘汉年的政治错误，看得过重，没有谅解，立即指示：“此人从此不可信用。”并决定立即把潘汉年抓起

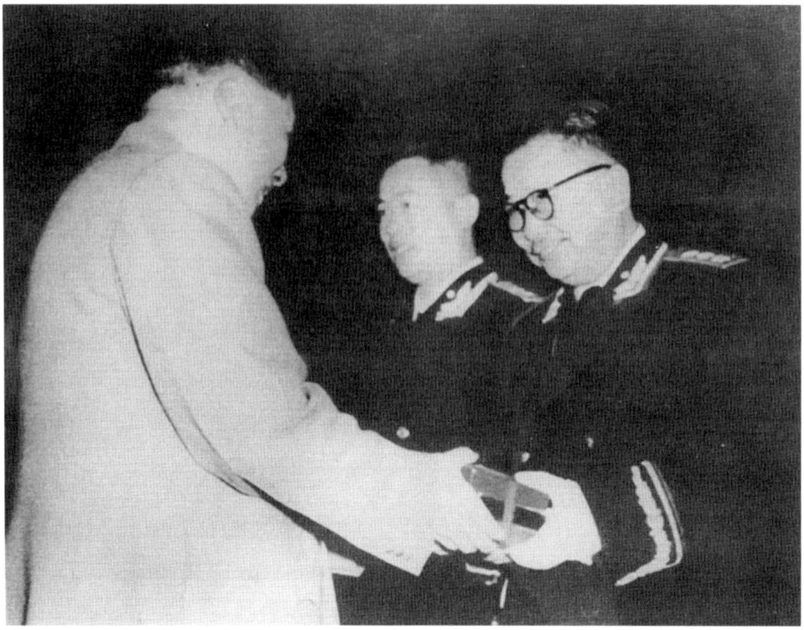

1955年9月27日，毛泽东在怀仁堂向李克农授勋

来，当反革命分子进行审查。

潘案是新中国成立以后发生的第一起重大冤案。一大批人因潘案受到株连，有的被捕，有的在原工作单位接受审查。

在情报战线上和潘汉年共事的人不少，气氛很紧张。而李克农和潘汉年长期共事，关系非常密切，因此处境不佳。

潘案要审查的中心问题发生在潘的情报工作中，作为情报部门主管的李克农，应当最有发言权，但中央审查潘汉年的班子里没有他。是否因李克农和潘汉年的关系密切有令人不放心之处呢？还是因潘汉年案件就出在情报系统，让李克农避嫌呢？

李克农对这些不能不有所思考，也有一定的精神压力。

关于审查潘汉年有关历史的报告，应如何写呢？见风转舵、落井下石的卑鄙勾当，李克农当然不会干。模棱两可、含糊其辞、以求自保的办法也不行。为了对党负责，为了对革命负责，为了对潘汉年本人负责，李克农决定必须向中央反映真情。

李克农也考虑，在潘案发生的政治背景和紧张气氛下，这份向中央的报告，既要明确地说明问题，也要注意方式。

为此，报告的第一部分，写了发现潘汉年的七个疑点，潘汉年历史有可疑之处，建议中央进一步审查。这样写是表明李是同意对潘进行认真审查的。

但提出的疑点，有些并非要害。如提出：1944年冬，晋察冀根据地派出的交通员到约定的北平一家旅馆，与潘汉年联系，以便带领潘经由晋察冀根据地转赴延安，但几次未找到，中间有数月，潘哪里去了？

报告的第二部分，李克农根据中情部档案中整理出来的关于潘汉年的大量材料，明确地提出五点反证，证明潘汉年不是“内奸”。

这五点是针对指控潘汉年“反革命罪行”写的：

1.“太平洋战争爆发前后，中央、中情部均有打入敌伪组织利用叛徒特务进行情报工作的指示”（因之，潘与敌伪特务系统的接触，是根据中共中央的指示，不应成为罪行，而且潘的这些接触都向中央报告过）。

2.“潘利用某些人开展敌伪方面的情报工作是有正式报告的”（这是指潘接触汪伪特务头子李士群事，不应成为罪行）。

3.“太平洋战争前，敌对上海租界控制不严，有空隙可以利用，潘的面目有所暴露，但仍有存在条件”（潘在上海一直未被捕，成为潘与敌特有勾结的罪证。所以这点做了相反的解释）。

4.“太平洋战争前，潘向中央报告的关于日特、伪军及日美谈判和苏德战争等情报是有价值的”（充分肯定了潘在沪、港为中共进行情报活动的重大功绩，因此说明潘不是“内奸”）。

5.“潘汉年系统重要情报人员提供的情报很有价值。”

这份报告写好后，立即送中共中央秘书长邓小平转送中央政治局委员们和中共中央书记处书记。

他们都圈阅了。

李克农给中央写报告后的一两个月里，潘案的阴影仍在中共情报系统的上空游荡，有人甚至暗指中央情报部门的头头都是“内奸”。李克农承受着巨大压力，情报部的同志们承受着巨大压力！

不久，周恩来在几个部的领导人会议上说：情报系统出了潘汉年的事，要保护安慰大多数同志。周恩来还说：要说和潘汉年的关系，我和他交往的历史最长，关系最深，我都不紧张，你们紧张干什么？

周恩来这番话是为李克农减轻压力，也是为情报部的同志们减轻压力。

1955年7月29日，李克农第二次向中共中央写报告，继续为潘汉年辩护。报告的方式和第一次报告相似，总的是汇报情报部审查潘案的情况。在提出一些疑点以后，又写道：

“从1946年到1949年，从潘汉年在上海、香港两地的情报组织的来往电报及从1949年缴获的蒋特档案看，这一时期潘汉年所属上海、香港两地的情报组织，报告了蒋匪当时的军事调动、建军、向解放区派遣特务、蒋特电讯侦察情况、蒋美关系、蒋宋密谋拉拢民主党派人物动向等情况，现在尚未查出可疑材料。”

可惜，李克农两份报告的这些反证材料，当时都未被采纳。

1957年秋，潘汉年的案情审理基本结束，等待定性。

1962年5月30日，毛泽东肯定公安部对潘汉年案件的处理报告，并批示：潘汉年是一个暗藏在党内很久的内奸分子，他的罪行极为严重，论罪是该杀的；但是，由于他是从内部查出来的，因此给予宽大处理。

1963年1月9日，最高人民法院正式开庭审理潘汉年一案，“判决被告人潘汉年有期徒刑十五年”，后即假释。

“文化大革命”期间，极左的思潮发展到顶峰。中央文革小组指责经办潘汉年案的主要负责人罗瑞卿、徐子荣“包庇”了潘汉年，并下令将潘汉年重新收监复查。

“文化大革命”前，潘汉年在监狱中，还受到优待。“文化大革命”中，潘汉年在监狱中的待遇，十分恶劣，还带病受到不停的审讯，遭受更大的灾难。

1970年7月，专案组向中央文革小组报告，“建议将潘汉年永远开除党籍，判处无期徒刑”。

1975年5月，潘汉年被遣送到湖南茶陵县洣江茶场安置，作为“特殊犯人”接受管制。

1977年4月14日，潘汉年在经受了22年冤狱折磨之后，重病缠身，十分衰弱，在长沙医院逝世。

中共十一届三中全会后，党内有些人对潘案表示疑问，要求重新复查。

1981年初，中央纪委书记陈云积极支持，并表示：我有生之年要办的一件事就是要重新审查潘汉年案件。

陈云还说：我不相信他是个特务，假如他是特务，我们党的许多地下组织早就暴露了。

陈云为此专门写信给中央总书记胡耀邦，要求重审潘案。

胡耀邦批示同意。

1981年3月，中纪委开始对此案进行复查。

中共中央调查部将李克农当年写的关于潘案的详细报告送给中纪委。报告中提出的关于潘汉年的五点反证材料，成为潘案再次复查和平反的有力线索和主要证据。

中纪委复查的结果表示，原来认定潘汉年是"内奸"的结论根本不能成立。

1982年8月23日，中共中央根据中纪委的复查结果，正式发出了《关于为潘汉年同志平反昭雪、恢复名誉的通知》。

沉冤27年的潘汉年错案，终于得到了纠正。

这主要归功于中共十一届三中全会所确立的实事求是的思想路线。

而李克农在27年前对潘汉年案所提供的反证材料使平反潘案有所依据，功也不可灭。

中纪委有关负责人在这次复查潘案时，仔细、认真阅读了李克农这份报告，颇为感动地说，"在当时的历史条件下，克农同志写出这样客观的报告是很不容易的"。

这样的报告是李克农冒着极大的风险写成的，表现了李克农有胆有识的负责精神。

第四十五章　保护干部

李克农对情报干部特别爱护，许多人都有亲身感受。

对沙韬事件的处理，就反映了他坚持原则、保护干部的高尚品德。

1948年，康生任中共中央山东分局书记时，亲自用毛笔写信给李克农，要中社部给他选个既能做秘书工作、又能做机要和保卫工作的秘书，来接替秘书凌云。

李克农对此很重视，指示中社部干部部门好好挑选。从初步挑出的几个人对比，最后选中沙韬。因为他为人忠厚谦和，又有文字能力，适合做秘书工作，不然怕康生不满意。

李克农对康生的为人心中有数，知道康生的秘书不好当，就专门找沙韬谈话，嘱咐他，“你一定要把康生同志照顾好。这是交给你的政治任务”。

沙韬是陕西人，1938年参加革命，瘦长个儿，但精神饱满，是一个豪爽、朴实的青年。他任康生的秘书后，生怕工作做不好，总是诚惶诚恐，经常告诫自己要好好为首长服务。

康生有个习惯，喜欢躺在床上抽烟。有时不小心把被子都给烧着了。为此，沙韬曾提醒过他。后来，沙韬在每晚临睡前都要去看看，烟灰会不会落在被子上，也帮他灭过燃烧着的烟头。这完全出于对首长的关心、爱护，却被康生看做是别有用心的监视。

1949年的一天，沙韬误拆康生夫人曹轶欧的来信，增加了康生对他的怀疑。那时，沙韬到山东不久，康生在山东益都县闵家庄办公，曹轶欧在沂水县工作，两人常有书信往来。沙韬不认识曹轶欧的笔迹，把曹的来信当一般信件拆开了。他一看落款，知道坏了事，信没有看，马上拿到康生那里认错。康生接过撕开封口的信，一言未发，但拉长了脸，很难看。从此，康生写给曹轶欧的信，都交给沙韬封口寄发。这显然是康生对沙韬的无言警告：你要偷看吗，就让你公开地看！沙韬左右为难，有苦说不出。

更严重的是，康生在山东那一段的工作做得不好，很不顺心。总猜测有人向中央打小报告，就怀疑到沙韬头上。沙韬在“文化大革命”中被抓起来，康生派人反复审问：“你向谁反映了康生同志的情况？”

1950年，康生进北京回到中央工作，把沙韬送回情报部，说他有政治问题，要李克农审查处理。

李克农很难办，明知沙韬没有政治问题，怎好“处理”呢？于是就让沙韬到人民大学去学习，回来后安排在总参联络部三局工作。

后来，康生知道了非常生气，认为是李克农包庇“坏人”，并通过别人向联络部表示他很有意见。

康生说：“我说沙韬不是好人，是特务，有政治问题，你们为什么不解决沙韬的问题？我已告诉了李克农，为什么不解决？”

康生曾下令，对沙韬一是不能重用，二是不能在重要部门工作，三是不能在中央机关工作。这时又明确对李克农的处理表示不满，施加压力，李克农不能顶着不办。

但又不能照办，因为李克农明知沙韬是含冤负屈的。李克农就想了个办法，给沙韬改名张韬，调到边远的甘肃地区去工作。真是照康生的指示办了，但没有把康生的“三不”指示转过去。

康生这个人惯于搞阴谋诡计，对他敷衍马虎也不行。

1954年2月“高饶反党联盟”事件出来以后，康生又提出要审查沙韬，说沙韬是华东局书记饶漱石派去监视他的。

康生是中共中央政治局委员，又是中央社会部时的老部长，李克农对他一直是尊重的，而沙韬只是一般干部。李克农面临两种抉择：一是为迁就康生而牺牲沙韬，一是为保护干部宁可得罪康生。他毅然采取了后者，坚持原则性立场，主持正义，保护干部。

1954年，李克农要联络部主管干部的副部长毛诚，指示干部局对沙韬再进行审查。审查结果表明沙韬还是没有政治问题。

结论写出后，李克农找中共中央办公厅主任杨尚昆、公安部部长罗瑞卿、中央组织部部长安子文、总参联络部的领导邹大鹏、刘少文、毛诚、罗青长等人一起商议处理。他们认为这个结论是实事求是的，都表示同意。便报中共中央核批。

中央领导人刘少奇在结论上加了很长的批语，大意说：当时康生在病中神志不清，所提不足信。

批件送邹大鹏、刘少文、毛诚圈阅后，交王珺执笔抄存在干部局，原件退回中央。

李克农还把与几个部门负责人一起讨论沙韬这件事，郑重地记在日记里，表示他甘愿为此事承担历史责任。

李克农还幽默地在日记里记一笔：事后在全聚德吃烤鸭。

“文化大革命”开始时，李克农逝世近五年了，康生对他生前敢于“顶牛”还是衔恨不已，死后也要鞭尸三百。

1967年1月，康生向毛泽东诬告李克农、罗瑞卿、安子文等人要害他。毛泽东不信，对康生说：李克农、钱壮飞等同志打入国民党徐恩曾那里是立了大功的；没有他们，当时在上海的党中央的许多人，包括周恩来这些同志就都不在了；这些历史，青年人不知道，你要负责告诉他们。

5月，康生获得刘少奇关于沙韬审查结论批语的抄件（中调部干部局造反派提供的），看后气得暴跳如雷，于8月31日在人民大会堂“召见”曾参加讨论沙韬结论的几个人。他一方面不敢“贪污最高指示”，不得不向到场的人传达毛泽东的原话，另一方面破口大骂李克农搞阴谋，大骂与此事有关的人，整整骂了六个钟头，想用“逼、供、信”的办法追查出一个李克农要陷害康生的阴谋来。但到场的人顶住了这位真正阴谋家的压力，不理他那一套。

后来，成立以曹轶欧为组长的专案组查出了李克农的日记，康生看到李克农记载的讨论沙韬问题的一段话，气急败坏，反说李克农“他们得意忘形了，已经完成一桩肮脏的政治交易”。

他大肆诬蔑调查部有一个与“刘（少奇）、邓（小平）、罗（瑞卿）、杨（尚昆）”相勾结的反革命集团，牵连到很多人。幸被周恩来发觉、制止。

沙韬本人没有逃出康生的魔掌。康生知道沙韬隐姓埋名在甘肃工作后，也十分恼火。1967年8月11日，他在人民大会堂接见甘肃造反派时说：沙韬是罗瑞卿线上的人，是派进来的。

12日早上，甘肃大学的学生造反派就贴出“打倒大特务沙韬”的大标语，当时沙韬是甘肃省委组织部副部长。

17日，沙韬就被关了起来，到1975年保外就医，后来又关进兰州公安局看守所。一直到康生死后三年——1979年，沙韬才获平反，调回北京工作。

如今，他离休，在家中安度晚年，对老部长李克农不顾个人得失、对党负责、对干部负责的高尚品质，满怀敬佩和感激之情。

李克农对情报战线上一次重大事件的处理，也反映了他对情报组织极为关心、对情报干部特别爱护的一贯作风。

1947年九十月间，正当人民解放军进入反攻的重要时刻，发生了中情部直属的情报组织西安王石坚情报系统被国民党特务破坏的重大事件。

9月23日，国民党特务首先破坏了王石坚系统在北平的情报组织，继而陆续牵连到西安、兰州、沈阳、承德的情报组织，涉及华北、东北和西北地区，先后被捕的情报人员数十人，损失极为严重。

李克农对这些情报人员的被捕和牺牲，十分痛心。许多重要情报人员如谢士炎、朱建国、丁行之、石淳、赵良璋等，是他在北平“军调处”工作期间安置、发展的。他们被捕后，受到国民党特务各种刑具的摧残，但坚贞不屈，同敌人进行了面对面的斗争。接着被国民党特务押解到南京，蒋介石亲手下令将他们杀害。

那一天，谢士炎、朱建国、丁行之、石淳、赵良璋都喝了点看守拿来的酒，知道就要被处死了，但都神态自若。

谢士炎写好遗书后，对副典狱长说，“你们今天要枪毙我们，没关系。但是，我要告诉你，国民党一定要垮台的”。副典狱长赶紧说，“好了，好了，今天不必谈这些了”。

他们五人被反铐两手，在监狱门口照相、验明正身后，走向刑场。

路上，谢士炎大喊说，“你们国民党就这样随便杀人吗？”他又领头高呼口号：

“共产党万岁！”

“毛主席万岁！”

“打倒蒋介石！”

到了刑场，行刑的人大喊“跪下！”赵良璋高喊，“我们不跪，我们凭什么跪！”他们五人都直挺挺地站着，谁也没有跪下。

行刑者怕出事情，赶快挥令开枪。

五位烈士壮烈牺牲了，表现了中共情报人员视死如归的革命精神和英雄气概。

这时，李克农率领中情部机关人员住在晋西北临县的一个偏僻山村刘王沟，知道这一严重事件后，十分痛苦和焦虑，一连十几天，饭吃不下，觉睡不着，心脏也不好了，两只眼睛肿得像桃子，嗓子哑了，几乎说不出话来，像大病一场。

事件发生后，从东北、华北和西北地区逃回根据地的其他情报工作人员，他一一听取了他们汇报情况，并慰勉有加，关怀备至。

这一严重事件发生后，李克农立即向中央报告情况，同时进行检查，研究对策，采取了一系列措施，从中吸取教训。事后，他组织人员作了许多调查，寻找另一些情报工作人员的下落，弄清组织破坏的原因和经过。

后来，查到国民党特务头子唐纵写给蒋介石关于破获此案的详细报告，并提审了参与经手此案的国民党特务组织“军统”北平站站长马汉三的秘书张西屏和特务孔觉民，才弄清楚，是“军统”使用美国给他们的技术先进的测向仪，从空中发现中共北平地下电台，再利用一个飞贼段云鹏配合进行挨户侦察，通过破坏电台，波及整个组织。

在这次事件的检查中，李克农并不强调客观因素，着重从他的指导思想上检查领导工作中的错误和缺点。

当时，中共中央已撤离延安，要北平密台提供大量情况，不仅要它提供机密情报，还要它提供公开情况，如社会舆论等。所以，北平台发报量很大，每天发报四小时以上，有时长达六七个小时，在敌人侦测时，容易发现。

由于北平电台被敌人侦测发现，北平情报组织被破坏。又由于王石坚情报系统极为庞大，遍布东北、华北、西北，通报的电台有六七部。这些据点又未即时切断横的联系，致使敌人在破坏北平组织后，能够进而追踪这三大地区的情报组织。

为此，李克农深感内疚。他沉痛地检查说：秘密工作虽难免遭受破坏，但如没有这些缺点和错误，即使部分组织发生问题，亦不致牵连如此之广，破坏如此之大。李克农在1947年11月23日向中央写出检查报告，并请求处分。

周恩来看了报告后，对他说，“有这样检查总结和善后措施，很好，就照这样办。我们进行武装斗争还有打败仗的时候，何况是秘密战线呢！”

周恩来还说，“反正我们把胡宗南斗垮了。有此检讨即可，不必议处”。以此来慰勉李克农。

周恩来也指示他要很好吸取这次事件的教训，做好情报工作，为解放战争作出更大的贡献。

李克农加紧实施善后措施，指示各地要接受“王石坚事件”的教训，割断横的关系，割断和地方（共产）党的关系；密台要采取措施，防止敌人测向的破坏；要特别注意情报组织和人员的安全。

由于王石坚系统被敌人破坏，打入西安胡宗南部的陈忠经、熊向晖和申健的身份已经暴露。他们三人组成一情报小组，陈忠经是组长。这三人曾深得胡宗南信任，派往美国留学，现在仍在美国学习，并不知道西安王石坚系统被破坏事（王石坚也已被捕），如突然回国，处境会很危险。

李克农很焦急，立即辗转通知在美国留学的陈忠经三人，目前千万不要回国，以免遭受暗害。他们三人在美国都及时接到了通知，按组织的意见办理，全国解放后安全返国。

全国解放后，“王石坚案”被捕人员大部分返回情报部。李克农对他们组织了学习，安排了工作，还亲自参加了他们的会议，总结经验教训。

第四十六章　上海之行

李克农在长期繁重和复杂的工作中，积劳成疾。自1943年起，即有间发性心前区疼痛症状，每年发作一两次。后来经常发作，有时晕倒、昏迷。但他以革命的乐观主义精神和坚强的革命毅力，忍受着病痛的折磨，顽强地坚持工作和学习。

李克农咳嗽气喘越来越厉害，日夜难安，但他仍每天伏案工作到午夜。长期过度疲劳，他的身体终于顶不住了。

1957年10月25日，早上，天高气爽，他住在北京地安门内大街米粮库胡同的一个四合院里，散步后回到屋里，感到胸闷，便吃了两片药。上午还坚持到北海公园参观了电力展览。午餐后，他自感头昏，便想出去透透空气，刚迈出门槛，便觉得天旋地转，支持不住，一只手抓住走廊的圆柱子，顿觉浑身无力，一头摔在地上，失去了知觉。

他的后脑勺磕在台阶上，一缕鲜血从脑后流下来，染红了衣领，满头大汗，面色灰白，双眼紧闭。

家属和工作人员很震惊不安，有人轻轻地将他从台阶下移到办公室的地板上躺着。两位工作人员扶着他的后背，妻子赵瑛在他身边用毛巾给他擦汗，等待医生的到来。

40分钟后医生来了，这时已是下午1时10分。医生检查了一下，初步诊断为脑震荡溢血。于是把他轻轻抬上救护车，送到北京医院。

李克农的病情立刻报告到毛泽东、周恩来那里。周恩来指示医院全力抢救，亲自过问医疗方案。

李克农摔跤后三分之二的脑血管都被破坏了，发着高烧，病情十分严重。

周身围着冰块来强迫降温，保持体温在35℃以下，以减少脑子的消耗。一连6天，仍昏迷不醒。医生难以确定医疗方案。

组织上和家属感到不祥，在准备后事。

周恩来心有不甘，他召集医生、家属开会，说：治病就是打仗，有决心比没有决心强，现在只能死马当做活马医，你们大胆治疗，出了事我负责。

有了周恩来这番话，医疗方案确定下来了。由天津一位外科大夫赵已诚主持治疗，效果良好。昏迷后的第八天，李克农起死回生，奇迹般地苏醒了。但是，他大脑受损，几乎丧失了记忆。中央决定他停止工作去疗养。

他用坚强的毅力，向这种残疾挑战。为了恢复大脑功能，他每天记生活日记，起居生活琐事，如会客、治疗、看电影、洗澡、喝水等都记得清清楚楚。他也练习书写，过去扔下的毛笔字，这次又捡起来了。

大脑功能逐渐恢复后，他坚持每天看些最重要的文件。

这期间，李克农仍然很乐观。

1958年，他在广东从化疗养时，见到1937年在南京被营救出来的“政治犯”陈农菲，十分高兴地说，“我们又见着了。我们都害过一场几乎不能见面的大病，幸而我们都好了。大约马克思认为我们工作做得太少，还要我们继续

1960年，周恩来、邓颖超看望李克农（童小鹏摄）

活动一些年月，因而要我们都滚回来了”。说到这里，他哈哈大笑起来。

他继续说，“一个人活一辈子，最后去见马克思，没有几件事情好交代，便自行‘总结’，那未免太惭愧了”。

他实际上在考虑，如何争取在有生之年，能为搜集20世纪20年代至30年代上海中共中央特科情报史资料做些工作，以便总结这一阶段的经验教训，供后人参考。

后来，他体力渐渐恢复了，这种念头愈加强烈。

1961年7月20日，他终于提笔给中共中央总书记邓小平和中共中央办公厅主任杨尚昆写了一封信，提出这个要求。

信的全文如下：

尚昆同志并小平同志：

我因病休养已近四年，最近医生已同意我可以逐步进入工作。现将我拟做的工作，特报告如下，请你和安子文部长、罗瑞卿总长二同志商决批准。（一）拟将党中央特别委员会（特科）斗争历史，尽可能加以搜集，汇编成册，以利于中组部和军委参考，同时也可以使过去在斗争中的无名英雄死有所安，老有所归，幼有所寄，鳏寡孤独，各得其所。这事是很不简单的，需要时间，估计要一年左右，始能初步办到。（二）工作方法：先收集，后集中再分类编写。打算去上海、南京、武汉、重庆、南昌、合肥、北京……等，借地方组织协助，比较易行。如同意待我行动时再报告批准。（三）先在中调部抽调陈养山、潘芳二同志随行，另在总参二部和三部各调一名不脱离职位的干部（秀才），担任编写、访问、档案等工作，此事如能由中组部、公安部再调一二名干部（知道过去地下斗争历史的），更所欢迎。（四）这一组织不超过十人。我正式工作时间，暂定一九六一年八月十五日开始。

以上各项请审阅批示。专此。

致

布礼

李克农

一九六一年七月二十日

于北京米粮库

1961年7月25日，杨尚昆答复李克农说，“你的来信已经恩来、彭真、小平同志阅过，大家都表示同意你的意见，照此执行”。

1961年8月28日，李克农、陈养山、潘芳、孙遂等一行人，从北京乘火车赴上海，开始了上海之行。

他们来到上海，住在岳阳路145号当年孔祥熙（旧中国的四大家族之一）的一座别墅里。

第二天，他们就制订了工作计划。主要是寻找在特科工作过的一些人，先要了解哪些人还在；还要搜集大批文字资料，先要搞清楚到哪里搜集。

虽然是一次短期的搜集史料工作，但李克农极为认真。他自己带头，甚至白天上下班时也像在办公室一样准时。他还不准在工作时间办私事。

他这时身体虚弱，有时走路还拄着拐杖。中共上海市委很关心他的健康状况，要派一名医生来，他婉拒了。

在9月间，他们抓紧工作。采访了与中央特科有关的人物，走访了当年地下活动的旧址，寻查了有关案件的疑点。

陈养山和潘芳翻阅了上海市公安局的档案。他们从一些叛徒档案中，发现1932年以后共产党组织被破坏的情况，向李克农汇报。李很重视，要他们搜集这方面资料，搞清楚破坏情况，以吸取教训。

他们在上海收集了不少珍贵资料，回北京后写成了八万多字的有关中央特科的材料。

李克农十分关心两起老情报工作干部的冤案：徐强、李云夫妇以及吴成方的问题。

徐强，1901年生于浙江武义县一个贫农家庭。后到日本，一面工作，一面求学，接受了进步思想。回国后，于1926年在家乡农民中间开展革命斗争。1927年1月参加中国共产党，在家乡发动农民武装暴动。1931年，徐强在上海被调到中央保卫部门——中央特科工作。他在中央特科工作期间，在保卫和情报工作方面，建立了许多功勋。

如1932年，徐强被派往河南，历尽艰险和曲折，获得了国民党对江西根据地的第四次“围剿”计划和国民党河南省的全套军用地图等重要情报和军用密码，受到了中共中央的口头表扬。

在抗日战争爆发前后一个时期，徐强在上海通过日本朋友关系，收集了关于日本侵略中国的御前会议记录、日本大本营决议、对华作战计划、进攻方向及各战场兵力部署等重要情报，及时上报，受到了中共中央的高度重视和赞扬。

徐强还曾通过内线人员，了解到上海国民党特务机关的一些行动消息，向共产党地下工作者发出警报，及时通知他们转移，使不少同志幸免于难。

1938年下半年，中共中央通知由刘晓、刘少文、徐强三人组成上海工作领导小组，并由徐强担任组长。

就在这时，有人诬告徐强是日本特务。1939年1月，中央社会部部长康生将他从上海调到延安，在无任何证据的情况下，以“特嫌”罪名把他关进监狱。徐强的夫人李云后来从上海到延安，也被关进监狱。

李云也是老共产党员，她曾任中共地下党与宋庆龄之间的联络员，工作出色。他们夫妇，在日本投降后才被释放。解放后徐强夫妇在上海工作，仍然不明不白，没做过平反结论。这次，李克农在上海见了徐强，听取了他对平反结论的意见。回北京后，找了凌云、陈养山和罗青长、王涛江、王珺，一起研究徐强的结论问题，并作了批示。1961年11月，中央调查部作出撤销中央社会部对徐强审查结论的决定。李云的问题，也得到了解决。

吴成方，1902年生于北平附近的一个中农家庭。上中学堂时对自然科学感兴趣，离校后就到北平的一个观象台做气象工作。不久，他参加革命活动，并于1926年加入中国共产党。吴成方1927年在北平搞工人运动时被捕，1928年获释。接着任中共北平市委委员，后在河北省搞军事运动。

1931年六七月间，陈赓在中央特科工作。顾顺章叛变后，陈离开上海来到北平、天津活动，在天津找到吴成方，让他参加中央特科工作。吴成方接受任务后，从天津来到北平。一直到1933年，他进行了四个方面的活动：1.特殊政治活动。2.特殊军事活动。3.情报。4.反特、保卫组织。

在这期间，他参与组织察哈尔民众抗日同盟军，并作出了显著成绩。

在1933年底、1934年初，吴成方调到上海任中央特科警卫部部长。

1934年4月，他在法租界被捕，11月从上海法租界巡捕房转到上海的国民党法院，1934年底解到南京宪兵司令部。

他在法租界的住处碰巧插在共青团中央机关中间，共青团中央机关被破坏，他受牵连一起被捕，他在中央特科工作的身份未暴露，以共产党“嫌疑犯”被判徒刑。

他在1937年全国抗战爆发后被释放。但比中共中央保出来的那一批早几天。

吴成方出狱后，到上海八路军办事处工作，经过审查后，由他负责审查其他出狱人员工作。后来，他还做军事工作，也搞情报工作。1939年夏，吴成方接替刘少文负责上海情报工作。

1955年，潘汉年案件发生后，吴成方在上海被隔离审查。“知情人”诬告他是叛徒，是反省院出来的，还诬告他是混进共产党内的，“组织问题仍未解决”。这样，吴成方问题十分复杂，长期受审查，难以搞清楚。

李克农这次到上海，对吴成方问题十分关心，回北京后，找了中调部和有关部门领导人刘少文、罗青长、王珺专门研究，并批示复查。

吴成方问题因种种原因又拖了一段时间，但后来终于得到解决。李克农早些时候的关怀和批示对问题的解决起了积极作用。

李克农对中央特科的重要关系也是很关心的。董健吾就是其中重要的一位。此人，本书前面提到过。

董曾在上海圣约翰大学神学系学习。1928年加入中共。20世纪30年代，在上海与中央特科有联系。为了掩护，在上海一个教堂当牧师。他英文很好，曾在冯玉祥部队里当军官，和宋庆龄、孔祥熙、张学良关系也很好。

1936年初，国民党有与中共谈判的意向，找到宋庆龄。宋庆龄为此委托董带宋子文的信到陕北瓦窑堡转交给毛泽东、周恩来。

1936年7月，董应宋庆龄之托护送美国记者斯诺和美国医生马海德到陕北。

董健吾当牧师时，在中央特科协助下办了大同幼儿园，收养了毛泽东三个儿子——毛岸英、毛岸青、毛岸龙和一批烈士子女。后来，毛岸龙生病死了，死在“广慈医院”。

董健吾的家还做过上海与中央苏区的联络点，有十几张苏区的照片藏在三楼顶上。后来，董健吾受潘汉年派遣，当过伪军，还当过国民党情报室主任。

解放后，董健吾没有正式工作，生活困难，特别是因为牵连到潘汉年，被关了几年，后改为群众监督。

这次李克农到上海，很关心董的事和董的近况，但由于董的历史问题中央还没有定论，正式见面不合适，怎么办呢？

这时，陈赓在上海逝世。李克农和他是1928年起一道工作的老战友，十分怀念他，一定要到机场去，为他的骨灰运京祭送。

董健吾和陈赓很熟悉，也要到机场送陈赓的骨灰。

那一天，上海市委调查部韩仰山就带着董健吾到机场为陈赓的骨灰送行，并在候机室门口走一趟，李克农坐在稍远一点的地方，看得清清楚楚。总算是“见了一面”。李克农回到北京后，给韩仰山一封信，要他关心董健吾。韩就每月给董健吾100元生活费，给董的大老婆每月30元生活费。1963年、1964年，董的关系被转到上海市委统战部，安排其在上海市人民政府参事室工作。

董在20世纪70年代死于癌症。丧事是韩仰山安排办的，只是没有正式出面。

在李克农的关怀下，董健吾的晚年生活总算有了照顾。

李克农对中央特科的重要关系鲍君甫，也是一贯关怀的。

1955年3月19日，李克农给公安部部长罗瑞卿写了一封信，说：“鲍某日前从南京来此，昨晚陈赓同志和我约集旧日一起工作的刘少文、刘鼎、陈养山等老同志招待他一次，叙谈旧情。席间鲍谈到他目前的经济状况颇形拮据，本人年已64岁，牙齿脱落，饮食不便。陈、我意可以破格照顾，建议由公安部告南京市公安局每月津贴他150元至200元，并帮助他镶配一副牙齿。你意如何，请考虑示复。”

信中的“鲍某”，即鲍君甫，是中央特科在周恩来领导下于1928年建立的第一个反间谍关系。

鲍君甫，广东人，日本留学生。大革命时期是国民党左派，同情共产党，与陈养山关系密切。

1928年3月，南京国民党中央组织部调查科，要在上海筹建一个调查机构，陈立夫亲自出面，要鲍参加办案，主要是消灭在上海租界内的中共组织。鲍答应了，并与陈养山商量。鲍将随身带的一份搜捕名单交给陈养山，还表示愿将所了解的情况及时提供给共产党。

中央特科决定利用这个关系，加强政治教育。1928年5月起，由陈赓领导他并直接联系。

1928年七八月间，蒋介石正式委任鲍君甫为国民党中央组织部调查科驻上海的特派员，鲍成为国民党上海特务机关的负责人。

鲍君甫在1928年至1931年间，周旋于国民党上海党、政、军、警、特机关和英巡捕房之间，为人民做了许多有益的工作。

他从国民党和英、法的专业侦探机关，及时地获取有关敌人阴谋破坏共产党秘密机关的情报，使共产党的许多秘密机关迅速转移，避免了破坏。他还在陈赓直接指挥下，在营救被捕的几位中共领导人和消除一些内奸方面起了重要作用。

1931年4月，顾顺章叛变后，中央特科对鲍加紧进行气节教育，指出："只要你矢口不讲，国民党不敢对你怎么样。"并对鲍的家属做了妥善安置。4月底，鲍被国民党逮捕。他始终没有讲为中共中央特科工作的情况。敌人问他时，他总是说，"我的事顾顺章完全知道，我没有什么可讲的"。

半年多以后，另一个国民党特务头子张道藩把他保出来了。

1934年以后，鲍当了南京国民党政府反省院副院长，以后又去汪精卫伪政府任职。

南京解放时，他在街头摆小摊，生活很困难。1951年"镇反"时，鲍被抓起来了，后在周恩来、陈赓的过问下，他被释放。

在李克农写信给公安部后，他每月收到一些补助，维持生活。

李克农这次在上海期间，还给隐蔽战线上的烈士李白和吕明扫墓，并看望烈士的妻子和儿女。

李白，1910年5月生于湖南浏阳。1925年投身于革命洪流，不久加入中国共产党。1930年8月参加红军，主要做无线电报务工作。他参加过长征。1937年以后，在南京、上海等地建立秘密电台，曾遭日本宪兵逮捕，受严刑拷打，拒不屈服。

1945年底，李白又到国民党统治下的上海，建立秘密电台，1948年底遭逮捕，坚贞不屈，掩护了中共地下组织和重要机密。1949年5月7日深夜，在上海解放前夕，被蒋介石亲批“坚不吐实，处以极刑”，遭秘密杀害，时年39岁。

作为隐蔽战线指挥官的李克农，深知李白的功绩。上海地区一份重要的军政情报，通过李白台发到了中共中央。他对李白的英勇牺牲，十分悲痛。

他在20世纪50年代对作家黄钢详细讲述了李白如何英勇献身的故事，并说：“你们文艺工作者应该歌颂这些真正的英雄，没有他们，就不会有上海的解放，也不会有全中国的解放。”李克农接着建议和支持把隐蔽战线上的无名英雄搬上电影银幕。

因之，在1958年，根据李白的英雄事迹为主要题材，把主人公的名字改称李侠，电影《永不消逝的电波》拍摄出来放映了，既感人泪下，又使人振奋。

这次，李克农带着陈养山等人来到虹桥公墓，静静地伫立在李白墓前，怀念烈士的往事，深深地三鞠躬，然后缓慢转身离去。

另一天，李克农一行又到万国公墓给吕明烈士扫墓。

1961年秋，李克农（右一）等人在上海祭扫李白烈士墓

吕明是1949年李克农派往香港去专门负责“两航”起义工作的情报干部。他随起义飞机抵达北京西郊机场，下机后与迎接的领导人和同志们或握手，或拥抱，十分激动，但站立不稳，原来他工作太劳累而成疾，就直接被送到北京医院，不久逝世。

多年来，李克农一直怀念吕明，曾多方打听他亲属的下落，给予抚恤。

李克农的组织性是很强的，他9月间在上海时亲自写信向中央汇报工作。

信中写道：我这次到上海，工作只有陈养山、潘芳二同志随行协助。我们在上海公安局、市委调查部协助下，访问了烈士家属，对参加过特科工作和知道一些特科情况的人，进行了调查了解。我们还到监狱里查阅了一些历史档案，对特科被破坏、一些人员被杀害的情况，进行调查了解。

这封信，是李克农上海之行的简要概括。

他这次来上海，做了两件事。一件是组织中央特科历史资料的搜集和整理工作，为中共这阶段的情报斗争史，提供了极为珍贵的资料。

另一件是调查了解在中央特科工作过的情报干部和情报人员的现状，并做必要的处理、安排，使他们死有所安，老有所归。

这是李克农抱着重病亲自领导并参与的一项工作，也是他生前最后的一项工作。他对自己能继续为党工作，心情是欣慰的。

（结束语）光照后人

在上海调查中央特科斗争史工作结束后，李克农一行，本来准备去南京再做些调查的，但由于李克农身体情况不好，乃于1961年10月8日，从上海直接返回北京。

李克农回到米粮库胡同家中后，与孙女们团聚，有时一起看电影，享受天伦之乐。他在病中更珍惜这种天伦之乐。

床头和桌边，整齐地放着一些书刊，病情稍好一点，他就阅读、学习。

他有时还和一些领导同志谈论工作，关心工作的进展情况。

1962年1月11日到2月7日，中共中央在北京召开扩大的中央工作会议（通

李克农生前最后一次作报告

常称为七千人大会），他抱病参加，还认真地记笔记。

这期间，他患了几次心绞痛，医生和家属劝他不要去了。他说，“这样重要的会议，我怎能不参加呢？”

到2月6日，他身体实在支持不住了，没有参加当天下午举行的大会，事前专门请了假。

2月7日，他在日记本上只写了“星期三，正月初三日”，便没有下文。

这表明他几年来在病中坚持的每天记日记的习惯，到这天被迫中断了。竟成为绝笔。

2月9日，北京北风怒吼，大雪纷飞，天气严寒。李克农早上起床后看看文件、报纸，到9时，气喘异常，心脏发生障碍，输了氧气，也不见好。

下午，病情加剧，他被迫同意住协和医院，检查、治疗。

傍晚，他心烦不安，自己预感不妙，接着晕过去几次。儿女们围在身旁，老战友们闻讯赶来，医务人员全力抢救。但心电图上显示的波纹越来越平直，他最后低语，“我不行了……”

晚上9时许，他心脏停止了跳动。

次日，遗体移置北京医院。刘少奇、周恩来、邓小平、陈云、彭真等中共

1962年，首都各界在中山公园中山堂公祭李克农。周恩来主祭，罗瑞卿致悼词

领导人到医院向遗体告别。

12日，灵堂设在中山公园中山堂，首都各界前往吊唁，许多外国使节和各国驻华武官也前往吊唁。

13日，首都各界2500多人在中山堂举行公祭。

毛泽东、刘少奇、周恩来、朱德、宋庆龄等中共和国家领导人献了花圈。

中共中央副主席、国务院总理周恩来主祭，中国人民解放军总参谋长罗瑞卿大将致悼词。

悼词称：李克农是中国共产党的优秀党员，中国人民卓越的革命战士，我党我军政治保卫工作的组织者之一，全党、全军和全国人民都为这一重大损失而深感哀痛。

这悼词表达了中共中央对李克农的高度评价。

中共中央治丧委员会还收到了越南劳动党主席胡志明和朝鲜内阁副首相兼民族保卫相金光侠的唁电。

胡志明来唁电，超过了国际上交往的规格。这是由于早年李克农在桂林工作时，很好地掩护过胡志明——安插在八路军办事处工作，两人结下了战友情谊。

朝鲜领导人对李克农在朝鲜指挥停战谈判的功绩也深为怀念。李撤离朝鲜回国时，金日成曾亲自送行。

李克农功勋卓著，长期以来秘而不宣。但中共中央领导人全都知悉。

毛泽东曾明确地指出，“李克农同志打入敌人内部，是立了大功的”。

“文化大革命”时期，造反派在康生的指使下要“炮轰”李克农，并以此要挟周恩来。周恩来就和李富春拉着康生一起见他们，并说，“不是他（指李克农），我们今天在座的三个人，早就不在了”。

康生无话可说，因为他当时在上海，也是得到李克农报警才幸免于难的。

不仅如此，毛泽东、周恩来和中共中央其他领导人，曾多次称赞李克农领导的情报工作，对中国革命胜利起了重要作用。

新中国成立后，李克农领导的情报工作，屡次在关键问题上作出光辉的贡献，也受到中央领导人的表扬。

李克农向刘少奇汇报工作时曾谈到：有些人骂我们是“特务”。刘少奇就有针对性地说：“这种工作的是无名英雄。给反动派当特务不好，但作共产党的特殊工作，是为人民出力，这有什么不好？这是非常光荣的。正像八路军也戴了国民革命军的徽章，形式上都是‘国军’，但本质上是与国民党完全不同的。”

1988年7月间，他生前的老战友们和长期在他身边工作的同志们，在北京举行了回忆李克农同志生平事迹座谈会。他们踊跃发言，从不同的角度，回忆了李克农的生平事迹，讲述他坚定的信念和独特的领导艺术，赞扬他忠诚坦荡的高尚品德。

这次回忆座谈，充分表达了老同志们对李克农的怀念和崇敬，也给后人以启迪。

李克农庄重而又幽默的音容笑貌，伴随着他的光辉业绩，仍留在我们中间！

后　记

1992年4月底，国家安全部领导委托我担任撰写李克农传记的工作。开始，我犹豫不定，主要是考虑我缺少主人公的斗争经历，难以深刻地了解主人公，不易写好；而且我患肺癌动手术后，不到两年，还处于危险期，怕完成不了。

后来，我考虑：李克农是中共隐蔽战线的卓越领导人，在保卫、情报、统战和外交等几个方面，工作都很出色，我能为之写传，有殊荣焉；至于缺少斗争经历问题，我要以多读有关材料、访问有关人员和增加生活体验的办法来弥补；我还可以通过写作，学习主人公的优秀品德。于是我愉快地接受了这一使命。

我投入写作的工作后，遇到一些小小的波折。

1993年春节后，我因肺部阴影增大，可能是癌症复发而住院治疗。这时，我倒不完全怕死，而是担心我因此不能继续写作，辜负国家安全部领导的委托。

不幸中之幸的是，数月后，我康复出院。就立即抓紧时间，继续写作，在1994年9月15日前完成了全书第一稿，心中稍安。

我在写作此书时，尽量搜集有关的各种历史资料，多多益善。它好比炊中之“米”，米不够，巧妇也做不好饭，何况我并不巧。

但是，关于李克农革命事迹的历史资料，既多又少。说它多，是因为曾在不同阶段跟他一起工作过的许多同志，已经写了书，或发表了文章，介绍他的有关事迹。说它少，是因为他在早年革命的艰苦环境中，留下的资料很少；特别是他长期战斗在隐蔽战线上，工作具有特殊性，这方面的情况，更鲜为人知。

幸亏国家安全部办公厅的同志向我陆续提供了关于李克农革命事迹的材料，档案馆负责人又为我查询有关资料提供了方便。他们为我写好此书打下了良好的基础，我甚为感谢！对所有资料的提供者，口头的和书面的，我也甚为感谢！

国家安全部办公厅又派人负责与我联络，并代为复印一些资料，我也很感谢！

尤其难能可贵的是：与李克农长期在一起工作过的老同志罗青长等人热心地参加了第一次审稿会，或在阅稿后写了书面意见。他们了解李克农的有关情况，指出书稿中一些与事实不尽相符之处，加以澄清；也列举了与李克农关系不大的地方，建议删略。李克农的亲属也对有关情况提出了修改和补充意见。

在第二次审稿会上，罗青长等同志又对书稿进一步提出了修改意见。

我根据他们宝贵的意见，对原稿内容做了较大幅度的增、删，对所有与事实有出入之处，进行了查核、纠正，力求此书在史料翔实的基础上，内容丰富些。

这样，此书三易其稿后，由国家安全部组成的审稿小组在1996年6月11日最后审阅定稿。

此书花了四年时间终于写成，总的说是由于国家安全部党委的直接领导和密切关怀。

1994年9月15日，国家安全部组织李克农诞辰95周年纪念会，我汇报了此书第一稿已完成的简况。贾春旺部长在会上肯定了我写此书所根据的几点原则，会后又找我谈话，鼓励我再下功夫修改，把此书写成对国家安全干部和广大读者有现实教育意义的精品。

我对国家安全部领导人的鼓励和帮助，表示衷心的感谢。

在此书写作过程中，我自己使用电脑编辑、修改，并打印成了文本。这是由于国家安全部办公厅提供了电脑，并得到了几位同志以及小女其电的技术帮助，我也在此表示感谢。

我还想提一下老伴新儒的助手作用。在此书写作过程中，她帮助查找、抄写资料，又帮助使用电脑输入部分文稿；特别是初稿完成后，她作为第一读者，对书稿的内容和写作提出了意见。我参考这些意见，对书稿进行了初步修改，使得一稿在审稿会上就得到基本肯定。

此书是历史性的，纪实性的。我力求通过事实，写出一个活生生的、真实的李克农。从他的战斗经历和生活、品德中，显示出他的音容笑貌、脾气个性。

在长期的复杂斗争中，他屡建奇功，我详细记述之；他也有缺点和不足之处，我也如实记述之。古语说，“不以一眚掩大德”。他一生是辉煌的，受到领导、战友和同志们的高度评价。

此书的写作，我没有采取传记体裁的一般模式，而是把主人公最突出的事迹放在书正文的开头。是耶？非耶？请读者评说。

我的笔头笨拙，没有生花，不能涉笔成趣，但愿本书主人公事迹本身所具有的传奇色彩，能吸引广大读者！

作者　于北京